Zacisze Gosi

KATARZYNA MICHALAK

Zacisze Gosi

znak litera nova ❋ Kraków 2014

Projekt okładki
Magda Kuc

Fotografia na pierwszej stronie okładki
Copyright © Cultura/GretaMarie/Getty Images

ISBN 978-83-240-2509-1

Książki z dobrej strony: www.znak.com.pl
Społeczny Instytut Wydawniczy Znak, 30-105 Kraków, ul. Kościuszki 37
Wydanie I, Kraków 2014
Dział sprzedaży: tel. 12 61 99 569, e-mail: czytelnicy@znak.com.pl
Druk: Drukarnia Abedik S.A., Poznań

Dla moich Czytelniczek,
które pokochały Kamilę i jej Ogród.

*Nie jest ważne, ilu minie obojętnie czyjeś nieszczęście.
Ważne, czy Ty się zatrzymasz.*
K.M.

Rozdział I

*Leśny dzwonek – śliczna, bardzo delikatna roślina, którą spotkać
można w lesie lub na łące. Na wysmukłej łodyżce, zdobnej kilkoma
podłużnymi listkami, kołyszą się niebieskie, czasem błękitne
lub lawendowe dzwoneczki o pięciu prążkowanych płatkach.
Kwiatki te nie pachną może odurzająco jak wspaniałe róże czy
choćby konwalie, ale ich urok i subtelne piękno zachwycają.
Bez błękitnych dzwonków, zawieszonych na zielonych łodyżkach,
nasze lasy byłyby znacznie uboższe...*

*L*os tak przewrotnie kieruje ludzkimi krokami, że bezwiednie,
czyniąc dokładnie to, co on chce, wchodzimy w jego pułapkę.

Dlaczego Gosia Bielska, żona bogatego i wpływowego dyplomaty, zamiast udać się na spotkanie z przyjaciółkami taksówką,
wsiadła tego ranka do londyńskiego metra? Dlaczego ten jeden
raz nie zważała na swoje wygody i bezpieczeństwo, nosząc pod
sercem maleńkiego chłopczyka, wymarzonego synka, o którego
drżała przez tyle miesięcy? Co skłoniło rozważną, nieryzykującą
bez potrzeby kobietę do zamiany wygodnej limuzyny na zatło-
czony, duszny wagon podziemnej kolejki?

Małgosia, próbująca odnaleźć odpowiedź na te pytania w każdą bezsenną noc, a tych nocy przez ostatnie osiem lat było o wiele
za dużo, mogła powiedzieć jedynie: „Nie wiem. Takie było moje

przeznaczenie. Taki był mój los. Gdyby nie stało się to owego lipcowego dnia w Londynie, zapewne zdarzyłoby się kiedy indziej".

To było jedyne pocieszenie dla kobiety, która tego dnia straciła nienarodzonego synka, zdrowie, a w konsekwencji tego wszystkiego także męża i spokojny, szczęśliwy dom. I wolność, bo demony, z którymi zmagała się od tamtego strasznego dnia, zamknęły Małgorzatę w czterech ścianach domu, który jej przyjaciółkom przypominał grobowiec. Kto z własnej woli zamknąłby się za życia w grobowcu? Czy uczyniłaby to młoda, śliczna kobieta? Tak. Jeśli miałaby takie poczucie winy za śmierć synka i odejście męża, jakie miała Małgosia – tak. Bo mogła sobie wmawiać, że to los czy przeznaczenie, ale prawda była inna: tamtego lipcowego dnia Gosia Bielska dokonała takiego a nie innego wyboru. A za złe wybory płaci się czasami wysoką cenę. Najwyższą.

Czy mogła jednak przewidzieć, jak skończy się ta niewinna przejażdżka metrem?

Pociąg mknął podziemnymi tunelami, pełen na wpół śpiących ludzi. Było przed dziewiątą, ale że Londyn lubił balować do późna w nocy, pasażerowie podziemnej kolejki łapali ostatnie chwile odpoczynku przed długim dniem pracy.

Gosia wsiadła kilka stacji wcześniej. Jakiś uprzejmy młodzieniec ustąpił jej miejsca, widząc pokaźny brzuszek pod kwiecistą tuniką. Mieszkała w tym mieście od dwóch lat, a jeszcze nigdy nie jechała londyńskim metrem. W ogóle nie korzystała z komunikacji miejskiej wszędzie wożona samochodem służbowym albo taksówką: „Rozumiesz, kochanie: tłumy, terroryści i zamachy" – tłumaczył jej mąż. Dziś jednak coś kazało Małgorzacie wyłączyć telefon w momencie, gdy miała wezwać taksówkę, i skierować się do najbliższych schodów oznaczonych niebieskim napisem „Underground" w czerwonym okręgu.

Teraz siedziała wygodnie i zerkała na współpasażerów ciekawa zwykłych londyńczyków. Tych z wyższych sfer miała dosyć, spotykała ich na co dzień, jako żona dyplomaty, bywając na przyjęciach i oficjalnych spotkaniach, jeżeli nie mogła się od nich wykręcić, a czasami, mimo zaawansowanej ciąży, nie mogła. Przejażdżka metrem i lunch w towarzystwie przyjaciółek z dawnych lat, które nie miały nic wspólnego ze sferami dyplomatycznymi, były dla Gosi miłą odmianą, cichym buntem przeciw napuszonemu towarzystwu, na jakie skazała sama siebie, przyjmując dwa lata temu oświadczyny Mateusza Wielickiego, doskonale zapowiadającego się absolwenta wydziału stosunków międzynarodowych.

Zbuntowana na to jedno przedpołudnie Małgosia siedziała więc w sunącym podziemiami wagonie kolejki, ciesząc się tą chwilą. Kolorowy tłum fascynował ją. Słuchała rozmów w najróżniejszych językach, patrzyła na kobiety, których twarze ukryte były pod chustami, na mężczyzn w garniturach i zwykłych roboczych ubraniach, próbując zgadnąć, kim są, jakie mają marzenia, czy w ogóle marzą o czymś więcej niż o odfajkowaniu listy obecności, przetrwaniu do wieczora i powrocie tą samą kolejką do domu.

Jakiś mężczyzna, mniej więcej w jej wieku, napotkał spojrzenie Gosi i uśmiechnął się do niej – młodej, ślicznej kobiety, która już niedługo zostanie mamą, obejmującej brzuch tym jedynym w swoim rodzaju obronnym gestem. Odpowiedziała uśmiechem i nagle... Coś kazało jej wstać. Teraz, natychmiast!

Pociąg dojeżdżał do stacji, a Gosia miała przed sobą jeszcze kawałek trasy, mimo to poderwała się na równe nogi i zaczęła przeciskać przez tłum w kierunku wyjścia. Ten impuls uratował życie jej, ale już nie maleństwu...

Nagły błysk był tak jasny, a huk tak potworny, że ludzie umilkli. W następnej sekundzie wagon uniósł się i runął na bok.

Gosia razem z resztą pasażerów została uniesiona w górę, szarpnięta w tył i ciśnięta ze straszliwą siłą na sąsiedni tor.

Trwało to może trzy uderzenia serca.

Następny był krzyk. Krzyk, który wyrwał się z gardeł przerażonych ludzi.

A potem huk miażdżonego metalu.

I uderzenie, które zebrało największe żniwo.

Gosia krzyczała razem ze wszystkimi. A potem razem ze wszystkimi umilkła.

Siła zderzenia dwóch składów wyrwała ją z wagonu i cisnęła w ciemność.

Ocknęła się parę chwil później, gdy gdzieś za nią rozpętało się piekło. Ludzie krzyczeli, jęczeli, wyli, błagali o pomoc. Coś się paliło. Kłęby gryzącego dymu odbierały oddech, wciskając się do płuc. Próbowała zaczerpnąć powietrza, ale zakrztusiła się tylko. Walka o tlen zabrała jej kilka dobrych sekund. Gdy wreszcie zaczerpnęła pierwszy haust, też chciała krzyknąć, zawołać o pomoc, ale spazm bólu, który skręcił jej trzewia, w sekundę odebrał Gosi przytomność.

Ból jednak nie pozwolił, by zbyt długo trwała w nieświadomości. Wyszarpnął ją z omdlenia, ciskając z powrotem do piekła, pełnego jęków i płaczu. Ale tym razem do bólu dołączył... strach. Nie, nie o siebie. O dziecko. Małgosia czuła, wiedziała, po prostu była pewna, że jej maleńki, nienarodzony synek umiera...

– *Help!* – chciała krzyknąć, ale z jej gardła, palonego przez dym z płonącego wagonu wydostał się tylko szept. – *Help me, help, please...* – spróbowała raz jeszcze. Kto by jej jednak słuchał. Wszyscy, którzy byli w stanie komukolwiek pomóc, próbowali wydostać się z gruzowiska na powierzchnię. Instynkt samozachowawczy był silniejszy od altruizmu, a Gosia na dodatek, nie wiadomo, jakim cudem, znalazła się dobrych kilkanaście metrów od pobojowiska w pustoszejącym tunelu.

Zbliżało się do niej, zataczając się od kaszlu, kilkoro ludzi. Wyglądali jak monstra, poodzierane miejscami z nadpalonych, tlących się jeszcze ubrań. Gosia błagalnie powtórzyła swoje „Help me, please", pochwyciła jednego z przechodzących mężczyzn za nogawkę spodni, próbowała unieść się na kolana, wyciągając do niego proszącą dłoń. Spojrzał w dół z niedowierzaniem, strachem, niemal nienawiścią, że coś go zatrzymuje w pędzie do życia, i odkopnął kobietę z taką siłą, że potoczyła się w bok, krzycząc z bólu. Pobiegł za oddalającą się resztą.

Ona zaczęła płakać, cicho, bezradnie. Musiała, po prostu musiała, wydostać się stąd, znaleźć pomoc i ratować dziecko! Obróciła się na bok i wbijając paznokcie w beton, próbowała pełznąć w kierunku czystego powietrza, ale... upadła twarzą w gruzy. Znieruchomiała.

Gdy ponownie uniosła głowę, krzyki ucichły. Z najbliższego wagonu metra, obróconego na bok, dobiegały tylko jęki. Takie same, jakie wydostawały się z jej krtani.

– *Help! Help me!* – błagały głosy rannych i umierających.

Ciemność rozjaśniały płomienie dopalających się resztek wagonu i upiorne czerwone lampy awaryjne. Duszący dym unosił się metr nad torami, niczym śmiertelny całun.

Gosia patrzyła na to, leżąc na boku. Ona też umierała. Razem z maleństwem. Ból rozrywał ją na kawałki. Krwawiła. Próbowała zawołać raz jeszcze, może pomoc już nadeszła, może ktoś ją znajdzie i uratuje chociaż synka, ale mogła jedynie wyszeptać:

– *Help me, please...*

W tym momencie ktoś pochylił się nad nią.

Spojrzała w ciemną, osłoniętą chustą twarz, w błyskające białka oczu, dzikie, niczym u wściekłego psa. Coś powiedział. Szybko, niezrozumiale, gardłowo.

– *Help me* – wyszeptała, niczym modlitwę.

Wyciągnął ku niej rozcapierzoną dłoń. Chwycił za pasek torebki. Szarpnął. Gosia jęknęła. Uniósł pięść i uciszył ranną jednym ciosem.

Gdy uniosła powieki, nic się nie zmieniło. Nadal żyła i nadal tkwiła w tym piekle, sama, bezbronna, wykrwawiająca się z każdą sekundą.

Nie zważając na potworny ból, znów zaczęła pełznąć w kierunku wagonów. Tam, wśród innych rannych, miała szansę na ratunek. Za sobą usłyszała ciche szuranie. Ktoś nadchodził. Znieruchomiała. Uderzenie, które otrzymała przed chwilą, czegoś ją nauczyło.

– *Are you alive?** – usłyszała w następnej chwili.

Ten, kto pytał, pochylił się nad nią, dotknął jej ramienia. Zapłakała.

– *Help me* – szepnęła.

Gdy przyklęknął obok, ujrzała nad sobą twarz tamtego mężczyzny, który uśmiechnął się do niej tuż przed wybuchem. On też ją rozpoznał w tym upiornym czerwonym świetle.

– *I'll help you, hold on*** – rzucił, chwytając ją za dłoń i ściskając mocno, stanowczo.

---

* Żyjesz?
** Pomogę ci, trzymaj się.

Powinien się ratować. Przed chwilą sam odzyskał przytomność i sam był ranny, ale... nie mógł przecież zostawić tej kobiety samej.

– *I'm dying, help my baby* – poprosiła. – *My leg**... – wyszeptała w następnej chwili.

Nic nie odpowiedział. Widział, nawet w tym niepewnym świetle, że kobieta wykrwawia się ze zmiażdżonej nogi, i był pewien, że w tym stanie nie doczeka pomocy. Musiał zatamować czymś ten krwotok i dopiero potem ratować i siebie, i tę kobietę. Zdjął z szyi telefon komórkowy, odpiął go, odrzucił nic niewart kawałek potrzaskanego plastiku i już trzymał w dłoni mocną smycz, którą mógł zacisnąć na poharatanym udzie rannej.

Kobieta bez jęku, bez słowa skargi znosiła jego zabiegi, po czym zemdlała. Krew przestała wypływać z rany, ale nie miał wątpliwości, że stan nieznajomej jest ciężki. Powinien ruszyć po pomoc, ale... poczeka jeszcze chwilę, aż ranna odzyska świadomość. Nie zostawi jej tu przecież. Może im obojgu uda się dostać do wyjścia? Zdjął marynarkę i okrył nieprzytomną...

Tym razem pierwszym uczuciem był nie ból – choć bolało bardzo – lecz panika. Ciemność, dym, krzyki, cierpienie, nieruchome dziecko. I ona sama. Szarpnęła się całym ciałem w kierunku, dokąd poszli tamci. Tam musi być wyjście! Tam jej pomogą!

– *I'm here, I'm with you. You'll be all right...* – Usłyszała słowa tego mężczyzny i zapłakała z ulgi. – *Hold on.*

Próbował unieść ją, wziąć na ręce, ale krzyknęła krótko z rozdzierającego bólu. Nie mógł jej ruszyć, jeśli chciał, by przeżyła. Mógł tylko okryć ją własną marynarką, trzymać za rękę i powtarzać, niczym zaklęcie:

– *Hold on, don't give up. Just hold on...*

---

* Umieram, ratuj moje dziecko. Moja noga...

Dziś, osiem lat później, znów trzymał rękę kobiety, której imienia nie znał, patrzył w te same oczy, płonące w tej samej szczupłej, ślicznej twarzy, i... nie wierzył. Po prostu nie wierzył.

– Powiedziano mi, że nie żyjesz. Że byłem ostatni... – wyszeptał, z trudem panując nad łzami wzruszenia.

– Mi powiedziano to samo. – Gosia zaciskała palce na jego dłoni tak kurczowo jak wtedy, w ten straszny dzień. Nie wiedziała, ile godzin czekali na pomoc, ale były to nieskończenie długie godziny...

– Szukałem cię w szpitalu – mówił Jakub.

Kiwnęła głową. Ona też go szukała. W zamachu tym zginęło jednak wiele osób, setki zostały ranne, zaś ani jej, ani jemu nie przyszło do głowy, by szukać wśród Polaków!

Przez wszystkie te godziny mówili do siebie po angielsku, krótkimi, urywanymi słowami, nie przedstawiając się sobie nawet. Jakub próbował utrzymać Małgosię przy życiu, ona zaś traciła co chwila przytomność, a gdy ją odzyskiwała, miała siłę jedynie ściskać jego dłoń, niczym ostatnią nić łączącą ją z życiem. Wreszcie umilkła na dobre, a on zrozumiał, że jeśli nie sprowadzi pomocy – natychmiast! – kobieta umrze. Wstał i ruszył w kierunku wyjścia z tunelu.

Wrócił kilka minut później z dwoma ratownikami. Pochylili się nad ranną i natychmiast rozpoczęli reanimację. Dwóch następnych odciągnęło go i wyprowadziło na powierzchnię. Tam natychmiast położono mężczyznę na noszach i umieszczono w karetce. Więcej kobiety, przyszłej mamy, która uśmiechnęła się doń tuż przed wybuchem, nie widział.

Aż do dziś.

Dzisiaj trzymał ją za ręce, drżącą z niedawnego przerażenia, i patrzył na Gosię jak wtedy, w londyńskim metrze, z mieszaniną zachwytu i radości, że widzi ją całą i zdrową. Ile razy o niej myślał...

Ile razy żałował, że ta młoda, śliczna kobieta wykrwawiła się na śmierć w ciemnym, zasnutym dymem tunelu...

I oto miał ją przed sobą, żywą i całą. I jeszcze piękniejszą, o ile to możliwe. Tylko...

– Twoje dziecko? – musiał zapytać.

Pokręciła głową i zaczęła cicho płakać. Jak wtedy.

Ból wrócił.

Przytulił ją. Tak po prostu. I pozwolił, by płakała. By raz jeszcze opłakała śmierć synka.

Kamila stała pod drzwiami tak, jak Jakub zostawił ją parę minut temu, gdy pojawiła się Gosia, ściskając w pobielałych palcach akt notarialny i patrząc to na niego, to na przyjaciółkę.

Gdy usłyszała magiczne „Hold on, don't give up", domyśliła się, że to Jakub był przy Gosi wtedy, w londyńskim metrze, co zakrawało na cud, ale życie jest pełne takich cudów. Oczywiście Kamila była głęboko wzruszona i tym gestem, i tymi słowami, ale... ale czuła podświadomie, że przyjaciółka odbiera jej, Kamili, ważny moment w życiu, i wzruszenie powoli ustępowało miejsca żalowi, może nawet złości?

Ta chwila, chwila odnalezienia dawnej miłości, powinna należeć tylko do niej. Później, gdy powiedzą sobie z Jakubem to, co winno być powiedziane, odda go Małgosi raz na zawsze, ale w tym momencie, na który czekała tyle lat, tyle nieskończenie długich lat, pragnęła go tylko dla siebie.

Jednak... nic nie mogła poradzić, że los zadecydował inaczej.

Westchnęła z głębi duszy, oderwała wzrok od tamtych dwojga, obejmujących się tak ciasno, jakby byli kochankami, i spojrzała na trzymaną w rękach teczkę. Po raz trzeci otworzyła ją i – nie bardzo wiedząc, co dalej ze sobą robić: zostać czy odejść – zaczęła czytać akt darowizny domu przy ulicy Leśnych Dzwonków 3 w Milanówku, którą to nieruchomość Jakub Kiliński darowuje...

Kamila wciągnęła powietrze. Jej źrenice rozszerzył szok. Przeczytała raz jeszcze, nie wierząc w to, co widzi. I pobladła śmiertelnie, nagle wszystko zrozumiawszy.

Uniosła oczy i napotkała spojrzenie Jakuba, nadal tulącego Małgorzatę.

Widział, jak niedowierzanie w spojrzeniu Kamili zmienia się w błagalną prośbę, by zaprzeczył, ale przybył tu po to, by wyjaśnić wszystko raz na zawsze, od początku do końca.

Skinął głową.

To wszystko było prawdą.

Kamila krzyknęła cicho, z niewypowiedzianym bólem i... wybiegła z domu wprost w lejące się z nieba potoki deszczu.

Dogonił ją na ścieżce prowadzącej do furtki, obrócił szarpnięciem za ramię do siebie i chciał coś powiedzieć, ale strzeliła go w twarz. Nie próbował jej powstrzymać, gdy uderzyła raz jeszcze. Zasłużył na to. Ale już gdy próbowała wyrwać ramię z uścisku jego palców, nie ustąpił.

– Puść, bydlaku!! – zawyła nieomal. – Daj mi spokój! Puuuść!

– Wrócimy do domu i porozmawiamy na spokojnie – odparł cicho, a ona usłyszała go mimo panującej dookoła nawałnicy.

– Nie chcę z tobą rozmawiać! Miałeś czas! Miałeś pieprzone osiem lat, by wszystko wyjaśnić! Pisałam do ciebie, niemal dzień w dzień, ale milczałeś, by po ośmiu cholernie długich latach przyjść jakby nigdy nic i wręczyć mi to?! – Spoliczkowała go po raz trzeci aktem notarialnym, który ściskała w ręku. I nagle nogi się pod nią ugięły.

Upadłaby, gdyby jej nie podtrzymał.

– Kamila, wszystko ci wyjaśnię, tylko, proszę, wróćmy do domu...

Uniosła nań złote oczy, w których dawno temu zakochał się do nieprzytomności, i wyszeptała ustami mokrymi od deszczu i łez.

– Zostaw mnie. To nie jest mój dom.

W odpowiedzi potrząsnął nią za ramiona i rzekł twardo:

– Już jest.

Szarpnęła się ponownie.

Furtka za jej plecami zaskrzypiała i uchyliła się. Łucja Jadwisińska, która bez zapowiedzi przyjechała dziś do Warszawy, próbując schronić się przed potokami deszczu pod parasolem, wbiegła na podjazd i na widok obcego mężczyzny, który z zaciętym wyrazem twarzy trzymał Kamilę za ręce, stanęła jak wryta. On obrzucił kobietę obojętnym spojrzeniem, powracając do Kamili.

– Proszę, wróćmy do domu – powtórzył powoli i stanowczo – bym mógł wszystko wyjaśnić.

– A ja proszę, żeby pan ją puścił!... – zaczęła Łucja, ale nie pozwolił jej dokończyć. Po prostu chwycił Kamilę na ręce i poniósł w kierunku schodów. Kobiecie nie zostało nic innego, niż podążyć za nimi.

Hol był pusty i gdy zamknęło się drzwi, niemal cichy.

Jakub postawił przemoczoną do suchej nitki Kamilę przed sobą i czekał na jej pierwsze słowa. Ale ona stała ze wzrokiem wbitym w granatową teczkę, nie chcąc wierzyć w to, co zawiera. Bo uwierzyć znaczy...

– Dotykałeś mnie – wyszeptała nagle i w następnej chwili zatkała usta dłonią, by nie krzyczeć.

Łucja dopadła dziewczyny, objęła ją, przytuliła, ale Kamila wyrwała się ciotce, nadal patrząc na stojącego bez ruchu Jakuba.

– Dotykałeś. Widziałeś mnie nagą... O Boże... Chciałeś... Próbowałeś... Ja... Zrobilibyśmy to! O mało co ja i ty... – Niedowierzanie i szok zmieniły się w przerażenie. – Ty bydlaku, ty sukinsynu! – Nagle zwróciła się do Łucji. – Wiesz, kim on jest? – I nie czekając na odpowiedź, rzuciła z nienawiścią: – To mój ojciec!

Łucja zachwiała się jak od uderzenia.

Kamila zaś dodała, znów patrząc na Jakuba:

– Gdybym wtedy nie uciekła, tatuś, kochający ojczulek, zgwałciłby córeczkę!

On mierzył dziewczynę lekko zmrużonymi oczami. Milczał.

– Od kiedy wiedziałeś?! – chciała krzyknąć, ale zaciśnięte gardło przepuściło tylko pełen bólu szept. Bała się, że on miał tę świadomość od samego początku, gdy tylko Kamilę poznał, może nawet wcześniej, ale odrzekł zimno:

– Twoja matka uświadomiła mi to następnego dnia.

Rozdział II

Zawilec gajowy, zwany także anemonem – śliczny,
delikatny biały kwiatek, pojawiający się w naszych lasach
wczesną wiosną, o sześciu płatkach, otaczających żółty
środek z mnóstwem osypanych pyłkiem pręcików.
Liście, ciemnozielone, przypominające kształtem
dzikie wino, jeszcze dodają tej roślinie uroku.

Gdy tamtej nocy, osiem lat temu, Jakub wrócił do domu, pozostawiając Kamilę – na szczęście nietkniętą – pod drzwiami domu, długo nie mógł zasnąć. Pragnął tej dziewczyny, kochał ją – to nie ulegało wątpliwości – ona również go kochała, jeżeli jednak chciał pozostać w zgodzie ze swoim sumieniem...

Kamila nie była pokroju kobiet, z którymi Jakub obcował do tej pory. Przyjaciółki jego matki brały sobie nastoletniego chłopaczka, ot tak, niczym ciastko na deser, gdy tylko został przez jedną z nich rozdziewiczony. Miał wtedy czternaście lat, był nieomal dzieckiem, ale nadmiernie rozwiniętym i przedwcześnie dojrzałym. Hormony w nim buzowały i wystarczyło, że któregoś dnia jedna z tamtych, lekko podpita, wyciągnęła do chłopaka rękę, a gdy podszedł, bezceremonialnie wpakowała mu ją w spodnie, by stracił panowanie nad własnym ciałem. Parę chwil potem stracił także niewinność i młodzieńcze złudzenia...

Od tej pory Jakub lubił towarzystwo dojrzałych kobiet. Kobiet, które wiedzą, czego chcą, potrafią się kochać i są tak bezpruderyjne, jak tylko młody chłopak może to sobie wymarzyć. Czerpał więc z życia to, co najlepsze, umiał uwodzić, ale od rówieśniczek trzymał się z daleka. To były dopiero dzieciaki... Same kłopoty z nimi... Romantyczne trzymanie się z nastolatką za rączki już Jakubowi nie wystarczyło, on chciał dużo więcej i dużo szybciej, choć czasem dość miał łatwych kobiet, które rozkładały przed nim nogi, gdy tylko matki nie było w domu.

Jakub był myśliwym, zdobywcą, pragnął osaczać ofiarę, podchodzić ją tak, by nie wiedziała, że wpada w jego sidła.

O n a była wymarzoną zdobyczą.

Szesnastoletni wtedy Jakub wiedział to od chwili, gdy przestąpiła próg klasy – piękna, delikatna i szczupła, niemal eteryczna, o zadziwiających złotych oczach i pełnych ustach, których chciało się skosztować – położyła na biurku dziennik, na oparciu krzesła powiesiła torbę i zwracając się do wpatrzonych w nią trzydziestu dwóch uczniów, rzekła z nieśmiałym uśmiechem:

– Przez kilka miesięcy będę zastępowała waszą wychowawczynię. Nazywam się Aniela Jadwisińska.

W uczuciu młodego chłopaka do nauczycielki nie było wyrachowania.

Jakub zakochał się w swej wychowawczyni jak wszyscy chłopcy w klasie, jednak tylko on wiedział, jak zdobyć coś więcej, o wiele więcej niż jej zdawkowy uśmiech.

Uwodził swą ofiarę przez wiele, wiele tygodni. Cierpliwie, bez pośpiechu przełamując jej wrodzoną nieśmiałość. Na wycieczkach starał się być jak najbliżej niej. W klasie wodził za nią spojrzeniem błękitnych oczu. Przypadkowe dotknięcie jego dłoni wywoływało rumieniec na jej policzkach, ale nie był to rumieniec gniewu...

Był najprzystojniejszym chłopakiem w szkole i nauczycielce mimo wszystko pochlebiały żarty koleżanek, że „piękniś Kiliński stracił dla ciebie głowę". Aniela miała jednak niewzruszone zasady moralne – uczeń był uczniem. Koniec, kropka.

Do czasu...

Gdy wychowawczyni wróciła z urlopu i zastępstwo dobiegło końca, Jakub przeraził się, że utraci szansę... szansę na co? Na seks z nauczycielką? Czy na miłość Anieli Jadwisińskiej? Nie zastanawiał się nad tym. Musiał, po prostu musiał ją zdobyć!

Jedynym sposobem na zbliżenie się do ofiary były korepetycje, ale matka nie kwapiła się z ich opłaceniem, więc sam zaczął zarabiać pokątnie pieniądze. Wreszcie stać go było na to, by poprosić nauczycielkę o pomoc w matematyce.

Aniela powinna była odmówić – gdyby wiedziała, do czego to doprowadzi, odmówiłaby na pewno – ona jednak... zgodziła się chętnie. Zbyt chętnie. I bynajmniej nie chodziło jej o dodatkowe pieniądze. W tym niewielkim miasteczku, które bez entuzjazmu przyjmowało obcych, czuła się przeraźliwie samotna. Ją, do niedawna najbardziej lubianą studentkę na roku, traktowano tutaj niczym trędowatą. Owszem, tolerowano ją w szkole i do grona nauczycielskiego przyjęto – bądź co bądź odciążała koleżanki i kolegów w użeraniu się z uczniami – ale już poza szkołą ledwie odpowiadano na jej pozdrowienia.

Towarzystwo uroczego Jakuba, którym mogłaby się cieszyć także po lekcjach, wydało się Anieli Jadwisińskiej darem niebios. Z chęcią zgodziła się więc pomóc chłopakowi w nauce.

On zaś, gdy tylko kobieta przestąpiła próg jego domu, pustego, cichego domu... Nie, nie rzucił się na nią i nie wziął w holu.

Przynajmniej wtedy jeszcze nie. Za to uniósł dłoń Anieli, wtulił gorące usta w jej wnętrze i rzekł niskim, zmysłowym głosem:
– Kocham panią. Chciałem, by pani o tym wiedziała.

A potem puścił bezwładną dłoń oniemiałej kobiety, spojrzał w jej złote oczy smutnym, pełnym beznadziei wzrokiem i zaprosił do swego pokoju.

Aniela, przyciskając dłoń do mocno bijącego serca, wahała się przez chwilę. Oczywiście nie bała się, że chłopak zrobi jej krzywdę, mogła uciec w każdej chwili, bała się uczucia, które – zrozumiała to przed chwilą – żywiła do tego młodego mężczyzny. Mimo to ruszyła za nim...

Reszta wieczoru minęła im na nauce matematyki.

Jakub ani jednym słowem, ani jednym gestem nie nawiązał do swego wyznania.

Dwie godziny spędzili sam na sam pochyleni ku sobie nad zeszytami i książkami. Jeżeli dotykali swych dłoni, to przypadkiem. Jeżeli patrzyli sobie w oczy, to niewinnie, ona, pytając, czy rozumie materiał, on, przytakując.

Jednak gdy czas minął, a Jakub odprowadzał nauczycielkę do drzwi, ponownie ujął jej dłoń, przycisnął do ust i trzymał tak przez chwilę. A ona na to pozwoliła. I Jakub już wiedział, że wcześniej czy później Aniela Jadwisińska będzie jego.

Przez cały tydzień mijali się na szkolnych korytarzach jak gdyby nigdy nic. On mówił grzecznie: „Dzień dobry" – ona odpowiadała skinieniem głowy i uśmiechem, ale... oboje nie mogli się doczekać następnego piątku. Jakub ciekaw, czy nauczycielka przyjdzie, Aniela zaś...

Nie rozumiała, co się z nią dzieje. Po prostu nie mogła tego pojąć! Była dwudziestosześcioletnią poważną kobietą, która miała za sobą kilka studenckich flirtów i żadnej wielkiej miłości. Wierzyła w nią, wierzyła całym sercem, ale na pewno nie była to miłość do dziesięć lat młodszego dzieciaka! Jej ucznia, na miłość boską!

Bo przecież nie jest to żadna miłość, Anielo Jadwisińska – strofowała się w następnej chwili. – Nawet nie zauroczenie. Zainteresowanie Jakuba pochlebia ci. Tylko tyle. Lubisz jego towarzystwo, bo jest wyjątkowo uroczym młodym człowiekiem, ale nic więcej! I radzę ci, moja droga, by tak pozostało. Nie możesz zacząć go unikać, bo zbyt wiele może sobie chłopaczyna pomyśleć. Po prostu bądź miła, jak zawsze.

I była miła. Aż do piątku, gdy ponownie spotkali się w jego domu, tak jak poprzednio pustym i cichym, a on ujął jej dłoń i uniósł do ust, Aniela zaś nie była zdolna do tego, by wyrwać rękę i wyjść, bo nogi się pod nią ugięły. Do tej chwili nie zdawała sobie sprawy, jak bardzo jest samotna i jak bardzo brakuje jej mężczyzny.

Mężczyzny, na Boga! – coś zakrzyczało w jej duszy. – A nie nastolatka! Nie twojego ucznia!

– Proszę wybaczyć, ale marzyłem o tym przez cały tydzień – rzekł cicho, podnosząc na kobietę błyszczące w mroku oczy. I ponownie wtulił usta, gorące, namiętne, w zagłębienie jej dłoni.

Czuła na swej skórze żar bijący od tego chłopaka, czuła ten żar w swym wnętrzu. Ogarniał powoli i ją, a ona nie miała sił, albo nie chciała, z nim walczyć. Przecież to jedynie niewinna miłość – jakże banalna – ucznia do nauczycielki, niewinne zauroczenie.

Gdy Jakub Kiliński posunie się choć krok dalej, ona...

Tydzień później, zaraz po tym jak pieścił ustami wnętrze dłoni kobiety, zaczął całować gładką, pachnącą i rozpaloną skórę nadgarstka, czując pod wargami oszalałe pulsowanie jej krwi, a gdy

Aniela nie zaprotestowała, bo gorące pragnienie odebrało jej głos, ujął drobną, ładną twarz kobiety w dłonie i pochylając się ku niej, bo była dobre pół głowy od niego niższa, lekko, pytająco pocałował jej usta. Bezwiednie rozchyliła je, złote oczy pociemniały z pożądania. Nie musiała nic mówić. Zaczął całować tak, jakby to był pierwszy i ostatni pocałunek w ich życiu. Tak, aż obojgu zabrakło tchu. Aż ona zaczęła omdlewać pod jego dłońmi, a on z trudem pohamował się, by nie zerwać z niej sukienki i nie kochać Anieli tutaj, w holu, gdzie mógł ich nakryć byle listonosz.

Jakub wiedział jednak, że gdy posunie się jeszcze dalej, ofiara zlęknie się i umknie, a jemu jeden jedyny, choćby nie wiem jak namiętny pocałunek nie wystarczył. Musiał zdobyć tę kobietę całą i do końca. Musiał posiąść jej ciało, serce i duszę. Tego właśnie pragnął.

Oderwał się teraz od jej ust, choć nie było to łatwe, bo męskość niemal rozrywała mu spodnie.

– Przepraszam panią z całego serca – rzekł urywanym, ochrypłym głosem. – Miłość odbiera mi rozum. Przepraszam... – Cofnął się o krok i patrzył, jak kobieta z trudem łapie oddech. – Nigdy więcej tego nie zrobię – obiecał, choć oboje wiedzieli, że owszem, za tydzień, może nawet wcześniej, on spróbuje ponownie, a ona, tak jak dziś, mu na to pozwoli. I nie wiadomo, na co jeszcze.

Aniela straciła dla Jakuba głowę, ot co.

A Jakub...?

Gdy oddała mu się tydzień później, a potem zasnęła w jego ramionach, czuł smak zwycięstwa, owszem, bo oto zdobył niedostępną, wydawałoby się, świętość, nauczycielkę, kobietę z zasadami, dziesięć lat od niego starszą, ale i ogromną czułość, bo rzeczywiście ją kochał. Tak się przynajmniej temu szesnastolatkowi wydawało.

W tygodniach, które nadeszły, kradli chwile szczęścia, gdy tylko było to możliwe. W szkole i poza nią udawali, że siebie nie zauważają, zwykłe chłodne „dzień dobry" i skinienie głowy to wszystko, co mieli dla siebie, gdy ktoś mógł ich obserwować, za to w domu Jakuba, gdzie zaczęli spotykać się tak często, jak tylko nieobecność matki chłopaka na to pozwalała... Aniela przekraczała próg, zamykała za sobą drzwi i w następnej chwili tonęła w ramionach Jakuba, całując go żarliwie, niemal z rozpaczą, podczas gdy on gorączkowo zdzierał z niej ubranie, nie tracąc ani chwili ukradzionej losowi.

Często brał ją jeszcze w holu, opartą plecami o ścianę, oplatającą udami jego lędźwie, ramionami jego ramiona. Czasami obojgu udało się powstrzymać na tyle, że docierali do pokoju chłopaka i tam przez dwie godziny oddawali się sobie nawzajem, bez słowa, z jakąś determinacją czy rozpaczą, wiedząc, że każda chwila może być tą ostatnią. Tak właśnie było: oboje zdawali sobie sprawę, że wcześniej czy później zaczną się plotki, ktoś ich przyłapie i... co wtedy? Czy głupi dzieciak, jakim dla matki był Jakub, zawalczy o swoje szczęście u boku dziesięć lat starszej kobiety? A czy ta kobieta potrafi rzucić swą miłość do dziesięć lat młodszego kochanka na żer mieszkańcom małego miasteczka, u których nie znajdzie tolerancji ani zrozumienia?

Żadne z nich nie było na to gotowe.

Żadne z nich nie chciało zmian.

Zmiany zaś nie zamierzały pytać ani jego, ani jej. Po prostu nastały wraz z dwiema kreskami na teście ciążowym, po który Aniela pojechała do Warszawy, bo gdyby kupiła go w jedynej aptece w miasteczku, następnego dnia wiedzieliby wszyscy, że Jadwisińska, tak, ta świątobliwa, niedotykalska Jadwisińska, jest w ciąży. Ciekawe z kim...? I w końcu ktoś przypomniałby sobie, komu pani nauczycielka coraz częściej i z coraz większym oddaniem udziela „korepetycji".

Gdy Aniela ujrzała owe magiczne dwie kreski, pociemniało jej w oczach.

Zlinczują ją!

Koledzy i koleżanki z pracy, dyrekcja, rodzice uczniów, sąsiedzi... po prostu ją zlinczują, gdy padnie choć cień podejrzenia, że zaszła w ciążę z uczniem. A Jakub? O nim pomyślała w następnej chwili. Co zrobi ten niewinny, nastoletni chłopak, gdy się dowie, że na progu dorosłego życia zostanie ojcem?! Czy ona, Aniela, może go obciążać taką odpowiedzialnością?!

Przez długie chwile, najdłuższe w jej życiu, patrzyła nieprzytomnym wzrokiem na kawałek białego plastiku, który wydał wyrok na nich dwoje, na ich miłość.

Gdy pierwszy szok minął, zadzwoniła do matki i płacząc, wyznała jej wszystko.

Jeśli liczyła na współczucie czy zrozumienie, przeliczyła się. Matka wybuchnęła gniewem. Na nic się zdało tłumaczenie, że ona, Aniela, kocha Jakuba, a on kocha ją. Starsza kobieta, która przez kilka dziesięcioleci sama była nauczycielką, nie chciała słuchać żadnych wymówek.

– To twój uczeń!!! – krzyczała w odpowiedzi na wszelkie argumenty Anieli. – Nie miałaś prawa nawet na niego spojrzeć inaczej niż na ucznia!!! A ty...?! Nie tak cię wychowałam!!!

Nawet pokorne błaganie o wybaczenie i prośba o pomoc nic nie dały.

Matka wykrzyczała ostatnie słowa rwącym się głosem:

– Sama sobie tego piwa nawarzyłaś, sama je wypij! Nie masz prawa wstępu do mojego domu, ty... ty lafiryndo bez sumienia! – po czym trzasnęła słuchawką.

Jedyną nadzieją Anieli była jej starsza siostra Łucja, ale rozmowa z nią miała się okazać jeszcze trudniejsza, bo Łucja nie krzyczała, nie pomstowała, tylko wykrztusiła pełnym niedowierzania głosem:

— Jesteś w ciąży? Ty, Aniela Jadwisińska, uwiodłaś szesnastoletniego ucznia i z nim wpadłaś? Na dodatek śmiesz się do tego przyznawać? Może jeszcze ślub z nim weźmiesz w katedrze warszawskiej? Udam, że tej rozmowy nie było. Jutro zadzwonisz do mnie i wyznasz, że parę tygodni temu poznałaś na dyskotece faceta, który cię spił do nieprzytomności i wykorzystał. I to będziesz mówiła każdemu, kto cię zapyta o rosnący brzuch, rozumiesz? Jeśli choć słowem napomkniesz naszej schorowanej matce... — Tu Aniela nie mogła powstrzymać jęku, a Łucja... ona po prostu się rozłączyła.

Aniela wróciła do miasteczka, które przez kilka miesięcy było jej całym światem, czy raczej całym światem był Jakub Kiliński, tylko po to by się spakować, złożyć wypowiedzenie i wyjechać, nie żegnając się z nikim, a już na pewno nie z Jakubem. On nie mógł dowiedzieć się nigdy, nigdy!, jak gorzkie owoce wydała ich miłość.

Takie sekrety wychodzą jednak na jaw, czy tego chcemy, czy nie, a im bardziej są mroczne, tym ich konsekwencje są boleśniejsze, a mogą stać się wręcz śmiertelne.

Szesnaście lat później Jakub, który przez całe lata podświadomie szukał swej pierwszej miłości, jaką była Aniela Jadwisińska, w każdej następnej kobiecie, spotkał na swojej drodze złotooką, jasnowłosą Kamilę Nowodworską. I zakochał się w niej bez pamięci. A los miał zadrwić z nich wszystkich jeszcze okrutniej...

* * *

— Powiedziała ci o tym moja matka? — Kamila powtórzyła powoli słowa mężczyzny, ale Łucja nie zamierzała czekać na dalsze wynurzenia pana Kilińskiego.

Ona wiedziała swoje, bo kilka lat po urodzinach Kamili wyciągnęła do siostry rękę na zgodę i mimo że ich stosunki nigdy już nie były tak ciepłe jak kiedyś, wysłuchała tego, co Aniela ma do powiedzenia, bez osądzania siostry i bez wydawania wyroków.

Z całej opowieści zrozumiała jedno: Jakub Kiliński nie był bezwolną ofiarą wyrachowanej, niewyżytej nauczycielki, której piękno chłopaka i jego młode chętne ciało przewróciły w głowie, to on był prowokatorem, to on wykonał pierwsze kroki i jeżeli już ktoś kogoś uwiódł, to Jakub Anielę, a nie odwrotnie. Oczywiście to nie miało prawa w ogóle się wydarzyć, jeśli jednak już kogoś obwiniać...

Dziś jednak, w tej chwili, należało chronić tylko i wyłącznie Kamilę. Ta dziewczyna wycierpiała wystarczająco dużo. Jakuba Kilińskiego Łucja przeklęła wystarczająco wiele razy, by pozwolić, żeby zranił tę dziewczynę raz jeszcze.

Chwyciła Kamilę za rękę i pociągnęła do drzwi.

– Ten człowiek bredzi – syknęła w stronę Jakuba, patrząc nań ze z trudem hamowaną furią. – Dość już spędziłaś czasu w jego towarzystwie. Idziemy...

Ale Kamila chciała wiedzieć.

Jeżeli były to brednie, jeżeli akt notarialny, który nadal ściskała w rękach, był jeszcze jednym ostrzem, jakie Jakub wbijał w jej serce, chciała wiedzieć: za co? Dlaczego ten człowiek tak ją krzywdzi? Za co jej tak nienawidzi, by wmawiać jej, że... po tym wszystkim, po tamtej nocy, kiedy nieomal mu się oddała... jest jej ojcem? Znów poczuła mdłości na samą myśl, że mogłaby to być prawda, a on rzeczywiście...

Wyrwała dłoń z uścisku ciotki i już całkiem spokojna, stanęła twarzą w twarz z Jakubem.

– Po co to robisz? – zapytała martwym głosem. – Nic od ciebie nie chcę. Nie będę już pisać maili. Spakuję parę rzeczy, z którymi tu przyjechałam, wezmę psa i zniknę...

– Ty nic nie rozumiesz – przerwał jej. – Jestem twoim ojcem – powtórzył z naciskiem słowo po słowie – chcę, byś przyjęła ten dom jako zadośćuczynienie za te osiem lat milczenia, i jeżeli ktoś ma tu znikać, to ja, a nie ty. Ty w niczym nie zawiniłaś. To ja zachowałem się jak ostatni drań. Twoja matka Aniela... – urwał, a Łucja mimo woli zdziwiła się, jak miękko, z jaką czułością wypowiedział to imię. – Kochałem ją. Kochałem was obie. Ale ją...

Urwał.

Mógł dokończyć: „ją bardziej" – obie na to czekały. Obie były pewne tych słów. Przyszedł tu jednak, by wyznać prawdę, prawdę, która ciążyła mu od ośmiu lat. Teraz nadszedł czas na to, by on, Jakub Kiliński, został wysłuchany, osądzony i skazany.

Kamila, patrząc na ściągniętą bólem twarz mężczyzny, twarz, która śniła się jej tyle razy przez te wszystkie lata, w jego pociemniałe oczy, w których widziała ból i strach, zapragnęła nagle, by nie kończył tego, co chciał powiedzieć. By wyszedł i zniknął, jak to już raz uczynił. Zrozumiała w tej chwili, że na sumieniu tego mężczyzny ciąży coś więcej niż opuszczenie nastoletniej kochanki, która okazała się jego córką.

Mów! – krzyczała jedna jej połowa.

Milcz! – krzyczała druga.

Jakub patrzył jeszcze przez moment w złote oczy Kamili, swej córki, oczy tak piękne, jakie miała jej matka, i... musiał zgasić ich blask. Nie miał innego wyjścia.

* * *

Skłamałby, mówiąc, że przez szesnaście lat, jakie minęły od zniknięcia Anieli z miasteczka i jego życia, nie mógł o niej zapomnieć. Był młody i dość szybko pocieszył się, rozkochując w sobie następną, kolejną i jeszcze inną – kobiet zainteresowanych pięknym seksownym samczykiem nie brakowało – jednak w głębi serca nie mógł wybaczyć sobie, że stracił swą pierwszą wielką miłość, i jej, Anieli, że tak po prostu odeszła, jakby nie łączyło ich nic wyjątkowego.

Zostawiła list, w którym prosiła, by Jakub jej nie szukał, by zapomniał.

Nie mógł zapomnieć! I szukał... Szukał Anieli w każdej następnej...

Ale czas płynął nieubłaganie i leczył wszelkie rany. Także te na zranionym ego chłopaka, a potem mężczyzny. Pozostała jedynie obawa przed miłością tak głęboką, jaką zdążył obdarzyć Anielę Jadwisińską, co sprawiło, że Jakub nie potrafił zaangażować się w poważny związek. Gdy tylko czuł, że bliski jest zakochania, że to już nie zauroczenie ani zwykłe pożądanie, ale początek miłości, odchodził, starając się pozostawić po sobie dobre wspomnienia...

Dopiero Kamila i jej złote oczy sprawiły, że Jakub zakochał się powtórnie. Na początku nie bardzo mu się to uczucie podobało. Owszem, miły flirt z młodą, śliczną dziewczyną – jak najbardziej. Ale miłość? Zobowiązanie? Wspólna przyszłość? Nic z tych rzeczy!

Jednak pragnął Kamili. Pragnął jej miłości i ciała tak, że to pożądanie odbierało mu rozum.

W tę noc, gdy omal go nie poniosło, zrozumiał, że chce spróbować powtórnie, że gotów jest znów kochać całym sercem, że pozwoli sobie na miłość do tej dziewczyny.

Następnego dnia kupił bukiet ciemnoczerwonych róż, które Kamila wręcz uwielbiała, poczekał, aż dziewczyna wyjdzie z domu, podszedł do domofonu i zadzwonił pod numer jej mieszkania.

Gdy odezwała się kobieta, pewnie jej matka, rzekł:

– Jestem Jakub.

– Jakub? – padło ostrożne pytanie.

– Narzeczony Kamili – dodał. – Chciałbym z panią porozmawiać.

Po drugiej stronie zapadła cisza. Przedłużająca się cisza, ale nie miał tego rozmówczyni za złe. Kamila musiała rodzicom o nim, Jakubie, opowiedzieć, ale czy nazwała go swym narzeczonym? To mogło zaskakiwać...

Wreszcie rozległ się brzęk domofonu i chwilę później pukał do drzwi.

Otworzyła mu... Aniela Jadwisińska.

Ręka, trzymająca bukiet róż, opadła bezwładnie. Patrzyli na siebie, jakby jedno i drugie ujrzało ducha. Nie. Jakby on, Jakub, ujrzał ducha, zaś Aniela... upiora.

– Coś ty powiedział? – odezwała się naraz, nieswoim głosem. – Narzeczony K a m i l i?

– Czy mogę wejść? – zapytał łagodnie, choć sam również był w szoku.

Usunęła się z drogi, a gdy wszedł do środka i zamknął za sobą drzwi... Trzasnęła go w twarz tak niespodziewanie i z taką siłą, że wpadł na ścianę.

– Coś jej zrobił?! – krzyknęła łamiącym się głosem. – Zdążyłeś się do niej dobrać?! Mów, łachudro! – Chwyciła go za przód marynarki i niemal uniosła, oszalała ze strachu i odrazy. – Spałeś z moją córką?! Mów, bo wezwę policję!!!

– Aniela, uspokój się! Nie spałem z nią! To porządna dziewczyna. Gdy próbowałem...

Puściła go. Odepchnęła. I zaniosła się szlochem. Stał osłupiały, zupełnie nie pojmując takiej reakcji, i nagle... coś mu zaświtało. Pewne straszne podejrzenie.

– Ile ona ma lat? – wychrypiał, bo nagle zaschło mu w gardle. Te niespotykanej barwy złote oczy, takie same jak... – Ile Kamila ma lat?!

– Teraz o to pytasz, zboczeńcu?! Teraz, gdy próbowałeś dobrać się do mojej szesnastoletniej córki?! N a s z e j córki?!

Nogi się pod nim ugięły. Gdyby nie wsparł się ramieniem o ścianę, ukląkłby obok Anieli. Może właśnie to powinien był zrobić? Może gdyby wziął szlochającą kobietę w ramiona i próbował jakoś ją ułagodzić, zapewnić, że Kamila jest nietknięta, że nic jej, dzięki Bogu, nie zrobił, nie zdarzyłoby się to, co się zdarzyło? Ale on stał, patrząc na Anielę z góry. Pobladły, zaciskający usta w wąską kreskę, z bukietem róż w opuszczonej dłoni...

– Nie wiedziałem, że mam córkę – wycedził, gdy odzyskał głos. – Nie raczyłaś mnie o tym powiadomić.

– Co by to zmieniło? – Poderwała głowę. – W wieku szesnastu lat stałbyś się przykładnym ojcem i mężem?

– Nie dałaś mi szansy, bym spróbował.

Roześmiała się. Złym, kpiącym śmiechem.

– Zmieniłeś się choć na jotę? Powiedz, Jakub. Ile dziewczyn miałeś od naszego ostatniego spotkania? Ile czasu zajęło ci omotanie szesnastoletniego dziecka? Miałeś w ogóle jakieś opory? Sumienie choć szepnęło, że Kamila jest za młoda na takie zabawy? Powiedz szczerze, sukinsynu...

– Nie waż się tak do mnie mówić – wycedził dotknięty do żywego. – Ona słowem się nie zająknęła, że jest niepełnoletnia, a ja dowodu od niej nie żądałem! Wiedz, że siłą jej do łóżka nie ciągnąłem. Była chętna, niemal tak chętna jak ty...

Aniela poderwała się i rzuciła na niego z pazurami. Wydrapałaby mu oczy, gdyby nie chwycił jej za nadgarstki i nie trzymał w żelaznym uścisku dotąd, aż opadła z sił, pochyliła głowę i zaczęła cicho płakać. Odepchnął ją i, już w drzwiach, rzucił:

– Niedaleko pada jabłko od jabłoni. Widać, że muszę sam zająć się wychowaniem naszej córki, o ile rzeczywiście jest to moja córka...

Wyszedł, trzasnąwszy drzwiami.

Zbiegając po schodach, słyszał, jak otwierają się ponownie. Jak Aniela biegnie za nim, tłumiąc szloch. Przyspieszył kroku. Wypadł na chodnik, biegiem skręcił za róg budynku, nie zastanawiając się, dlaczego właściwie ucieka.

Wyjrzał ostrożnie zza winkla – Aniela właśnie wybiegała z klatki schodowej, krzycząc coś do telefonu. Nagle urwała. Rozejrzała się, ocierając z policzków łzy, po czym jak lunatyczka ruszyła biegiem przed siebie.

To była sekunda – nie zdążył krzyknąć, nie zdążył jej ostrzec – jak wpadła pod nadjeżdżający autobus.

Patrzył pociemniałymi ze zgrozy oczami, jak drobna postać kobiety znika pod kołami.

Jak jej zmasakrowane ciało pojawia się po drugiej stronie hamującego z piskiem opon autobusu.

Potem patrzył, jak z kabiny wyskakuje pobladły kierowca, jak zbiegają się ludzie i pochylają się nad ciałem, ale nikt nie próbuje nic uczynić, bo nie da się przywrócić życiu tego, co zostało z pięknej, jeszcze przed chwilą pełnej życia kobiety. Ktoś dzwoni po pogotowie. Ktoś mówi do roztrzęsionego kierowcy: „Po prostu wbiegła na ulicę. Nie mógł pan nic zrobić. Kompletnie nic".

I sam chciał podejść, pożegnać Anielę Jadwisińską, już teraz czując wgryzające się w jego duszę kły żalu i poczucia winy, ale... nie uczynił ani kroku. Ani jednego gestu. Nie wiedząc, nie rozumiejąc, dlaczego to robi, odwrócił się na pięcie i odszedł. Uciekł. I miał tak uciekać przez długie osiem lat. Dręczony wyrzutami sumienia, dręczony poczuciem winy w stosunku i do Anieli, i do Kamili. Szczególnie do tej ostatniej.

* * *

To wszystko mówił teraz swojej córce. Gdy skończył, odetchnął głęboko. Nieznośny ciężar w piersiach zelżał. Nic gorszego niż to, co już przeżył, spotkać go nie mogło. Kamila albo przyjmie jego spowiedź i wybaczy mu, albo przeciwnie: przeklnie go i każe mu iść precz, razem z tym cholernym domem i pełnym kontem. Nie ma trzeciej możliwości.

Przeniósł zwilgotniałe spojrzenie z okna jadalni, za którym nadal szalała nawałnica, choć tu, w holu, było cicho, na stojącą przed nim przemoczoną dziewczynę. Zastanowił się przez chwilę, czy to łzy płyną po jej policzkach, czy krople deszczu.

– Powiedz coś – poprosił. Wszystko było lepsze niż ta cisza.

– Dlaczego teraz? – zapytała głosem pozbawionym wszelkich uczuć. – Dlaczego wyskakujesz ze swym wyznaniem jak królik z kapelusza, teraz, gdy zaczęłam o tobie zapominać? Godzić się z twoim odejściem? Gdy stanęłam na własnych nogach i pojawił się w moim życiu ktoś, kto... – Umilkła. Łukasz nie pojawił się w jej życiu ot tak, bo miała szczęście. Postawił go na jej drodze on. Jakub. – Czego ode mnie chcesz? – W jej głosie zabrzmiało śmiertelne zmęczenie. – Odebrałeś mi mamę, młodość, miłość i złudzenia, odbierzesz jeszcze Łukasza? Po to się pojawiłeś? By zniszczyć mnie do reszty? Za co mnie... za co nas – mnie i moją mamę – tak nienawidzisz?

Łucja, słuchając tych cichych słów, poczuła, że zaraz wybuchnie. Albo płaczem, albo wściekłością. A najpewniej jednym i drugim, ale... milczała. Tych dwoje musiało wyjaśnić sobie wszystko do końca albo Kamila na zawsze pozostanie ze złamanym sercem.

– Kochałem was obie – odezwał się równie cicho Jakub, patrząc ponad ramieniem dziewczyny w okno, w które uderzał deszcz. – Ale do tej pory nie byłem gotów stanąć przed tobą i wyznać tego wszystkiego. Dopiero Łukasz... to, co was połączyło... dodało mi odwagi, bo wiem, że gdy ja odejdę, nie zostaniesz sama.

– Nigdy nie była sama! – syknęła Łucja.

Kamila zaś prychnęła tylko.

– Proszę, Jakub, nie wciskaj mi kitu. Łukasza ty sam mi podsunąłeś. I nie dlatego, żebym znalazła ukojenie w jego ramionach. Dlaczego więc?

Spojrzał na nią. Jego głos stwardniał.

– Bo nie chciałem, by jakiś Marcus Allen czy inny bydlak skrzywdził cię bardziej, niż ja to zrobiłem.

W oczach Kamili błysnęła pogarda.

– Jesteś jak pies ogrodnika. Sam nie możesz się do mnie dobrać, więc gdy tylko zainteresował się mną Marcus...

Nie pozwolił jej dokończyć:

– To handlarz żywym towarem. Chciał cię wywieźć do Włoch i zamknąć w burdelu. Nie mogłem na to pozwolić.

Umilkła. Nagle wszystkie wydarzenia związane z Marcusem i Mediolanem, do którego w końcu nie dojechała, nabrały logicznego wytłumaczenia. I napaść tamtego mężczyzny na nią w jej własnym domu, i słowa, jakie wykrzyczał, nim do mieszkania wpadł ten drugi...

– Jacek Kornacki – odezwała się na głos. – Jego też na mnie nasłałeś?

Jakub kiwnął głową.

– To wszystko jakieś brednie! – krzyknęła doprowadzona do ostateczności. – Po co miałby pstrykać obsceniczne fotki ze sobą i ze mną w roli głównej?! Komu chciałeś je podrzucić, pieprzony altruisto, jeśli nie Łukaszowi, żeby Łukasz... – ponownie umilkła, siłą tłumiąc szloch. Łukasz, gdybyś tylko tu był, gdybyś stał obok mnie, ściskając moją dłoń tak, bym czuła, że ty jedyny kochasz mnie prawdziwie i zawsze będziesz po mojej stronie. Łukasz, gdzie jesteś, gdy tak bardzo cię potrzebuję...?

– Kto chciał pstrykać obsceniczne fotki? – zaczął Jakub wolno i spokojnie, ale przysłuchująca się tej rozmowie Łucja wiedziała, że narasta w nim ta sama wściekłość, którą ona czuła od ładnych paru chwil. – Łukasz?

I o to samo chciała Kamilę zapytać.

– Nie Łukasz! – wykrzyknęła dziewczyna. – Kornacki! Napadł mnie któregoś dnia w ogrodzie, chciał zmusić do... różnych podłych rzeczy. Łukasz mu za to nos złamał.

A ja Kornackiemu połamię łapy – obiecał sobie w myślach Jakub, a na głos rzekł:

– Nie wiem, co temu draniowi odbiło, ale na pewno nie puszczę mu tego płazem. Teraz chcę cię prosić, byś przyjęła ten dom, dom, który sobie wymarzyłaś. Jeżeli podpiszesz ten akt, i Sasanka, i różany ogród będą twoje.

Kamila uniosła brwi.

Tak po prostu? Podpisze i willa razem z ogrodem staną się jej własnością? A Jakub nadal będzie kontrolował każdy jej krok, teraz już z czystym sumieniem i otwarcie, roszcząc sobie do tego – jako jej ojciec – pełne prawa?

Nie ma mowy! Nie pozwoli temu człowiekowi na jakąkolwiek ingerencję w swoje życie! – Cofnęła się, kręcąc głową. Wcisnęła mu teczkę z dokumentem w ręce.

– Ja odejdę – zaczął szybko, wiedząc, że traci ostatnią szansę. – Wyjadę za granicę. Daleko. Będę pojawiał się tylko wtedy, gdy mi na to pozwolisz. Przyrzekam: tylko wtedy. Żadnej więcej kontroli. Zostawiam cię w dobrych rękach człowieka, któremu ufam bardziej niż sobie i który jest po stokroć bardziej ciebie wart, niż ja kiedykolwiek byłem.

Delikatnie włożył jej akt notarialny do rąk.

– Pojedź ze mną do notariusza, teraz, zaraz, i podpisz. Po prostu podpisz.

Patrzyła długą chwilę to na dokument, to na Jakuba. Łucja, pewna, że dziewczyna za chwilę spełni marzenie swojego życia, wstrzymała oddech. Kamila, sama będąc tego pewną, już miała uczynić to, o co on ją prosił, gdy – zupełnie dla siebie niespodziewanie – odtrąciła jego dłoń i ze słowami: „Teraz ty sobie poczekasz, ja muszę odnaleźć Małgosię" – odwróciła się i odeszła, zostawiając mężczyznę w holu.

Rzeczywiście, Gosia Bielska potrzebowała Kamili bardziej niż nękany wyrzutami sumienia Jakub Kiliński.

Rozdział III

Niezapominajka – któż nie zna i nie darzy sympatią
tej delikatnej roślinki o długich, pokrytych maleńkimi
srebrnymi włoskami łodyżkach, zwieńczonych gronami
niezwykle wdzięcznych kwiatków: błękitnych, z białą gwiazdką,
otaczającą pomarańczowy środeczek? I jeszcze ta jakże
wymowna nazwa: niezapominajka. Jakież inne kwiaty
podarować komuś, kogo kochamy, zamiast słów:
będę o Tobie pamiętać...?

Nie musiała się zastanawiać, gdzie szukać Małgosi. Sama pragnęła zaszyć się w tym cichym, ciemnym miejscu, narzucić kołdrę na głowę i... płakać. Wypłakać cały ból, jaki ponownie zadał jej człowiek, którego kiedyś tak bardzo kochała. Którego kochała aż do dziś. Jakub. Jakub Kiliński. Jej ojciec. Ten, który zabił mamę.

Nigdy mu tego nie wybaczę, nigdy!

Wpadła do łazienki i ujrzawszy zwiniętą na podłodze przyjaciółkę – na szczęście przed burzą zostawiła na zimnych kafelkach kołdrę i przyniosła drugą, by spanikowana Małgosia mogła się pod nią ukryć – położyła się obok niej, objęła mocno pogrążone w letargu, wstrząsane dreszczami ciało, narzuciła kołdrę na głowę i zaczęła cicho łkać.

Pisała do niego tyle razy... Błagała, by wrócił, potem żeby się chociaż odezwał, dał znak, że żyje, a on... Wraca teraz, po tylu latach, by zniszczyć, ponownie zniszczyć to, co z takim trudem zaczęła budować... Będzie musiała wrócić do Krakowa, do ohydnego bloku w ohydnej dzielnicy, i zamiast przywracać do życia różany ogród i starą willę, weźmie się – tak jak to sobie przyrzekła – do szorowania kolejowych wagonów. A Łukasz... Kto by kochał taką sierotę, takie nic?

Jeżeli Łukasz też mnie zostawi, zrobię to – pomyślała nagle. – Uwolnię świat i ciocię Łucję od siebie. Raz na zawsze. Nie zniosę ponownej utraty kogoś, kogo odważyłam się pokochać. Zrobię to.

Uspokoiła się, zupełnie jakby ta myśl przyniosła jej ukojenie.

Nagle Małgosia, którą Kamila wciąż przytulała do siebie, drgnęła. Odnalazła w ciemnościach rękę dziewczyny i ścisnęła mocno. Gdzieś w oddali zabrzmiał grzmot. Burza nie szalała już nad uliczką Leśnych Dzwonków, ale odchodziła powoli. Zbyt wolno. Gosia skuliła się, słysząc odległe dudnienie, i wyszeptała pytająco:

– „Hold on? Don't give up"?

Kamila, przygotowana na atak paniki, odetchnęła leciutko.

– Tak, Gosiuniu, *hold on, you'll be all right.*

– On był tutaj, prawda? Nie wymyśliłam sobie tego?

Cichy szept w ciemnościach uzmysłowił nagle Kamili, że ten, który skrzywdził ją, pomógł kiedyś komu innemu i być może potrafi uczynić to powtórnie. Przypomniała sobie, jak w jednej chwili Jakub uspokoił pogrążającą się w szaleństwie Małgosię, jak kobieta wtulała się w niego, odnajdując w ramionach tego mężczyzny dawno utracone poczucie bezpieczeństwa. Jeżeli Kamila odrzuci dar, jakim była willa Sasanka, Jakub sprzeda ten dom byle komu i odejdzie już na zawsze, na koniec świata, tylko po to by ukarać Kamilę za jej niewdzięczność – tego była pewna – a tym samym

Małgosia straci być może szansę jeżeli nie na szczęście, to na normalne, spokojne życie.

Czy Kamila może jej tę szansę odebrać?

„Gosia to taki nasz odpowiednik Hioba" – przypomniała sobie słowa Janki. Los wystarczająco doświadczył Małgosię Bielską. A i jej samej, Kamili, też jest coś cholernie winien. Nie tylko los, Jakub również. Życia mamie nie zwróci, a i straconych ośmiu lat Kamili także nie, lecz chociaż zapłaci za to życie i te osiem lat. Sasanką. To na początek. Bez sensu jest unosić się dumą i odrzucać zadośćuczynienie, ale nim Kamila przyjmie dar i wybaczy Jakubowi, on trochę na to wybaczenie poczeka.

– Chodź, Gosiu, burza minęła. Możemy wracać – wyszeptała, całując kobietę w policzek, i odrzuciła kołdrę. Ciemność rozjaśnił niewielki prostokąt światła, padający z okna w drzwiach łazienki.

– Ale on, ten, który mnie uratował, żyje? Pojawił się naprawdę? To nie był sen?

– Nie. Jakub pojawił się naprawdę – odparła miękko Kamila, a w duchu dodała: „I w twoim życiu, i w moim".

– On wrócił do ciebie, prawda? Przeszkodziłam wam w ważnej chwili... – Oczy Gosi błyszczały w półmroku niepewnością i niedawnymi łzami.

– Zdążymy się jeszcze z Jakubem nagadać – odparła Kamila, czując powracającą niechęć do tego mężczyzny. – To mój ojciec. Idziemy? – Wstała i wyciągnęła do kobiety rękę.

Wyszły na niewielki korytarzyk, prowadzący do holu, ale jeśli Kamila miała nadzieję, że wraz z pojawieniem się zbawcy przyjaciółce miną wszystkie lęki, to się myliła.

– Odprowadzisz mnie do furtki? – W oczach Małgosi znów pojawił się cień strachu. Nic się nie zmieniło.

– Może zostałabyś na tę jedną noc u mnie? – zaproponowała Kamila, ale Gosia pokręciła głową.

– Chcę wracać do domu. Muszę wracać do domu.

Dziewczyna westchnęła i odrzekła:

– Odprowadzę cię do furtki.

Hol był pusty. Jeżeli obie żywiły nadzieję, że Jakub będzie czekał, obie się rozczarowały. Tylko Łucja, krzątająca się po kuchni, wychyliła głowę i rzekła z udaną wesołością:

– Macie ochotę na gorącą czekoladę, dziewczęta? W sam raz na poprawienie nastrojów.

Ale Małgosia już, niczym lunatyczka, ciągnęła do jadalni, skąd przez taras mogła umknąć do ponurego domu po drugiej stronie muru. Kamila zdążyła narzucić na nią koc, by nie zmokła po drodze, i już jej nie było.

Smutniejąc, Kamila wróciła do ciepłej, jasnej kuchni, którą teraz wypełniał aromat czekolady. Na stole leżała granatowa teczka ze srebrnym orłem. Akt notarialny.

– Zostawił to i odjechał – odezwała się Łucja ze zrozumiałą niechęcią.

Kamila stanęła przed nią, zmuszając ciotkę, by spojrzała jej w oczy.

– Wiedziałaś, że Jakub jest moim ojcem, prawda?

– Twoja mama opowiedziała mi o nim, gdy byłaś malutka. Potem, tuż przed śmiercią, zadzwoniła do mnie, krzycząc, że on wrócił i ciebie omotał. Zginęła chwilę po rozłączeniu się. Myślałam, że to „omotał" znaczy „przewrócił w głowie", że próbuje nastawić cię przeciwko niej. Dopiero maile, które do niego zaczęłaś pisać, uświadomiły mi, że jesteś w nim zakochana – odparła Łucja dzielnie, czekając na następne pytanie, które musiało paść:

– Czytałaś moje maile?

– Tak. Śmiertelnie bałam się o ciebie w tamtych dniach, później zresztą też, do dzisiaj się boję, bo kocham cię jak własną córkę i... musiałam wiedzieć, że... że cię nie stracę. – W jej głosie, mimo że drżał i łamał się, nie było skruchy. – Ze mną nie chciałaś rozmawiać, jemu zwierzałaś się ze wszystkiego.

– Och, ciociu... – Kamila, czując łzy napływające do oczu, objęła Łucję mocno, przytuliła policzek do jej policzka i wyszeptała cichutko: – Przepraszam za wszystko i dziękuję.

Łucja, czując narastającą lekkość w sercu, w milczeniu pogładziła dziewczynę po włosach. Przez zaciśniętą ze wzruszenia krtań nie mogła powiedzieć tego, co bardzo chciała: „Jesteś całym moim życiem, Kamilko, kocham cię".

Kamila wiedziała to jednak i bez słów.

Pragnęła tylko usłyszeć te dwa słowa od kogoś jeszcze.

– Muszę go zobaczyć. Nie mogę czekać do jutra – rzekła, a gdy twarz Łucji ściągnął grymas niechęci, zaśmiała się cicho. – Mówię o Łukaszu, ciociu, nie o Jakubie. Jadę...

– Najpierw przebierzesz się w suche rzeczy – przerwała jej Łucja stanowczo. Rzeczywiście, mimo że ubranie zdążyło nieco przeschnąć, Kamilą co jakiś czas wstrząsał dreszcz. Nie wiadomo, czy z chłodu, czy od nadmiaru wrażeń. – I nie wypuszczę cię z domu bez filiżanki czekolady!

Dziewczyna, nie sprzeciwiając się więcej, ruszyła do drzwi. Po drodze zgarnęła ze stołu granatową teczkę. Raz jeszcze, na spokojnie, przeczyta akt notarialny u siebie, w swojej sypialni, raz jeszcze ujrzy na własne oczy słowa: „willę przy ulicy Leśnych Dzwonków 3 Jakub Kiliński darowuje swej córce Kamili Nowodworskiej"...

Jadąc do Warszawy przez błyszczące po niedawnej ulewie ulice, miała sporo czasu, by zastanowić się nad przeszłością. Co właściwie wiedziała przez te szesnaście lat o swoim ojcu? Jakimi kłamstwami karmiła ją mama?

Nazwisko nosiła po dalekim krewnym, który zmarł tuż po jej, Kamili, urodzeniu. Aniela nieraz pokazywała córce zdjęcie tego mężczyzny, jedno jedyne, które trzymała w albumie rodzinnym tuż obok zdjęcia Kamili, zupełnie jakby ta miała jakieś wątpliwości. Dlaczego jednak miałaby wątpić w prawdziwość słów matki?

Dzisiejszy dzień przyniósł na to pytanie odpowiedź.

– Oj, mamo, mamo – westchnęła Kamila, kręcąc głową. – Dziecko z uczniem? Szesnastoletnim uczniem? Niezłe ziółko z ciebie było...

Dojechała do Warszawy, zaparkowała na Marszałkowskiej, w budynku, w którym mieściło się biuro firmy, bo przed osiemnastą jeszcze powinien ktoś w biurze być, i chwilę później wchodziła do środka.

Magda, asystentka Łukasza, wykrzyknęła:

– Wszelki duch Pana Boga chwali! Już myślałam, że zaginęłaś w akcji!

Rzeczywiście, Kamilę częściej można było spotkać gdziekolwiek indziej, tylko nie w pracy.

– Ja, jak ja – odrzekła teraz. – Szukam naszego prezesa.

– Ja też go szukam. Od wczoraj. Nie odbiera telefonów, a dzwoniłam już z tysiąc razy. Są ważne dokumenty do podpisania i naprawdę chciałabym wiedzieć, gdzie prezes się podziewa i dokąd je wysłać.

– Spróbuję go odszukać i wyślę ci gołębia z wiadomością.

Magda zaśmiała się i życzyła Kamili powodzenia. Następnym miejscem gdzie Łukasz mógł się obijać, był apartament na

Mokotowie, i to tam pojechała w drugiej kolejności, ale drzwi były zamknięte, za nimi panowała martwa cisza, na dzwonek nikt nie odpowiadał.

Kamila wyszła na zewnątrz, westchnęła i sięgnęła po telefon. Wolała nie dzwonić do Julity Hardej – czuła, że matka Łukasza nie darzy jej sympatią – ale innych pomysłów, gdzie może go szukać, już nie miała. Na ekranie telefonu wyświetliła się ikonka nieodebranej wiadomości. Otworzyła ją z nadzieją, że to od Łukasza, ale musiała się rozczarować. Numer, z którego esemes nadesłano, nic Kamili nie mówił, ale treść nie pozostawiała wątpliwości: „Bardzo Cię proszę: przyjmij ten dom. Zrób to jeżeli nie dla mnie, to dla siebie. Jakub".

– Zrobię to, jeżeli nie dla siebie, to dla Gosi – rzekła półgłosem. – Ale poczekasz na to, drogi ojcze. Może nie osiem lat, bo jesteś jej potrzebny natychmiast, ale trochę sobie poczekasz.

Zapisała numer jego telefonu, z satysfakcją wykasowała esemes – i to samo miała zamiar uczynić z każdym następnym – po czym, czując, jak serce mocno jej bije ze zdenerwowania, zadzwoniła do matki Łukasza. Ale nie ona odebrała telefon. Gdy Kamila usłyszała „Słucham?" wypowiedziane męskim głosem, chciała przeprosić i się rozłączyć, ale kolejne pytanie: „To pani Kamila?" – kazało jej przytaknąć.

– Tu Leon Hardy – usłyszała w następnej chwili. – Pewnie dzwoni pani w sprawie mojego syna? – Nie zdążyła potwierdzić. Coś w tonie mężczyzny, czy może w jego słowach, zmroziło dziewczynę. – Łukasz jest w szpitalu. – W szpitalu?! – Miał zabieg, prawdę mówiąc, poważną operację i teraz odpoczywa. Wolałbym, by nie odwiedzała go pani przez jakiś czas. Przepraszam, ale muszę kończyć.

Rozłączył się.

Kamila patrzyła na gasnący wyświetlacz z kompletną pustką w głowie.

Łukasz jest w szpitalu, a ona ma go nie odwiedzać – tyle zrozumiała, jego ojciec wyrażał się bardzo jasno, ale... dlaczego?! Poprzednim razem wpuścili ją przecież na oddział intensywnej terapii, doktor Staśko uważał, że jej obecność jest Łukaszowi potrzebna! Czy teraz było inaczej? Czy coś się zmieniło? Musi, po prostu musi odnaleźć Łukasza i zapytać go o to. Jeżeli on sam powie, żeby więcej nie przychodziła... Nie przyjdzie.

W tym momencie zabrzmiał sygnał nowej wiadomości. Bliska łez, odebrała ją i w następnej chwili przyciskała telefon do ust.

„Kocham Cię – brzmiała wiadomość – nigdy w to nie zwątp".

– Wysłałeś, wujku?

– Wysłałem. O nic się nie martw.

Starszy człowiek ujął bezwładną dłoń Łukasza i uścisnął.

– Chciałbym ją zobaczyć. Chciałbym zobaczyć wreszcie światło dnia... – głos chorego rwał się, zamierał. Leki, które podawano mu bez przerwy, znów zaczęły działać, wtrącając Łukasza w ni to sen, ni letarg. Tak było dla niego lepiej. Jeszcze zdąży sobie uświadomić, że tego światła, zachodzącego słońca, które wpadało przez duże okno, nie widzi. Jeszcze zdąży wpaść w rozpacz. Teraz zaś...

– Śpij, dzieciaku – szepnął doktor i puścił jego rękę.

Wstał, obrzucił spojrzeniem wskazania aparatury, która monitorowała stan pacjenta, i ruszył ku drzwiom, czując na barkach ciężar lat. Musiał stanąć twarzą w twarz z rodzicami Łukasza i przygotować ich na kolejny cios. Na szczęście nie ten najgorszy. A było blisko... bardzo blisko...

Julita krążyła po szpitalnym korytarzu jak parę tygodni wcześniej. Gdyby nie to, że znajdowała się w Aninie, nie w Grodzisku, stwierdziłaby, że przeżywa jakieś koszmarne déjà vu. Co ona tu w ogóle robi?! Co tu robi Łukasz?! Przecież zapewniano ją przy wypisie, że stan syna jest dobry, że jego zdrowiu już nic nie zagraża! Dlaczego więc znajduje się tutaj, na oddziale kardiochirurgii, a Leszek Stefański, który przed godziną do nich zadzwonił z prośbą, by przyjechali, miał tak poważną twarz? Nie zniesie dłużej tej niepewności! Musi wiedzieć, co się dzieje z Łukaszem, po prostu...

Doktor Stefański wyszedł z sali pooperacyjnej, zamykając za sobą cicho drzwi. Julita dopadła go w następnej chwili i zaczęła wyrzucać z siebie potok pytań, ale uciszył ją gestem dłoni.

– Chodźmy do mojego gabinetu. Porozmawiamy spokojnie.

Chcę zobaczyć Łukasza! Chcę zobaczyć mojego syna! – chciała krzyczeć, ale zaciskająca się na jej ramieniu dłoń Leona zmusiła Julitę do milczenia.

Dopiero gdy znaleźli się w cichym, pustym pokoju, doktor Stefański mógł powrócić do wydarzeń sprzed kilku godzin. Znów poczuł tamten strach, gdy serce Łukasza, którego kochał jak własne dziecko, przestało bić, gdy coraz rozpaczliwsze próby reanimacji nie dały rezultatów i gdyby nie natychmiastowa operacja na otwartym sercu, straciłby chrześniaka, a tych dwoje, teraz czekających na jego słowa, straciłoby ukochanego syna. Przekazał im to w oszczędnych, suchych zdaniach, pozbawionych emocji.

Kilka medycznych terminów, nic niemówiące: stan jest stabilny, i Julita mogła odetchnąć. Leon znał jednak Leszka Stefańskiego od dzieciństwa i uważniej niż żona obserwował twarz mężczyzny, ściągniętą jeszcze tamtym strachem. Ale nie rzekł ani słowa, pozwalając żonie wyrzucać przez parę chwil potok oskarżeń pod adresem lekarzy z Grodziska.

– Nie było w tym niczyjej winy – przerwał jej w końcu doktor Stefański. – Możesz na kilka chwil, dosłownie minutę, najwyżej dwie, zajrzeć do Łukasza, ale nie próbuj go budzić. Potrzebuje dużo snu.

Kobieta poderwała się uszczęśliwiona, że pozwolą jej wreszcie zobaczyć syna, i wybiegła. Dopiero wtedy Stefański mógł zrzucić z twarzy maskę spokoju i opanowania.

– Jest tak źle? – zapytał Leon, z trudem panując nad głosem.

– Było. Gdyby Łukasz szczęśliwym trafem nie znalazł się tutaj, straciłbyś syna. – Patrzyli na siebie w milczeniu. – Czuł się coraz gorzej. W końcu zdecydował się zgłosić do mnie, naprawdę nie rozumiem, dlaczego tak późno, i tutaj, w tym pokoju, dostał zapaści. Gdyby nie to, że kardiologa miał pod ręką, a wraz z nim cały zespół lekarzy i pielęgniarek...

Leon odetchnął, słysząc łagodniejsze tony w głosie przyjaciela.

– Dziękuję, stary. – Uścisnął dłoń Stefańskiego. – Nie wiem, co byśmy zrobili, gdyby...

Doktor przerwał mu machnięciem ręki. Na podziękowania przyjdzie czas.

– Jest jeszcze coś, co musisz wiedzieć i na co musisz przygotować Julitę... – zaczął z wahaniem.

Leon ponownie poczuł strach zaciskający się na sercu. „Mów! Mów, człowieku!" – krzyczał w myślach, widząc poważną twarz doktora.

– Łukasz stracił wzrok – rzekł wreszcie Stefański. Leon zmartwiał. Jak to...?! Przecież... – Nie wiem, czym jest to spowodowane. Może niedokrwienie uszkodziło ośrodek wzroku – ciągnął dalej lekarz. – Źrenice reagują prawidłowo, obraz tomograficzny w normie, mimo to...

– Nie widzi – dokończył za niego Hardy.

Doktor pokiwał tylko głową.

– Jak długo może to potrwać? – padło następne pytanie, na które mógł odpowiedzieć jedynie:

– Nie wiem. Być może Łukasz nigdy nie odzyska wzroku.

– Jest jeszcze coś, prawda? – zapytał Leon po długiej chwili, gdy zwalczył łzy i znów mógł uważnie spojrzeć w twarz przyjaciela.

– Tak – odparł Stefański z ciężkim sercem. – Skoro uszkodzeniu uległ ośrodek wzroku, inne obszary mózgu również mogą nie funkcjonować prawidłowo.

– Co to znaczy? – wydusił z trudem ojciec Łukasza.

– Nie jestem w stanie teraz tego stwierdzić, ale musimy być przygotowani na wszystko.

– Na... na najgorsze też?

Kiwnięcie głową wystarczyło za odpowiedź.

– Mówiłeś... powiedziałeś Julicie, że stan Łukasza jest stabilny – głos Leona drżał od tłumionych siłą woli łez.

– Bo jest. Ale może się to w każdej chwili zmienić.

Leon, kompletnie załamany, kiwnął głową.

Stefański wstał, obszedł biurko i położył dłonie na ramionach przyjaciela.

– Wiesz, jak trudno mi przekazywać takie wiadomości. Kocham Łukasza jak syna, którego nigdy nie miałem. Ale ty, i tylko ty, musisz zdawać sobie sprawę z powagi sytuacji i jak najdelikatniej przekazać to Julicie. Łukasz potrzebuje spokoju i waszego wsparcia, a nie rozhisteryzowanej matki. – Leon znów zdobył się jedynie na przytaknięcie. – Jest jeszcze ktoś, kto mógłby pomóc. Kamila.

Ojciec Łukasza znieruchomiał. Jego twarz ściągnął grymas niechęci czy wręcz nienawiści.

– To przez nią całe to nieszczęście – warknął. – To od niej wracał i miał ten wypadek.

– O tym nie wiem i, prawdę mówiąc, nie ma to dla mnie żadnego znaczenia – rzekł Stefański. – Wiem tylko, że to do niej wysłał wiadomość i to o nią się martwi... – „A nie o was" – dokończył w duchu. – Jeżeli leży ci na sercu dobro Łukasza, ściągniesz tu tę Kamilę, żeby mógł spokojnie wracać do zdrowia, i ani słowem czy gestem nie zniechęcisz jej do odwiedzin. Dopilnujesz też, by Julita zrozumiała, jak ta dziewczyna ważna jest w procesie zdrowienia waszego syna.

Leon ponownie skinął głową. Jeżeli rzeczywiście Łukaszowi tak bardzo na Kamili Nowodworskiej zależy, że zapomniał o rodzicach, a pamiętał o niej, im nie pozostało nic innego, niż ją zaakceptować. Przynajmniej do czasu, aż Łukasz odzyska zdrowie. Albo się odkocha.

– Zrobimy wszystko, by wyzdrowiał – zapewnił Stefańskiego.

– Ja również.

– Parę minut wcześniej byłem w stosunku do niej, do Kamili znaczy się, dość oschły. Powiedziałem chyba, że nie życzymy sobie jej odwiedzin...

– To nie ma znaczenia. Pokajasz się i poprosisz, by tu przyjechała.

– Tak zrobię.

Uścisnęli sobie dłonie. Nie zostało już nic więcej do powiedzenia. Mogli Łukasza stracić w każdej chwili i jakiekolwiek osobiste animozje przestały się liczyć. Jeżeli ta dziewczyna miała mu pomóc w powrocie do zdrowia, jeśli potrzebował Kamili bardziej niż rodziców – będzie ją miał.

Kamila, mimo późnej pory, snuła się po pustym domu – Łucja nocowała u przyjaciółki, bo oprócz sypialni na piętrze żaden pokój nie nadawał się do zamieszkania – nie bardzo mogąc sobie znaleźć miejsce. Wydarzenia minionego dnia, chyba najdłuższego w jej życiu, odganiały sen, mimo ogromnego zmęczenia.

Czegoś jej brakowało do spokoju ducha.

Kogoś.

Odpowiedź byłaby prosta: Łukasza, gdyby tylko o Łukasza chodziło. Jutro od rana zacznie dzwonić do wszystkich szpitali w Warszawie, a jeśli to nie da rezultatu, również w okolicy... Gdzie tam w okolicy! Jeśli będzie trzeba, by go odnaleźć, obdzwoni szpitale w całej Polsce, i – czy państwo Hardzi sobie tego życzą, czy nie – pojedzie do Łukasza i będzie przy nim dotąd, aż on sam nie powie: „Idź sobie, mam cię dość". Wtedy uwierzy. I odejdzie. Ze złamanym sercem, ale zrobi to, bo zdążyła się przekonać, że nie można kogoś kochać na siłę, wbrew jego woli, ale...

Co czy raczej kto nie pozwalał jej zasnąć spokojnie?

Jakub?

Jakub...

Ciekawe, co by zrobił teraz, po latach – i co uczyniłaby ona – gdyby nie łączyły ich więzy krwi. Próbowałby ją omotać jak kiedyś czy... obdarowałby jak gdyby nigdy nic Sasanką i ustąpiłby miejsca Łukaszowi?

Tu Kamila musiała się roześmiać w duchu. Nim ją opuścił, znała Jakuba zaledwie cztery miesiące, a była pewna, że ten mężczyzna nie zna słowa „ustąpić". Jest mu ono tak samo obce jak słowo „porażka". Za to go pokochała, za tę niewzruszoną pewność siebie, której ona, Kamila, miała kiedyś jak na lekarstwo, a po śmierci mamy i odejściu Jakuba utraciła ją w ogóle.

Dziś, dzięki Sasance i Łukaszowi, powoli odzyskiwała wiarę w siebie, nabierała jej na nowo, wystarczyło jednak, by na horyzoncie pojawił się Jakub, wszechwładny, pewny siebie, z jej losem zamkniętym w granatowej teczce, by ta wiara zachwiała się. Ale nie znikła całkowicie.

Kamila nagle zrozumiała, że potrafi zawalczyć o siebie i swoje szczęście, nie oglądając się na przeszłość. Już nie musi spowiadać się w mailach Wielkiemu Nieobecnemu, błagając go – czy może raczej siebie – o akceptację. Nie czuła chęci ani potrzeby, by siąść do komputera, otworzyć pocztę i napisać do Jakuba łzawy list, w którym wybaczy mu z całego serca, że zabił jej mamę, a jako zadośćuczynienie za osiem spieprzonych lat przyjmie dom, który zdążyła pokochać. I różany ogród.

Nie.

Jedyną chęć, jaką czuła, wyraziła teraz w krótkim esemesie: „Przyjmę darowiznę pod jednym warunkiem: pomożesz Gosi Bielskiej". Dokładnie tak. To właśnie nie dawało jej spokoju dzisiejszej nocy: Małgosia, jej szaleństwo, samotność, wielki pusty dom i... szansa w osobie Jakuba na odmianę smutnego losu.

Kamila uśmiechnęła się z satysfakcją i wysłała wiadomość.

Musiał czekać na jakikolwiek znak od niej, bo telefon zadzwonił chwilę później. „Jakub" – widniało na wyświetlaczu. Patrzyła na to imię, do którego niemal modliła się przez ostatnie lata. Patrzyła dotąd, aż telefon umilkł i imię zgasło.

Odpowiedź, która przyszła w następnej chwili, była krótka: „Pomogę".

Jakub Kiliński wracał do gry. Na czyich jednak warunkach?

Jeżeli Kamili wydawało się, że na jej własnych, mogła się bardzo rozczarować...

Rozdział IV

Pokrzyk wilcza jagoda – kto by pomyślał, widząc ten krzaczek
o ładnych, lancetowatych liściach, fioletowo-brązowych kwiatach
w kształcie dzwonka, zmieniających się w błyszczące,
lśniąco czarne jagody, że to niewiniątko jest tak silnie trujące?
Lepiej cieszyć jedynie wzrok ciekawie wyglądającym kwiatem
czy czarnymi jagodami, otoczonymi koszyczkiem
jasnozielonych listków, i tych jagód nie kosztować.
Lepiej trzymać się od tej rośliny z daleka...

*P*onury dom na ulicy Leśnych Dzwonków 1 nigdy dotąd nie wydał się Małgosi tak pusty jak dzisiejszej nocy. Burza, atak paniki, a potem nagłe ukojenie od dotyku i głosu kogoś, kto już raz ją uratował i komu po raz drugi zawierzyłaby własne życie, wyrwały ją ze zwykłej, codziennej rutyny, dzięki której teraz, przed północą, nafaszerowana lekami nasennymi, spałaby do rana.

Nie krążyłaby po ciemnych pokojach niczym zjawa w nocnej koszuli, jej umysłu nie nękałyby tysiące myśli, a serca – obudzone na nowo demony przeszłości.

Wróciło wspomnienie zamachu. Wróciła rozpacz po śmierci dziecka, którą ledwo przeżyła. Prawdę mówiąc, do dziś nie opłakała tej straty, ale leki przeciwdepresyjne, które przyjmowała od pierwszych chwil w szpitalu, zrobiły swoje: znieczuliły na ból.

Odgrodziły od świata zewnętrznego szklaną taflą, która pękała tylko wtedy, gdy stary dom stawał na drodze burzy. Błysk piorunów i ryk grzmotów przenosiły kobietę do tamtych strasznych wydarzeń. I to nie w przenośni, lecz jak najbardziej dosłownie. Znów umierała z bólu i utraty krwi. Znów umierało w niej nienarodzone dziecko. Błagała o pomoc, ale pomoc nie nadchodziła... Dopiero zaciskająca się na jej dłoni czyjaś dłoń i słowa przedzierające się do oszalałego umysłu: „Hold on, don't give up", przynosiły ulgę, pozwalały poddać się, zamknąć oczy, uwierzyć, że ten koszmar kiedyś się skończy.

Owszem, kończył się wraz z zapadnięciem w letarg, ale przebudzenie zapowiadało nowy. Ten codzienny. Wracało poczucie samotności, strasznej straty i beznadziei. Gosi, takiej jaką się stała po wypadku, nie mógł pokochać nikt.

Który mężczyzna wytrzymałby z wariatką bojącą się wyjść za bramę domu? Który zniósłby napady paniki na najmniejszy odgłos gromu? Kto wytrzymałby długie miesiące rozpaczy po śmierci dziecka, sam czując taką samą rozpacz, ale tłumiąc ją w sobie, bo przecież „ktoś, do cholery, musi być w tym domu normalny!".

Mąż Małgosi wytrzymał pół roku. Pozew o rozwód bez orzekania o winie jego adwokat przyniósł kobiecie do szpitala psychiatrycznego. Nie zdziwiło jej to. Prawdę mówiąc, niewiele już Gosię Bielską mogło w życiu zdziwić czy zaskoczyć.

Od tamtej pory była sama.

Za połowę majątku – a dorobili się znacznych pieniędzy z jej lotnym umysłem i smykałką do dobrych inwestycji, z jego prezencją i ogładą rasowego dyplomaty – odkupiła rodzinną willę Zacisze, właśnie tę, w Milanówku, w której kiedyś, jako dziecko, była bardzo szczęśliwa, i zmieniła w swe własne, prywatne więzienie.

Z roku na rok coraz bardziej zamykała się w sobie i w czterech ścianach wielkiego domu. Ludzie od dnia zamachu napawali Gosię lękiem, a ten powoli zmieniał się w fobię. Przez dwa lata od zamieszkania na ulicy Leśnych Dzwonków ta piękna, niegdyś podziwiana i pożądana kobieta zmieniła się w cień samej siebie, snujący się po pustych pokojach, i gdyby nie pomoc sąsiadki, Janki Krasowskiej, umarłaby z głodu, a nikt przez długie tygodnie czy miesiące nawet by tego nie zauważył.

Smutny, smutny los...

Małgosia przystanęła. Spojrzała w bok na swoje odbicie w zakurzonym lustrze. Wyglądała jak upiór. Uniosła rąbek nocnej koszuli. Przeklęta noga czy raczej jej brak.

Była nikim. Ani matką, ani żoną, ani kobietą, ani nawet kompletnym człowiekiem.

Nagle... zapragnęła z tym skończyć. Teraz. W tej chwili.

Dosyć tego, dość bólu, strachu i samotności! I pogardy do samej siebie...

Zbiegła na parter, do kuchni. Nie zapalając światła, szarpnęła szufladę i wyjęła nóż, ostry, dobry, nawet znakomity do tego, co zamierza uczynić. Jeszcze tylko musi się znieczulić, by chociaż umieranie było bezbolesne i...

Dzwonek do drzwi rozbrzmiał tak głośno i niespodziewanie, że nóż wypadł Gosi z ręki.

Skoczyła pod stół, skuliła się, ukryła głowę w ramionach i trwała tak dotąd, aż ten, kto dzwonił, zrezygnował. Odszedł. Słyszała jego kroki na ścieżce, mimo że walące serce zagłuszało wszystko inne.

Jak on tutaj wszedł?! Przecież brama i furtka były zamknięte na klucz!

I czego chciał?!

A czegóż może chcieć o północy obcy dobijający się do domu samotnej kobiety...

A jeżeli to ten, co pobił Jankę?

Może teraz przyszła kolej na nią, na Gosię? Może... nie będzie musiała ginąć z własnej ręki, a zrobi to za nią tamten?

Przez te wszystkie lata jedna myśl powstrzymywała Małgosię przed samobójstwem – a była go bliska wiele, wiele razy – jeżeli to zrobi, nie spotka po tamtej stronie rodziców i synka. Dlatego trwała jakoś, martwa za życia i pogrzebana w wielkim grobowcu, by spotkać tych, których kochała.

Jeżeli jednak tamten zrobi to za nią...

Byle szybko.

Wypełzła spod stołu, na palcach przemknęła do drzwi i odciągnęła zasuwę. Nie wiadomo, skąd miała pewność, że tamten wróci, spróbuje otworzyć drzwi, wejdzie do środka i... znajdzie ją pod stołem w kuchni. Ona nie będzie się bronić.

Kroki ponownie rozbrzmiały na ścieżce, a zaraz po nich dzwonek. Klamka uchyliła się i drzwi ustąpiły pod naciskiem męskiej dłoni.

Gosia skuliła się jeszcze bardziej, tracąc oddech z przerażenia.

Ale nie samej śmierci się bała. To wrócił koszmar sprzed lat. Ciemność otaczała ją taka sama. Oddech łapała z takim samym trudem jak wtedy. Tylko teraz wokół panowała cisza. I czyjeś kroki w tej ciszy... Obecność drugiego człowieka w bezpiecznym do tej pory azylu odbierała kobiecie rozum. Zaczęła kwilić, niczym uśmiercane szczenię. Kroki zbliżały się.

– Małgosiu... – usłyszała czyjś głos. J e g o głos. I rozpłakała się. Z ulgi i nienawiści zarazem.

Kamilę obudził promień słońca tańczący na poduszce, zapach kakao napływający z kuchni i zimny nos Kulki, dotykający jej nosa. W ten właśnie sposób suczka sprawdzała, czy jej pani jeszcze śpi, czy już nie.

Oczywiście po takim teście pani otwierała gwałtownie oczy, piszczała jak psia zabawka, a czasem śmiesznie marszczyła nos, machając rękami, ale Kulce nie w głowie były piski i zabawy. W tak piękny poranek jak dziś o tej porze buszowałaby najchętniej w ogrodzie, a nie wylegiwała się w koszyku przy łóżku.

Kamila pomyślała widać to samo, bo wsunęła stopy w kapcie, zerknęła na termometr, który wskazywał ponad dwadzieścia stopni, uśmiechnęła się do słońca, narzuciła na nocną koszulę biały puszysty szlafroczek i z Kulką radośnie plączącą się u stóp zbiegła na parter, gdzie nieoceniona ciocia Łucja już wynosiła na taras śniadanie.

Za stół musiała im wystarczyć ławka pozostawiona tu przez robotników, za obrus biała lniana ściereczka, którą Łucja przywiozła Kamili w podarunku z Londynu, ale już cała reszta: kwitnący tysiącem róż ogród, poranne słońce rzucające roztańczone cienie poprzez liście drzew i błyszcząca po wczorajszej ulewie zieleń były wprost jak z żurnala.

– Ach, ciociu, co za pyszności... – Kamila spojrzała łakomym wzrokiem na tacę z maślanymi rogalikami, przed kwadransem przyniesionymi z miejscowej piekarni, świeżymi plasterkami wędlin i sera, pomidorem pokrojonym w ćwiartki i zieloniutkim ogórkiem, a przede wszystkim dwoma kubkami kakao z pianką – takim jakim ciocia poiła siostrzenicę w najtrudniejsze dni, zaraz po śmierci Anieli. Powinno przynosić smutne wspomnienia, jednak Kamili kojarzyło się przede wszystkim z troskliwością i miłością, jaką ciotka ją otoczyła.

Zaczęły bez słowa, wydając z siebie tylko westchnienia zachwytu, pałaszować smakołyki. Kulka czekała grzecznie na swoją kolej u stóp Łucji – widać odgadła bezbłędnie, jak na bystrego psiaka przystało, kto w tym domu od dziś karmi.

– Jakie masz plany na dzisiaj, Kamilko? – zapytała w końcu Łucja, gdy na tacy nie zostało ani okruszka.

– Odnaleźć Łukasza – odparła stanowczo dziewczyna. – Dzwonił wczoraj jego ojciec z dwiema wiadomościami – jedną złą, drugą jeszcze gorszą – Łukasz jest w szpitalu, pan Hardy nie powiedział, w którym, a ja jestem tam niemile widziana. Jeszcze przedwczoraj uwierzyłabym, że przez Łukasza, a nie tylko przez państwa Hardych, gdyby Łukasz nie przysłał mi wiadomości, że... no wiesz, ciociu, że mnie kocha... – Kamila spuściła oczy i zaczerwieniła się.

– Ale nie napisał, w którym szpitalu leży?

– No... nie.

– Gdyby pragnął twoich odwiedzin, powinien o tym wspomnieć, nie uważasz? – Łucja z udaną obojętnością patrzyła przed siebie. Nie chciała niszczyć złudzeń, którymi znów żyła Kamila, ale ostatnie, czego pragnęła, to ponownego jej zranienia przez następnego nieodpowiedzialnego mężczyznę.

– Nie lubisz go. – Stwierdzenie Kamili sprawiło, że przeniosła wzrok z hortensji na siostrzenicę.

– Co też ty mówisz! Nie mam nic przeciwko Łukaszowi, byle by tylko...

– Nie lubisz go i nie polubisz żadnego faceta, który się mną zainteresuje – mówiła dalej Kamila, patrząc na ogród, jak poprzednio Łucja. – W twoim mniemaniu najlepiej byłoby, gdybym wróciła z tobą do Krakowa, gdzie ponownie mogłabyś mnie zamknąć w małym mieszkanku, kontrolować moje maile i zarabiać na nas obie. – Łucja aż poczerwieniała z oburzenia, ale Kamila ciągnęła dalej, nie zważając na protesty ciotki. – Najlepiej, jakbym zmieniła się w Gosię Bielską bis, bojącą się nosa z własnego domu wyściubić. To dopiero by cię uszczęśliwiło...

– Kamila, co ty wygadujesz?! Nie będę słuchała tych bzdur! – Łucja wstała gwałtownie, aż Kulka odskoczyła na bezpieczną odległość. – Jedynym moim szczęściem jest twoje szczęście i jeżeli potrzebny ci jest do tego Łukasz, postaram się go polubić, a teraz...

Kamila zaśmiała się, choć niewesoły był ten śmiech.

– Mówiłam, że go nie lubisz?

Wstała również, cmoknęła ciotkę w policzek i powiedziała, ruszając do domu:

– Ja zaczynam telefonować, wy bawcie się wesoło w pielenie róż. Tylko nałóż, ciociu, grube rękawice. Róże są jak ludzie: pozwalają się kochać, ale czasem ranią do krwi.

Przechodziła przez hol, by schodami na piętro dotrzeć do swojej sypialni, gdy dzwonek do bramy kazał się jej zatrzymać.

Może to skruszona ekipa wróciła trzy dni wcześniej, by zająć się remontem Sasanki?

Kamila spojrzała po sobie: w koszuli nocnej i szlafroku już ją widzieli. Łukasz, jeżeli to on był, widział ją nawet nago, Jakub, jeżeli to jego diabli nadali, również. Nie namyślając się więcej, zbiegła po schodach przed dom i... zatrzymała się w następnej chwili.

Przed furtką stał nieznajomy mężczyzna.

Uniósł dłoń na powitanie i... tyle Kamilę widział, bo obróciła się na pięcie i umknęła z powrotem do domu. Wróciła minutę później w płaszczu przeciwdeszczowym, który jej zdaniem lepiej ukrywał nocną koszulę niż całkiem ładny szlafroczek.

Mężczyzna nie zdziwił się tym szczególnie, bo też niewiele było go w stanie zdziwić. Prawdę mówiąc, już chyba żadne szaleństwo nie zrobiłoby wrażenia na Mateuszu Wielickim – tak właśnie się Kamili przedstawił, gdy otworzyła furtkę i zaprosiła go do środka. Wielicki? Czy Kamili to nazwisko powinno coś mówić?

– Były mąż Małgorzaty – dodał, wskazując dom obok, a Kamila aż wstrzymała oddech, przyciskając obie dłonie do ust.

Mąż, były bo były, ale jednak mąż, wrócił do Małgosi! Nie będzie już samotna w tym wielkim strasznym domu! Co za nowina z samego rana!

– Widzę, że jest pani zaskoczona, i zważywszy na okoliczności, wcale się temu nie dziwię. Przyszedłem poznać najbliższą sąsiadkę Gosi i podziękować za opiekę nad nią.

– Opiekowała się Gosią do tej pory Janka, ale jej... już nie ma – odparła Kamila zgodnie z prawdą, patrząc na tego, bardzo przystojnego zresztą, mężczyznę jak na ducha, który obrał sobie ten poranek na opuszczenie nawiedzonego domu pod numerem 1, by pojawić się drzwi obok.

– Przez jakiś czas, mam nadzieję, będziemy sąsiadami, miło mi więc było panią poznać. Może pozwoli się pani zaprosić na kawę dziś po południu? Powiedzmy, o piątej?

Kamila uniosła brwi jeszcze wyżej. Ten facet jak gdyby nigdy nic zaprasza ją do domu pod numerem 1? Tego samego, którego drzwi były dla niej zamknięte przez wiele tygodni? Co na to Gosia? Przecież to niemożliwe, by z dnia na dzień zmieniła się w duszę towarzystwa! Nie Małgosia, która wczoraj, po burzy, przetrwanej w jej, Kamili, łazience, pożegnała się takimi słowami jak zwykle: „Muszę wracać do domu". Sama. Bez twojego towarzystwa, Kamilko – tego oczywiście nie powiedziała, ale to było jasne samo przez się. I dziś oto sąsiedzi urządzają popołudniową herbatkę, a jutro może barbecue dla całego Milanówka?! On musiał coś Małgosi zrobić. Może ją zamordował w nocy i zakopał w ogrodzie, a dziś, jak gdyby nigdy nic...

– Właściwie to chętnie. Mogłabym odwiedzić miłych sąsiadów nawet teraz, zaraz. Moja ciocia też chciałaby przywitać się z Gosią, bo nie widziały się... jakiś czas. Jeżeli więc nie ma pan nic przeciwko temu...

– Przepraszam, ale moja żona, to jest była żona, jeszcze śpi – odparł gładko. – Przyjechałem dobrze po północy, musiałem ją zdrowo przestraszyć, gdy wszedłem do ciemnego domu, i... trochę się zdenerwowała, musiała wziąć leki uspokajające, a teraz...

– Nie podoba mi się to – wymknęło się Kamili na głos. – Jest pan w sumie dla Gosi obcym człowiekiem, z którym nic jej, oprócz wyroku rozwodowego, nie łączy, i wchodzi pan, ot tak, po północy, do jej domu bez uprzedzenia?

Poczerwieniał lekko, usta zacisnął w wąską kreskę. Kamila wiedziała, że ten facet na końcu języka ma pytanie, co ją, do cholery, to wszystko obchodzi, i nie rzucił go tylko dlatego, że miała rację. Bo Gosia do niedawna obchodziła ją bardziej niż jego, ot co. Ty oślizgły gadzie, równie gładko potrafisz teraz nawijać, jak wcześniej bez problemu pozostawiłeś nieszczęsną żonę, pół roku po tragedii, co? Nie ma w tym domu zlituj się dla takich drani.

– Nie zajmę panu wiele czasu – rzekła po chwili z tak nieszczerym uśmiechem jak jego własny. – Rzucę tylko okiem na dom i na Gosię. Gdy stwierdzę, że wszystko jest w porządku, zajmę się swoimi sprawami, okej?

Kiwnął głową.

– To spotkamy się za kwadrans po drugiej stronie muru. – Wskazała dzielącą obie posesje ścianę zieleni.

Znów nie pozostało mu nic innego, niż przytaknąć, odwrócić się i wyjść.

Łucja, przyglądając się im zza drzwi Sasanki, odprowadziła nieznajomego wzrokiem.

– Kto to był? – zapytała niespokojnie, bo Kamila, wbiegająca po schodach, wyglądała na wzburzoną.

– Nie uwierzysz, ciociu! Były mąż Gosi, mojej sąsiadki, pojawia się jak gdyby nigdy nic po kilku latach i zaprasza nas na herbatkę o piątej!

– To chyba miło z jego strony... – odparła Łucja ostrożnie. – Mógł przecież oznajmić, że drzwi domu obok są od dziś przed tobą zamknięte.

– Bo były zamknięte! Właśnie do dziś! Gosia tak panicznie boi się ludzi, że nigdy mnie nie zaprosiła do siebie! Janki być może też nie, a Janka opiekowała się nią przecież przez pięć lat! Nie podoba mi się to!

To rzekłszy, czy raczej to wykrzyczawszy, Kamila zniknęła na schodach do swej sypialni i dwie minuty później, nim Łucja zdążyła zrozumieć te rewelacje, zbiegała z powrotem ubrana w bluzeczkę i ogrodniczki.

– Chodź, ciociu, złóżymy sąsiadom wizytę już teraz – rzekła stanowczo, chwytając Łucję za rękę i ciągnąc za sobą do ogrodu. Po drodze zabrała ze sobą także nożyce do żywopłotu.

– Iglaki będziesz im przycinać? – zainteresowała się Łucja.

– Nie wiadomo, co nas czeka po drugiej stronie muru – odparła złowróżbnie Kamila, otworzyła furtkę łączącą obie posesje swoim kluczem, pchnęła ją i... wkroczyła do zupełnie innego świata niż jej własny.

Owszem, różany ogród był zaniedbany, gdy Kamila ujrzała go po raz pierwszy, nadal zresztą sprawiał wrażenie półdzikiego, mimo ogromu pracy, jaką już w ten kawałek swego azylu włożyła, ale ogród Gosi obrazował całą rozpacz i opuszczenie jej osoby.

Był smutny. Bardzo smutny. Królowały w nim pokrzywy po pas, między którymi wydeptana została wąska ścieżka do furtki, dziki tojad – bardziej trującego zielska Gosia wyhodować już nie potrafiła – i ogromne łopiany, ale nawet one bardziej szare niż zielone. Winobluszcz, pnący się po murach starej willi, usechł. Bzy i jaśminy, okalające ogród, również. Kamili przemknęło przez myśl, że Gosia być może celowo pozbyła się odrobiny radości, jaką mógł dać ten skrawek zieleni w jej więzieniu, bo przecież o krzewy bzu i jaśminu dbać jakoś specjalnie nie trzeba. Dom, wznoszący się nad tym wszystkim na dwa piętra, sprawiał wrażenie przeniesionego wprost z kart wiktoriańskiego horroru. Tylko wichrów nad wrzosowiskiem brakowało.

– Nic dziwnego, że Gosia jest tak smutna – szepnęła Kamila ze współczuciem. – W tym miejscu każdy popadłby w depresję.

Drzwi domu otworzyły się i na ganek wyszedł Mateusz Wielicki. Prezentował się całkiem nieźle w białej koszuli wyprasowanej jak na ślub i czarnych spodniach, to musiała mu Kamila przyznać. Mimo to nie wzbudził w dziewczynie uczuć cieplejszych niż przed kwadransem. Jednak, przywołując cień uśmiechu na twarz, przedstawiła go cioci Łucji.

Weszli do środka.

Kamila w następnej chwili zatrzymała się oczarowana, zupełnie jak wtedy gdy pierwszy raz ujrzała Sasankę. Stare domy, które kiedyś projektowano z wyszukanym smakiem i na indywidualne zamówienie, a nie taśmowo i bez gustu, mają to do siebie, że nawet zaniedbane i opustoszałe, potrafią zachwycać.

Hol był wysoki i rozległy. Schody na piętra zaczynały się po lewej jego stronie i okrążały go dwukrotnie. Ze świetlika na samej górze, którego Kamila od razu Gosi pozazdrościła, spływał potok słonecznego światła.

Drzwi do wszystkich pomieszczeń były otwarte, a ponieważ we wszystkich pokojach ktoś – można się było domyślać, że nie Małgosia – pootwierał okna, więc i tędy wpadał do środka świeży blask poranka.

Owszem, boazeria była pokryta kurzem, a tapety odłaziły od ścian, lecz mimo wszystko był to piękny dom i gdyby Kamila nie miała już swojej Sasanki – nagle zapragnęła podpisać akt notarialny jak najszybciej i jeszcze dziś zawieźć go do kancelarii, by Jakub się nie rozmyślił – zakochałaby się w domu Gosi i tu właśnie by została, żeby pucować boazerie, zrywać tapety, malować ściany, remontować... remontować... remontować. Ten zachwyt i te chęci musiała ujrzeć w oczach swej podopiecznej ciocia Łucja, bo pochyliła się ku niej i szepnęła żartobliwie:

– Nic z tego, moja kochana, masz swoją ruderę, która aż piszczy za remontem, chwilami dosłownie, jeśli się wsłuchasz w dachowe krokwie czy choćby schody na piętro.

Kamila uśmiechnęła się i zwróciła do mężczyzny, który przyglądał się im w milczeniu. Jego z tym domem nie łączyły żadne sentymenty, pomógł kiedyś Gośce przywieźć tu rzeczy i meble, które zabierała z ich rezydencji, i to wszystko. Jeżeli ktoś pytałby go o zdanie, sprzedałby go za jakąkolwiek cenę, a pieniądze... Zamrugał, bo ta dziewczyna, wścibska sąsiadka, pytała o Gośkę.

– Jest w swojej sypialni – odrzekł.

– Mógłby nas pan tam zaprowadzić? Nigdy wcześniej nie byłam w tym domu i nie bardzo wiem, gdzie ta sypialnia się znajduje.

Tym razem on uniósł brwi ze zdziwienia. Tak niby są z Gośką zaprzyjaźnione, a nigdy nie zaprosiła tej całej Kamili do siebie? Co tu jest grane?

Poprowadził nieproszonych gości do niewielkiego pokoju na parterze, obok kuchni, w którym kiedyś musiała sypiać służąca, a który obecnie wystarczył widać pani tego domu.

Gosia leżała nieruchomo na łóżku, twarz miała tak drobną i bladą, że Kamila naprawdę się przestraszyła. Podeszła do przyjaciółki na palcach i już chciała potrząsnąć ją za ramię, gdy pierś Małgosi uniosła się w powolnym oddechu.

– Żyje... – Kamila odetchnęła z ulgą.

Mężczyzna stojący w drzwiach miał do wyboru: albo się żachnąć, albo obrócić wszystko w żart. Wybrał to drugie.

– Spodziewała się pani, że zamordowałem byłą żonę, zakopałem nocą w ogrodzie, a teraz szybciutko za łopatę i z powrotem ją do tego łóżka, bo pani zapowiedziała się z wizytą...?

– Coś w tym rodzaju. – Kamila musiała się uśmiechnąć. Może ten eksmąż Gosi nie był zupełnie i do końca beznadziejny? Może nie był aż takim draniem jak, by daleko nie szukać, Jakub? Pan Wielicki Gosię bądź co bądź jedynie opuścił. Nie zabił jej mamy... Spojrzała na mężczyznę łaskawszym wzrokiem i rzekła nieco milszym tonem: – Proszę na nią uważać, gdy się obudzi. Może być zdezorientowana. Po burzy zwykle taka bywa.

– Wiem, pani Kamilo, pół roku przeżywałem z Małgorzatą każdą burzę. A także noworoczne fajerwerki, wycie przejeżdżającej karetki czy straży pożarnej, głośniejszy trzask drzwiami, przelatujący nisko samolot i takie tam, drobiazgi. Prawdę mówiąc, sam mało nie oszalałem, choć to oczywiście nie tłumaczy draństwa, jakie jej wyrządziłem, odchodząc.

Ano nie tłumaczy – zgodziła się w duchu Kamila, po raz pierwszy jednak bez tej pewności, jaką miała jeszcze przed chwilą. Ona sama na widok Gosi, walącej w okno tarasu, która wyła przy tym nieludzko z szoku i przerażenia, omal nie doznała dwukrotnie zawału serca. Ile takich burz by wytrzymała?

Szczerze? Niewiele.

– Porzuciłem Gosię w najgorszych chwilach jej życia, mojego również, bo ja też nie mogłem pogodzić się ze śmiercią synka –

mówił dalej, ni to do Kamili, ni do siebie, spokojnym, przyciszonym głosem. – Odwróciłem się od niej wtedy, gdy najbardziej mnie potrzebowała, i... do dziś nie mogę sobie tego darować. Wróciłem więc. No tak. Odszedł, gdy Małgosia umierała z żalu za dzieckiem, a teraz wraca powodowany wyrzutami sumienia. Nie dawniej jak wczoraj wysłuchałam tej samej bajki – pomyślała Kamila.

Kiedyś dopatrzyłaby się cienia szlachetności w postępowaniu Mateusza Wielickiego, ale to było wtedy, gdy zaczytywała się w *Polyannach* i *Aniach z Zielonego Wzgórza*, minęło jednak wiele czasu i wyleczono ją raz na zawsze z romantyzmu i złudzeń co do ludzkiej natury. Jeżeli miałaby się czegoś w powrocie tego faceta dopatrywać, to jedynie wyrachowania. On czegoś od Małgosi chciał. Tylko czego?

– Umie ją pan uspokoić? – zapytała, by przerwać niezręczne milczenie. Powinna była, zaraz po przekonaniu się, że Gosi nic nie zagraża i śpi sobie bidula spokojnie, pożegnać się i wyjść, ale... coś nie pozwalało jej opuścić przyjaciółki tak szybko. – Zna pan te wszystkie zaklęcia?

– Jakie zaklęcia? – Wielicki po raz nie wiadomo który tego ranka uniósł ze zdumienia brwi.

– Jak więc ją pan uspokajał, gdy wpadała w panikę? – odpowiedziała pytaniem, nie dzieląc się z tym coraz bardziej podejrzanym mężczyzną wiedzą tajemną.

– Z-zamykałem Gosię w piwnicy – odparł, zająknąwszy się.

– W piwnicy?!

– Tylko tam było ciemno i w miarę cicho, co innego miałem zrobić? – zaczął się tłumaczyć, zdając sobie sprawę, jak kiepsko ta piwnica zabrzmiała. – Nie na klucz, oczywiście – dodał jeszcze, widząc potępienie na twarzy dziewczyny. – A pani jak sobie z Gosią radziła? – zapytał coraz bardziej rozdrażniony tą rozmową i tą wścibską dziewuchą.

– Ja zamykałam ją w łazience – odparła i... roześmiała się mimo woli. Ta łazienka zabrzmiała nie lepiej niż piwnica. – Oczywiście nie na klucz – dorzuciła szybko. Przez twarz mężczyzny przemknął uśmiech. – Pójdziemy już. – Ku jego uldze posłała wymowne spojrzenie Łucji i skierowała się do drzwi. – Jeżeli Gosia nie będzie miała nic przeciwko temu, chętnie wpadnę o siedemnastej na herbatę. Z ciastem domowej roboty.

Nie oglądając się już ani na stojącego w drzwiach Wielickiego, ani na ponury dom i jeszcze bardziej przygnębiający ogród, ruszyła za Łucją zarośniętą ścieżką ku Sasance, przebiegła przez furtkę i znalazła się w swoim czarodziejskim okruchu raju.

Przekręciła klucz w zamku, przedarła się przez ścianę winobluszczu i odetchnęła z ulgą. A potem podbiegła do Łucji, przytuliła się i czując dobrą dłoń cioci gładzącą ją po plecach, wyszeptała:

– Jak dobrze, że ciebie mam...

Rozdział V

Fiołek wonny – na polanie, skąpany w wiosennym słońcu, rośnie
sobie maleńki, uroczy fiołek. Z koszyczka liści wyrasta pojedyncza
łodyżka, a na niej kwiatek o intensywnej barwie i subtelnym, jakże
pięknym zapachu, przywodzącym na myśl same miłe wspomnienia.
Płatki o niezwykłym kształcie i ułożeniu otaczają żółty środek,
całość zaś po prostu zachwyca. Chcesz wyznać ukochanej miłość?
Podaruj jej bukiecik wonnych fiołków.

*T*elefon rozbrzmiał w chwili, gdy zasiadła do komputera, wpisała w Google „szpital, Warszawa" i sięgnęła po komórkę, by zacząć dzwonić do wszystkich po kolei. Numer, który się wyświetlił, wyglądał znajomo.

– Dzień dobry, pani Kamilo – usłyszała w następnej chwili głos Leona Hardego i serce podeszło jej do gardła. Ten mężczyzna na pewno nie dzwonił z czystej sympatii... – Mój syn, jak wczoraj wspomniałem, miał operację i... – Urwał. Jak powiedzieć komuś, kogo najchętniej nie oglądałoby się już nigdy w życiu i właśnie to dało się mu dzień wcześniej do zrozumienia, że jego obecność przy łóżku chorego jest jak najbardziej pożądana? – Przepraszam panią za wczorajsze słowa – odezwał się, zwalczywszy niechęć – byłem zdenerwowany stanem Łukasza. Czy zechciałaby pani przyjechać do szpitala w Aninie i spędzić z moim synem parę chwil?

– Tak. Bardzo bym chciała – odparła Kamila szybko. – Jestem gotowa jechać natychmiast, jeżeli to panu nie przeszkadza.

Chciał powiedzieć, że owszem, z trudem zniesie jej widok, ale odparł wbrew temu:

– Bardzo będę wdzięczny, a i Łukasz... – głos mu się załamał. Gdy przed kilkoma minutami zajrzał do syna, ten leżał nieruchomo z szeroko otwartymi oczami i głową zwróconą w stronę okna. Chciał wejść do pokoju, ale stracił odwagę. Ktoś w końcu powie Łukaszowi, że stracił wzrok, ale tym kimś on, Leon, być nie może, po prostu nie znajdzie w sobie takiej siły... – Mój syn czeka na panią – dodał i rozłączył się, czując łzy wzbierające pod powiekami, nim Kamila zdołała wyrzec choć słowo.

Doktor Stefański nie mógł pozwolić sobie na komfort przemilczenia. Od niego, od lekarza, wymagano prawdy, choćby najboleśniejszej. Teraz przysiadł na łóżku obok Łukasza i czekał na pierwsze słowa młodego mężczyzny. Ten odszukał jego dłoń i rzekł głosem zduszonym przez przerażenie:

– Ja nie widzę.

Doktor próbował odrzec coś uspokajającego, ale głos uwiązł mu w gardle. Patrzył w szeroko otwarte oczy Łukasza, w jego rozszerzone strachem źrenice, które przecież normalnie reagowały na światło latarki – sprawdził to wiele razy! – i zdobył się jedynie na uściśnięcie jego dłoni.

– Słyszałeś, co powiedziałem? Nic nie widzę. Straciłem wzrok.

– Tak, Łukasz, słyszałem. Przepraszam cię. Zbadam cię teraz... – Wyjął z kieszeni małą latarkę i skierował strumień światła ku oczom mężczyzny. – Widzisz cokolwiek? Choćby...

– Przecież powiedziałem wyraźnie: n i c   n i e   w i d z ę – wycedził Łukasz przez zaciśnięte zęby i na oślep odepchnął dłoń wuja, z trudem łapiąc oddech z bólu i przerażenia.

Świadomość, niezmąconą lekami, odzyskał nad ranem. Długie chwile wsłuchiwał się w krzątaninę pielęgniarki, nim dotarło do niego, że powinien ją przecież widzieć. Kobieta nie mogła sprawdzać kroplówki w zupełnych ciemnościach. Wtedy zrozumiał. Sięgnął do oczu, mając jeszcze nadzieję, że są obandażowane, zaklejone, na miłość boską, cokolwiek, co tłumaczyłoby otaczającą go nieprzeniknioną czerń, ale... Nie widział. Stracił wzrok.

Długie chwile leżał sparaliżowany tą świadomością, próbując dojrzeć cokolwiek, choć odrobinę światła, wpatrywał się w miejsce, gdzie prawdopodobnie było okno – słyszał dobiegający stamtąd śpiew ptaków, których być może nigdy już nie zobaczy – i walczył z narastającym przerażeniem i rozpaczą.

W kącikach niewidzących oczu pojawiły się łzy. Pielęgniarka pochyliła się ku niemu – czuł delikatny zapach jej perfum – i zapytała z troską:

– Boli? Zwiększyć kroplówkę?

Nie widzę żadnej kroplówki! – chciał krzyknąć, ale poruszył się zbyt gwałtownie i ból rany, którą miał na piersi, odebrał mu oddech. Znieruchomiał, zaciskając palce na prześcieradle, by nie jęczeć na głos.

– Pójdę po doktora – usłyszał zaniepokojony głos kobiety i oddalające się kroki.

Gdy parę minut później do pokoju wszedł Leszek Stefański, Łukasz leżał nieruchomo z głową zwróconą w stronę okna. Tam gdzie świeciło słońce, którego on nie widział.

– Łukasz – usłyszał cichy głos wuja – zrobimy wszystkie badania i gdy tylko znajdziemy przyczynę...

– Odzyskam wzrok?

Chciał usłyszeć potwierdzenie, m u s i a ł je usłyszeć, ale doktor zamiast odpowiedzieć bez chwili wahania: „Tak, oczywiście!", odrzekł niechętnie:

– Nie wiem, dzieciaku. Mam jednak nadzieję...

– Nie chcę nadziei, chcę pewności – przerwał mu Łukasz, z trudem panując nad łzami. Im dłużej wpatrywał się w czerń, tym większa ogarniała go rozpacz. Jak on teraz będzie żył? Przecież oszaleje w tych ciemnościach!

– Łukasz... – Stefański zamknął dłoń chrześniaka w swoich rękach i chciał powiedzieć coś krzepiącego, jakiś banał, którego pacjent oczekuje od lekarza, ale głos mu się załamał i sam poczuł pod powiekami łzy, widząc cierpienie na twarzy Łukasza. Nieba by przychylił temu chłopakowi, z którego był taki dumny, a teraz nie mógł zrobić nic więcej, niż potrzymać za rękę i rzec parę krzepiących słów... – Niedługo będzie tu twoja Kamila... – zaczął, mając nadzieję, że ta wiadomość ucieszy chorego, ale on wyszeptał, odwracając głowę:

– Nie chcę jej widzieć. – I dodał po chwili z goryczą: – Widzieć... dobre sobie...

Stefański zacisnął palce na jego dłoni i rzekł cicho:

– Jeżeli ona kocha ciebie tak jak ty ją, wszystko będzie dobrze.

– Dzień dobry, szukam Łukasza Hardego. – Kamila uśmiechnęła się ze zwykłą dla siebie nieśmiałością do wysokiego, szczupłego mężczyzny w średnim wieku, odzianego w lekarski fartuch. Ten przyjrzał się dziewczynie uważnie.

– Pani Kamila? – zapytał, a gdy zdziwiona kiwnęła głową, dodał: – Jestem jego lekarzem prowadzącym, zapraszam najpierw do siebie na parę słów.

Chciała zobaczyć Łukasza jak najszybciej, naprawdę stęskniła się za nim przez te kilka dni, ale tak stanowczemu zaproszeniu nie mogła odmówić. Ruszyła za lekarzem i nagle... straszna myśl zatrzymała ją w pół kroku.

– Czy Łukasz... On żyje, prawda? Nic mu nie jest? – chciała wykrzyczeć te pytania, ale przez ściśnięte z przerażenia gardło wydobył się tylko szept.

– Żyje – uciął doktor, rzucając przez ramię pobladłej dziewczynie uważne spojrzenie, otworzył drzwi gabinetu i przepuścił ją przodem. – Na początek musi pani wiedzieć, że jestem przyjacielem rodziny Hardych i chrzestnym Łukasza. Lepiej nie mógł trafić, choć wolałbym, by w ogóle niepotrzebna była moja interwencja. – Skinęła głową, siadając na brzeżku krzesła. Stefański przyglądał się jej drobnej sylwetce, szczupłej twarzy, otoczonej uroczymi kędziorkami jasnych włosów – zwłaszcza niezwykłej barwy oczy przyciągały wzrok – i zastanawiał się, czy ta dziewczyna uniesie ciężar nieszczęścia, jakie dotknęło Łukasza. Zostanie przy nim czy odejdzie? Jeśli wierzyć słowom Leona, przyczyniła się w jakiś sposób do wypadku, może więc zostać przy Łukaszu z poczucia winy, a to żadna pociecha, bo on tę litość odrzuci, trzeba więc przeprowadzić tę rozmowę wyjątkowo ostrożnie... – Łukasz bardzo panią kocha – odezwał się po dłuższej chwili milczenia, podczas gdy ona czekała cierpliwie. Teraz zarumieniła się i uśmiechnęła, co jeszcze dodało uroku jej delikatnej twarzy. – To o panią się martwił zaraz po operacji, zapominając niemal o rodzinie, to do pani wysyłał wiadomości, proszę o tym pamiętać, gdy przyjdą trudne chwile.

– Będę pamiętać – dla pokreślenia tych słów kiwnęła głową.

– Przeszedł zabieg na otwartym sercu, udany zabieg, który uratował mu życie – mówił dalej, choć słowa przychodziły mu coraz trudniej. – Jego mózg mógł ucierpieć w tym czasie z powodu niedotlenienia, chociaż obraz tomograficzny jest prawidłowy, jednak... – Urwał. Widział, jak dziewczyna sztywnieje z każdym słowem, czekając na cios, i zżymał się w duchu, że on ten cios musi zadać. – Łukasz stracił wzrok.

Uniosła z niedowierzaniem brwi.

– Stracił wzrok? – powtórzyła, blednąc. – Przecież... przecież... Nie widzi?

Przytaknął.

– Według jego słów: zupełnie nic. Przykro mi.

– To musi być dla niego straszne – wyszeptała, czując, że zaraz się rozpłacze. Stracić wzrok po tym, jak pokochało się całą urodę świata? – O Boże... – jęknęła, chowając twarz w dłoniach. – To straszne...

Stefański czekał bez ruchu, aż dziewczyna uspokoi się, i mówił dalej:

– Możliwe, że ma to podłoże psychiczne, a nie somatyczne. Że to reakcja na uraz, a nie sam uraz mózgu spowodowały utratę wzroku.

– Czy to znaczy, że znów będzie widział?

– Nie ma takiej pewności. Zdarzały się jednak przypadki częściowego bądź całkowitego wyzdrowienia. Czasem inny wstrząs leczy następstwa poprzedniego. Proszę być dobrej myśli. Łukasz... nie jest w najlepszym stanie. Mam nadzieję, że będzie go pani wspierać – ostatnie zdanie zabrzmiało prosząco. Zrozumiałby, gdyby odmówiła. Była młoda, miała przed sobą całe życie i – przy takiej urodzie – zapewne mnóstwo adoratorów. Niewidomy facet nie był jej potrzebny, ale ona była potrzebna jemu...

– Będę. Do końca – odrzekła po prostu.

– On może odrzucać pani pomoc, może być... trudny – o tym też musiał ją uprzedzić, pamiętając słowa Łukasza: „Nie chcę jej widzieć". – Proszę się tym jednak nie zrażać. W głębi serca będzie pragnął pani miłości i troski. Nas wszystkich czekają trudne chwile.

Skinęła głową, nadal próbując sobie wyobrazić, co czuje Łukasz, któremu świat nagle zgasł.

– Czy mogę już do niego iść? – zapytała cicho. Chciała po prostu usiąść przy Łukaszu, pogładzić go po policzku i powiedzieć, że go kocha. Tylko tyle.

I to właśnie parę chwil później uczyniła.

Gdy otworzył oczy i spojrzał prosto w jej twarz, przez chwilę miała nadzieję, że lekarz się pomylił, że mówił o innym pacjencie, a może zakpił sobie z niej okrutnie, jednak w następnej straciła tę nadzieję. Łukasz zacisnął powieki, odwrócił głowę i rzekł stłumionym głosem:

– Pewnie już wiesz, że nie widzę.

Kiwnęła głową przerażona tonem tego głosu. I nagle dotarło do niej, że Łukasz tego przytaknięcia nie zobaczy.

– Tak, wiem – odezwała się. – Ale to nic nie zmienia, naprawdę...

– Nic nie zmienia?! Dla mnie owszem!

– To znaczy... Chciałam powiedzieć... Ja nadal cię...

– Idź już – rzucił, zaciskając szczęki.

Kamila siedziała bez ruchu jak porażona piorunem, nie rozumiejąc, co zrobiła czy powiedziała źle. Dotknęła nieśmiało jego dłoni. Drgnął. Niemal się wstrząsnął. I cofnął rękę.

– Przepraszam, Łukasz – wyszeptała, wstając, i ruszyła do drzwi.

Wypadła na korytarz, walcząc ze łzami. Oparła się o ścianę plecami, przycisnęła wierzch dłoni do oczu i trwała tak parę chwil. Nagle coś kazało jej spojrzeć w bok. Daleko, na drugim końcu korytarza, stała kobieta, wbijając w Kamilę nienawistne spojrzenie. Dziewczyna poznała tę kobietę natychmiast i przyznała jej w duchu rację. Julita, matka Łukasza, miała ją za co nienawidzić.

W pierwszym odruchu chciała uciec, i to jeszcze nie tak dawno by uczyniła, jednak wydarzenia ostatnich tygodni zmieniły nieśmiałą, „przepraszam, że żyję", Kamilkę nie do poznania. Niemała była w tym zasługa Jakuba Kilińskiego. Teraz Kamila otarła oczy zdecydowanym ruchem, wróciła do sali, w której Łukasz leżał tak, jak go zostawiła, pochyliła się nad nim, odwracając ku sobie jego twarz, i wyszeptała:

– Kocham cię i będę przy tobie. Nikt nie stanie między nami, słyszysz? Nawet ty sam. Gdy odzyskasz wzrok i powiesz „odejdź", wtedy odejdę, ale do tego czasu...

Ujęła jego kochaną twarz w dłonie i uczyniła to, o czym marzyła od tylu dni: po prostu go pocałowała. Długo, czule, z miłością. Pozwolił się całować. Ale po paru chwilach odwrócił głowę.

Kamila poczuła jak żal, żal odtrącenia, wbija ostre kły w jej serce. Czy tak ma się skończyć ta miłość? Pierwsza przeszkoda, pierwsze problemy i... już po niej?

Będę o ciebie walczyć, Łukasz – przyrzekła sobie w myślach. – O ciebie i o nas. Czy tego chcesz, kochany, czy nie.

Pogładziła go jeszcze po policzku i wyszła, cicho zamykając za sobą drzwi. A on miał nadzieję, że nie widziała łez, jakie wypełniły jego nieszczęsne, niewidzące oczy.

Ona zaś po raz drugi stała na szpitalnym korytarzu, również walcząc z rozpaczą. Zwiesiła głowę, przygryzła wargę, zacisnęła pięści i próbowała zdusić w krtani szloch.

– Płacz, płacz – usłyszała naraz głos Julity Hardej. – Ja płaczę co noc, od dnia, w którym mało nie zabiłaś mi dziecka.

Kamila poderwała głowę, wbijając przerażone spojrzenie w oczy tamtej, pociemniałe z nienawiści, ale nic nie odrzekła.

– Jesteś jego największym nieszczęściem. I moim także – dobiła ją kobieta i odeszła, mijając doktora, który właśnie szedł w stronę dziewczyny. Próbował zatrzymać Julitę, powiedział coś do niej szybko i cicho, przytrzymując za ramię, ale oswobodziła się i zniknęła na schodach. Skierował się więc ku oniemiałej, wstrząśniętej do granic Kamili.

– Proszę się matką Łukasza tak bardzo nie przejmować – rzekł, przyglądając się jej pobladłej twarzy. – Liczy się tylko on i jego powrót do zdrowia. Rozumie to pani, prawda?

– On też mnie nie chce – wykrztusiła przez łzy, które w końcu popłynęły po policzkach.

– Wierz mi, dziewczyno, że bardzo chce. Teraz jednak jest w szoku, jak my wszyscy. Potem dojdzie depresja. Długo nie będzie chciał się pogodzić z kalectwem, jeszcze dłużej przyjdzie dostosować się Łukaszowi do innego życia. Do nas należy wspierać go, być przy nim, bo to właśnie znaczy słowo „miłość". Kocha się za nic i mimo wszystko. Nie tylko wtedy gdy jest dobrze i pięknie. Wyglądasz mi na wrażliwą i mądrą dziewczynę, która to zrozumie i będzie o Łukasza walczyć. Wart jest tego. To dobry człowiek... – Musiał przerwać, bo krtań zacisnęła się boleśnie.

Kamila wiedziała to wszystko, rozumiała, była gotowa kochać Łukasza i przy nim trwać. Cóż jednak zrobi, gdy on nie będzie tego chciał? Przecież nie może zmuszać go do swojej obecności! To właśnie powiedziała na głos.

– Przyjeżdżaj codziennie – odparł doktor – i po prostu bądź. Gdy Łukasz uwierzy, że go nie opuścisz, przestanie cię odpychać. On się boi, pani Kamilo, jest śmiertelnie przerażony. Proszę pamiętać, że otacza go ciemność, jest bezradny, zdany na łaskę i niełaskę otoczenia. To potrafiłoby przerazić najodważniejszych i złamać najsilniejszych. Musi odzyskać poczucie bezpieczeństwa i nauczyć się radzić z rzeczywistością. Potem będzie łatwiej. I jemu, i nam.

Słowa lekarza brzmiały mądrze. Kamila nie mogła się z nimi nie zgodzić. Czy jednak odnajdzie w sobie tyle siły...?

– Dziewczyno droga, proszę mi wybaczyć tę poufałość, ty przede wszystkim szczerze musisz sobie odpowiedzieć, czy rzeczywiście Łukasza kochasz i czy wytrwasz. Jeżeli masz odejść, to teraz. Nie możesz być z nim przez litość. To dumny mężczyzna i jeżeli tylko wyczuje, że twoja miłość słabnie i zmienia się w obowiązek... to złamie go całkiem. Nie, nie odpowiadaj teraz i nie zapewniaj mnie. Usiądź w domu, zajrzyj w serce i w nim znajdź tę pewność albo jej brak. Pamiętaj tylko, że będzie ciężko. Bardzo ciężko.

– A jeżeli... jeżeli nie dam rady? – zapytała cichutko.

– Wtedy odejdź. Pożegnaj się z Łukaszem i odejdź. Jedyne, czego on nie zniesie, to litość.

Kiwnęła głową. Ciężko jej było na sercu, myśli spowiła rozpacz, a już wspomnienie słów, jakimi poczęstowała ją matka Łukasza...

– Ona zrobi wszystko, by nas rozdzielić – wyszeptała, zwieszając głowę.

– Mówisz o Julicie? Popracuję nad nią. Pamiętaj, że Łukasz jest jej ukochanym synem.

– A moim ukochanym mężczyzną – jej głos zabrzmiał bardziej ostro, niż chciała.

– Ale Julita kocha go nieco dłużej niż ty – zauważył żartobliwie.

– Łóżka z nim jednak nie dzieliła – odparła, uśmiechając się ze zmieszaniem.

Przytaknął i rzekł w następnej chwili:

– Teraz pożegnam się, bo obowiązki wzywają, a ty zapytaj samą siebie, czy niewidomego Łukasza będziesz kochać równie mocno co kiedyś.

– Powiedział pan, doktorze, że jest nadzieja na wyzdrowienie.

– Żyjmy tak, jakby nie było żadnej nadziei, a jeśli się rozczarujemy, to pozytywnie.

Pożegnał się z dziewczyną i zniknął w którymś z pokoi. Jej nie pozostało nic więcej, niż ruszyć w drogę powrotną, ale... musiała raz jeszcze zobaczyć Łukasza. Wróciła więc pod oszklone drzwi sali pooperacyjnej i zajrzała do środka. Leżał na boku, z twarzą wtuloną w poduszkę. Jego plecy drżały od tłumionego łkania.

Drogi do Milanówka Kamila nie pamiętała. Zapewne wsiadła do szybkiej kolei miejskiej, potem do WKD, ale jak dotarła na ulicę Leśnych Dzwonków? Czy otworzyła zamek w drzwiach sama, czy może wpuściła ją do środka ciocia Łucja? Tego nie potrafiłaby powiedzieć.

Oprzytomniała dopiero w swoim ogrodzie, w miejscu, które pokochała całym sercem: na ławeczce przy fontannie, otoczona spokojem letniego popołudnia i zapachem róż. To przyniosło Kamili ukojenie, osuszyło łzy na policzkach, ciężar w sercu nieco zelżał.

Dziewczyna rozejrzała się jak obudzona z koszmarnego snu. Nie może się załamać, to chyba jasno dał do zrozumienia ten dobry, mądry doktor. Musi być silna. A siłę może dać jej ten ogród i ten dom. Nie namyślając się ani chwili dłużej, chwyciła komórkę i wybrała numer podpisany tym jednym, szczególnym imieniem. W następnym momencie mówiła:

– Przyjmę od ciebie ten hojny podarunek. Czy możesz przyjechać? Porozmawiamy, tym razem miło i spokojnie...

Gdyby ktoś dziś rano powiedział Kamili, że będzie prosiła ojca o spotkanie, nie uwierzyłaby, jednak Jakub był potrzebny. Nie, nie jej samej, ale Łukaszowi. I może nie tyle sam Jakub, ile jego pieniądze, bo jeżeli polscy lekarze nie poradzą sobie z chorymi oczami

Łukasza, to trzeba będzie szukać pomocy za granicą. I w tym momencie, drogi ojcze, możesz się przydać...

Pracowała bez wytchnienia, walcząc z chwastami, których przybywało równie szybko, co ubywało. Żeby rozprostować obolały grzbiet, przycinała zwiędłe kwiaty róż, zbierając płatki do koszyczka – pachniały równie pięknie co w pełnym rozkwicie, zrobi więc z nich wonne poduszeczki.

Zapamiętała się w tej pracy tak dalece, że nie zauważyła wchodzącej przez furtkę Małgosi i niemal na nią wpadła z sekatorem w dłoni.

Usiadły w cieniu, na ławce. Ciocia Łucja przyniosła im zimnej źródlanej wody z cytryną i miętą.

– Wracam do Krakowa, Kamisiu. Robota czeka, choć przyznam ci się, że wolałabym pielić twoje róże, niż ślęczeć nad papierami.

– Któż by nie wolał... – uśmiechnęła się dziewczyna. – Gdy znudzą ci się papiery, ciociu, przyjeżdżaj do Sasanki.

– Dzwoń codziennie, bo chcę wiedzieć, co z tym biednym chłopakiem. A jeśli tylko będę ci potrzebna, daj znać, a przyjadę...

– Wiem, ciociu, i dziękuję. – Kamila przytuliła się do opiekunki. – Co ja bym bez ciebie zrobiła?

– Poradziłabyś sobie równie dobrze – odparła Łucja bez chwili wahania. – Jesteś mądra i silna i doprawdy nie wiem, po kim to odziedziczyłaś, bo ani twój ojciec, ani twoja mama mądrością czy siłą charakteru nie grzeszyli.

– Za to grzeszyli czym innym – zauważyła Kamila i zaśmiała się mimo woli.

Dobry był to śmiech, oczyszczający. W tym momencie poczuła, że może całkiem i do końca wybaczyć obojgu, i mamie, i Jakubowi. Może jeszcze nie dziś i nie jutro, ale już niedługo... Ucałowała serdecznie ciocię Łucję, odprowadziła ją do furtki i wróciła do Gosi, która przez cały ten czas siedziała w milczeniu na ławeczce przy fontannie.

– On wrócił – odezwała się Małgosia, gdy Kamila spoczęła obok niej. I tym razem nie miała na myśli Jakuba, bo twarz jej była ściągnięta dziwnym grymasem. Ni to niechęci, ni strachu. – Mateusz wrócił wczoraj w nocy. Dałam mu kiedyś klucze do domu i wszedł, ot tak, po prostu, jak do siebie. Bez uprzedzenia.

Kamila pokręciła głową.

– Może powinnaś go wyprosić? To teraz, bądź co bądź, obcy dla ciebie człowiek.

– Przyjdzie z powrotem. Jest uparty.

– Myślę, że ty jesteś bardziej uparta od niego – stwierdziła Kamila z przekonaniem, przypomniawszy sobie wszystkie te, jakże asertywne, „Muszę wracać do domu".

– Chce się mną zaopiekować. Tak powiedział – ciągnęła Gosia, zupełnie jakby nie słyszała Kamili. Prawdę mówiąc, jakby w ogóle nie zauważała jej obecności. – A ja potrzebuję czyjejś opieki. Mam dosyć tego pustego, strasznego domu.

Zaproś więc Jakuba, już on się tobą zaopiekuje – chciała rzec Kamila, ale ugryzła się w język. Za wcześnie na swatanie tej dwójki, szczególnie że pojawił się ktoś trzeci...

– Boję się go. – Małgosia wreszcie spojrzała na dziewczynę. W jej pięknych niebieskich oczach rzeczywiście czaił się strach, ale nie obłęd.

– Domu czy byłego męża? – zapytała cicho Kamila. Życzyła przyjaciółce jak najlepiej. Dom pomogłaby jej oswoić, ale co zrobić z Mateuszem Wielickim, skoro – jak powiedziała Małgosia – jest uparty i wróci, gdy go wyrzucą?

– Domu. Mateusz to dobry człowiek, nigdy mnie nie skrzywdził.

Nie, on tylko porzucił cię, gdy umierałaś z żalu za utraconym synkiem – „zgodziła się" z nią w myślach Kamila. Gosia tak właśnie musiała zrozumieć jej milczenie, bo sprostowała:

– Nigdy nie podniósł na mnie ręki.

Słowa potrafią ranić bardziej niż uderzenie, a opuszczenie w chorobie czy rozpaczy złamać skuteczniej niż przemoc fizyczna – to też Kamila zachowała dla siebie.

– Nie podoba ci się to? – Gosia raczej stwierdziła, niż zapytała.

– Nie podoba mi się ten facet, twój były mąż. Jak mógł wejść do twojego domu, nie pytając cię wcześniej o pozwolenie?

– Może... może chciał zapytać, tylko ja od jakiegoś czasu nie odbieram telefonów – wyznała ze wstydem Małgosia.

Kamila jęknęła.

– Gosiu, nie można tak żyć!

– No właśnie. Nie można – zgodziła się cicho. – Wiesz, gdyby wczoraj w nocy... Gdyby nie Mateusz... – Urwała. Wyznanie tego, co chciała sobie zrobić, nie przeszło jej przez gardło. Kamila była dobrą, kochaną dziewczyną i właśnie dlatego nie wolno jej było ufać. Mogła nasłać na nią, Małgosię, tych z psychiatryka i znów zamknęliby ją na oddziale ścisłej obserwacji... – Burza jeszcze nie minęła do końca – wyjaśniła zamiast tego, ale Kamila doskonale zrozumiała, co Gosia chciała powiedzieć i przed czym uratował ją tamten. Ujęła szczupłą dłoń przyjaciółki i uścisnęła mocno. Zostały same, we dwie. Dwie słabe, wrażliwe kobiety przeciw całemu światu. I mężczyznom, z których jeden był gorszy od drugiego.

– Może pomogłabym ci wyremontować twój dom? – odezwała się Kamila po dłuższej chwili zgodnego milczenia. – Trochę farby i będzie śliczny, wierz mi. Potem zajęłybyśmy się ogrodem i już za rok miałabyś swoje własne róże zamiast pokrzyw. Co ty na to, Gosiuniu? Niepotrzebny nam Mateusz, czy inny Jakub, prawda? Damy sobie radę bez nich.

Małgorzata zbladła. Dom pełen robotników nawet w wyobrażeniach przeraził ją śmiertelnie. Wstała gwałtownie.

– Muszę iść – rzuciła i już miała uciec, gdy... stanęła w pół kroku, patrząc ponad ramieniem Kamili na tego, który nadchodził ścieżką.

Dziewczyna odwróciła się i również pobladła. Widać obie skazane były na mężczyzn, którzy nie uprzedzają o swoim najściu.

– Jakub – syknęła cicho, a zabrzmiało to jak przekleństwo. Zapomniała widać, że sama do niego dzwoniła z prośbą o przybycie.

Nadchodził niespiesznym, można by rzec: leniwym, krokiem, niczym drapieżnik przechadzający się po swoim terytorium. Takiego go właśnie Kamila kochała. Kiedyś. Dzisiaj według jego własnych deklaracji to terytorium należało do niej i życzyła sobie, by miał to na uwadze, ale... nie śmiała na głos go napomnieć. Jeszcze nie.

Uśmiechnął się na powitanie do córki, jakby był doskonale świadom, o czym ona myśli, ale wzrok miał utkwiony w Małgosi, która podniosła się powoli i stała teraz obok Kamili.

– Miło mi panią widzieć w nieco pogodniejszym nastroju – zaczął, ujmując dłoń Gosi i całując tę dłoń z galanterią. O tak, Jakub gdy tylko chciał, potrafił być czarujący. Małgorzata jednak swego czasu obracała się w środowisku samych czarujących gentlemanów i ten gest, a także te słowa wypowiedziane miękkim, głębokim barytonem nie zrobiłyby na niej pożądanego wrażenia, gdyby... nie wymówił ich ten właśnie mężczyzna. Mężczyzna, do którego wracała pamięcią podczas najczarniejszych dni swego życia i którego magiczne, kojące słowa, powtarzane tam, w ciemnym tunelu londyńskiego metra, pozwoliły jej dożyć dzisiejszego dnia.

Była Jakubowi nieskończenie wdzięczna i... zapragnęła nagle, by ta wdzięczność zmieniła się w nieco inne uczucie. Czy jednak ona, Małgorzata Bielska, beznoga wariatka, miała prawo do jakichkolwiek uczuć? Oprócz wdzięczności?

Niebieskie niczym letnie niebo oczy, jeszcze przed chwilą rozświetlone wewnętrznym blaskiem, przygasły. Z twarzy znikł delikatny uśmiech. Wyswobodziła dłoń z rąk mężczyzny i wydusiła swoje nieśmiertelne:

– Muszę wracać do domu.

Każdy inny mężczyzna kiwnąłby ze zrozumieniem głową – ma pewnie ta piękna kobieta lepsze zajęcie niż przesiadywanie w ogrodzie sąsiadki – ale Jakub Kiliński nie był każdym innym. On uniósł brew w udawanym zdziwieniu i rzucił tylko jedno słowo swym niskim, czarującym tonem:

– Czyżby?

Kamila, przyglądająca się tym dwojgu – i grze uczuć między nimi – w milczeniu, posłała Jakubowi nieprzyjazne spojrzenie. Och, jak dobrze znała jego sztuczki. Jak dobrze pamiętała ten ton i to uniesienie brwi. I jeszcze półuśmiech, trochę kpiący, trochę irytujący, a na pewno prowokacyjny, za którym kiedyś poszłaby w ogień...

On sobie oczywiście nic ze spojrzeń córki nie robił, patrząc na Małgorzatę, która powtórzyła niemal błagalnie:

– Muszę już iść. Ja... nie mogę...

Powtórnie ujął jej dłoń, ale tym razem nie po to by składać na niej pocałunek. Nie. Zacisnął palce z całych sił na jej palcach i powiedział, pochylając się ku kobiecie:

– *You are safe. There is no danger. Stay with me**.

Małgosia wydała z siebie westchnienie, które równie dobrze mogło być urwanym szlochem, i... usiadła na ławce, jakby nogi odmówiły jej posłuszeństwa. W Kamili natomiast zagotowała się krew. Przypadła do Gosi, w której oczach rozbłysły łzy, objęła ją mocno i krzyknęła do Jakuba:

– Nie dręcz jej! Jeżeli musi wrócić do domu, to niech wraca! Radziła sobie przez osiem lat bez tych twoich sztuczek, więc teraz daj jej spokój!

– Prosiłaś mnie o coś – zauważył spokojnie – i przyrzekłem, że to uczynię, a ja zwykłem dotrzymywać obietnic.

– Tak, tak, zupełnie jak zwykłeś opuszczać tych, którzy ci zaufali, na cholerne osiem lat, a potem wracać jakby nigdy nic, by dalej się nimi bawić! Jesteś podłym manipulantem i już nie chcę, byś pomagał... – „Małgosi" – chciała dokończyć, ale na szczęście ugryzła się w język. – Komukolwiek – powiedziała zamiast tego.

I natychmiast pożałowała swoich słów, bo Jakub zmiażdżył ją spojrzeniem, rzucił oschle:

– Na drugi raz zważ, o co prosisz i kogo prosisz – po czym odwrócił się i ruszył do wyjścia.

A przecież... Kamila potrzebowała jego pomocy! I to nie tylko dla Małgorzaty!

– Jakub! – Poderwała się i, pal licho dumę, podbiegła doń, chwyciła za rękę, odwróciła do siebie. – Przepraszam. To... trudne patrzeć, jak...

– Jak czaruję inną? – Uniósł kącik ust w uśmiechu. – Musisz przywyknąć do myśli, że jestem twoim ojcem, a nie byłym ukochanym.

Całe szczęście, że był na tyle delikatny, iż nie użył słowa „kochanek", bo Kamila zapadłaby się pod ziemię. Ten drań czytał w niej

---

* Jesteś bezpieczna. Nic ci nie grozi. Zostań ze mną.

jak w otwartej książce. Znał jej myśli i uczucia lepiej, niż ona sama siebie znała. Gdyby nie to, że stał po jej stronie, naprawdę mogłoby to przerażać...

– Możesz czarować, kogo chcesz, nic mi do tego, ale nie Gosię. Ona nacierpiała się wystarczająco. Jest sama, sama jedna na świecie. Nie ma rodziny, straciła dziecko, mieszka w tym strasznym, pustym domu... Oszczędź ją, Jakub, proszę cię.

Twarz mężczyzny stężała.

– Myślisz, że robię to dla sportu?

– Tak właśnie myślę. Gosia jest piękna, a ty lubisz piękne kobiety. Znalazła się w zasięgu ręki, więc...

– Naprawdę uważasz mnie za skurwiela, który skrzywdziłby kobietę tylko dlatego, że jest piękna? – w jego głosie nie było już śladu czaru i miękkości. Był zimny i ostry jak stal.

Kamila, która kiedyś zaczęłaby go błagać o wybaczenie, teraz odparła równie zimno:

– Owszem, tak uważam.

– Wiedz więc, moja droga córeczko, że zamierzam naprawdę tej kobiecie pomóc – odparł, mrużąc ze złością oczy. – I jeśli mam użyć do tego czarujących słów i takiegoż tonu, zrobię to.

– A potem odejdziesz, jak ci się to już raz przydarzyło, i...

– Przestań! – krzyknął tak ostro, że aż skuliła ramiona. – Co innego miałem niby zrobić? Przespać się z własną córką?! I dopiero wtedy cię porzucić?! Tego właśnie nie możesz mi darować, wciąż zapominając, że łączą nas więzy krwi: że nie rozdziewiczyłem cię w tamtą noc i...

Przerwało mu uderzenie w twarz. Właściwie przerwałoby, bo oczywiście do niego nie dopuścił, chwytając pobladłą z furii Kamilę za nadgarstek.

– Nie podnosi się ręki na ojca – warknął i odepchnął dziewczynę na tyle lekko, by nie wpadła na krzak róż, lecz na tyle silnie, by nie próbowała uderzyć ponownie.

– Idź stąd. Po prostu idź. Jeżeli nie ty, to ja pójdę – rzuciła, walcząc ze łzami.

– To twój dom. Dałem słowo, że nie będę cię nachodził bez twojej zgody – odparł już spokojniej. A potem dodał miękko: – Przepraszam, Kamila. Raz jeszcze za wszystko cię przepraszam. Pogódź się jednak z pewnymi faktami i zapomnij o innych, tych z przeszłości. Masz mnie jako ojca i masz Łukasza jako kochanka, masz wymarzony dom i piękny ogród, masz kochającą cię nad życie ciotkę, a wreszcie do twojej dyspozycji jest pełne konto. Czego więcej możesz, na Boga, pragnąć?

Pokręciła głową, nie potrafiąc znaleźć odpowiedzi. Rzeczywiście, tak jak on to przedstawiał, była rozwydrzoną smarkulą, która nie potrafiła cieszyć się uśmiechem losu. Jednak on, Jakub, był jej ojcem zaledwie od wczoraj, Łukasz dziś rano kazał jej odejść, dom i ogród nadal należały do kogo innego, pełne konto również i tylko... miłość cioci była trwała i niezmienna. Jedynie śmierć mogła Kamili tę miłość odebrać. Przestraszyła się tej myśli. Ciocia nie była przecież stara. Ledwo przekroczyła pięćdziesiątkę. Skąd takie czarnowidztwo u niej, Kamili?

– Masz rację. Nie umiem cieszyć się tym, co mam – odrzekła pokornie, bo Jakub czekał na odpowiedź. – Ja też... powinnam ciebie przeprosić. Gosia rzeczywiście potrzebuje pomocy, a Łukasz... – Podniosła na Jakuba oczy pełne łez. – Znów trafił do szpitala. Był bliski śmierci i ledwo go odratowali, a na dodatek... stracił wzrok. Łukasz nie widzi. Nic. Kompletnie nic.

– Gdzie leży? – rzucił tylko Jakub nieswoim głosem. – W którym szpitalu?

– W Aninie.

Bez pożegnania skierował się do wyjścia. Kamila usłyszała chwilę potem ruszający z piskiem opon samochód.

Taki właśnie był Jakub.

Nieznośny i niezawodny zarazem.

Kamila przysiadła na ławce obok Gosi, która zapatrzona przed siebie być może słyszała ich rozmowę, a być może nie. Piękna i smutna, otoczona słonecznym blaskiem i kwiatami róż, wyglądała zjawiskowo i Kamila wcale nie dziwiła się Jakubowi, że zapragnął Małgosię oczarować. Byle jej tylko nie skrzywdził...

– Gosiu – zaczęła cicho – uważaj na Jakuba, proszę cię. Wiem, jak wiele dla ciebie znaczy, widziałam, jak kojąco na ciebie działa, ale... on potrafi zadawać ból, wierz mi.

– Jak każdy – odparła Gosia cicho, nadal patrząc na skaczącą po kamieniach fontanny wodę. – Miałam kiedyś narzeczonego. Gdy byłam młoda i głupia, zakochałam się do nieprzytomności w pewnym facecie... Był przystojny, bogaty, świetnie ubrany, czarujący – dokładnie tak, jak Jakub – a do tego diabelnie inteligentny. Naprawdę mógł podobać się każdej dziewczynie... Najpierw owinął sobie dookoła małego palca mnie, potem moich rodziców. Już widziałam siebie w białej sukni wiedzioną przez tatę do ołtarza... – Gosia prychnęła i pokręciła głową, jakby sama była zdumiona swoją głupotą. – Mieszkaliśmy w tym domu – rzuciła krótkie spojrzenie na straszący po drugiej stronie budynek – i byliśmy naprawdę zgodną, kochającą się, szczęśliwą rodziną. Jak w bajce. Pieniędzy też nam nie brakowało, bo rodzice potrafili ciężko pracować...

Kamila słuchała jej słów, czując, że zbliża się do tej przeszłości Małgosi, o której opowiadała jej Janka, i... chyba nie chciała znać dalszego ciągu.

Gosia milczała od paru chwil, patrząc na swoje zaciśnięte w pięści dłonie.

– Rodzice kupili restaurację na Starówce... – Jej głos cichł z każdym słowem, Kamila widziała, jak Gosia walczy ze łzami, ale nie śmiała jej przerwać. – Bardzo dobrze nam szło do czasu, gdy mafia zaczęła domagać się haraczu, a tata odmówił.

Wspomnienia tamtego wieczoru powróciły, odbierając Małgorzacie oddech...

Był środek nocy, gdy ostatni klient wyszedł, dziękując za wspaniały poczęstunek, i Marek Bielski już miał zamykać lokal, gdy w drzwiach pojawiło się dwóch mężczyzn. Jeden rzut oka na ich szerokie bary i ogolone głowy wystarczył, by powiedział do żony:

– Idź na zaplecze i nie wychodź.

Ona posłała mu przerażone spojrzenie. Niejedną wizytę panów ponurych mieli za sobą, za każdym razem Bielski wypraszał ich za drzwi, a oni pozwalali się wyrzucić. Może i tym razem skończy się na pyskówce i przepychankach?

– Uciekaj – syknął i Marta pobiegła na zaplecze, ale nie myślała o sobie. Tego sobotniego wieczora, gdy gości jest najwięcej, pomagała im córka Gosia i to strach o nią odbierał Marcie oddech.

Wpadła do kuchni, gdzie dziewczyna ze słuchawkami na uszach myła naczynia, zerwała jej te słuchawki z głowy, chwyciła ją za ramię i pociągnęła za sobą, do małego schowka, do którego wejście było niemal niewidoczne. Gosia nie była głupia, słyszała podniesione głosy, dobiegające z sali restauracyjnej, widziała przerażenie matki, bez oporu pozwoliła się więc wepchnąć do schowka i zamknęła od środka drzwi, tak jak przykazała matka.

– Siedź tu i nie wychodź, aż po ciebie nie przyjdę, rozumiesz? – usłyszała jeszcze jej głos.

– Tak, mamo – odszepnęła, czując narastającą grozę.

Na parę chwil zapadła cisza.

Wtem tę ciszę przeciął straszny krzyk Marty.

Urwał się nagle.

– Mamo... – wyszeptała Gosia, trzęsąc się z przerażenia.

Czuła, wiedziała całą sobą, że stało się coś strasznego, coś najgorszego, i chciała wybiec z ukrycia, ruszyć rodzicom na pomoc, ale... miała pewność, że ona będzie następna. Skuliła się więc, wbiła zęby we własną pięść, by stłumić szloch, i trwała tak długie godziny, całym sercem wyrywając się do rodziców, którzy musieli przecież być po drugiej stronie drzwi, i jednocześnie całą siłą woli trwając w kryjówce.

Wreszcie nie mogła dłużej znieść niepewności.

Cisza po drugiej stronie drzwi przerażała.

Dziewczyna wypełzła ze schowka, starając się nawet nie oddychać. Bezszelestnie przemknęła przez kuchnię, ostrożnie uchyliła drzwi prowadzące do jadalni i...

Leżeli oboje, blisko siebie, nieruchomi. Zastrzelono najpierw ojca Gosi, potem matkę, a Gosia do dziś miała ich widok – zakrwawionych, zmasakrowanych, martwych – przed oczami. Pamiętała każdą minutę, każdą sekundę tamtej nocy i tamtego ranka. Jak próbowała podnieść mamę, ocucić, nie wierząc, po prostu nie wierząc, że ona nie żyje. Jak błagała ojca, by otworzył oczy, by odezwał się do niej. Jak krzyczała – nie, to nie był krzyk, to było wycie – jak wyła i czepiała się rąk rodziców, gdy wynoszono ich do karetki.

Potem umilkła, bo znalazła „pamiątkę" po tym, kto dopuścił się tej zbrodni, a kogo ona sama, na nieszczęście swoje i swojej rodziny, zaprosiła do domu. Nie oddała tej „pamiątki" policji, nie wspomniała o niej ani słowem, bo przekaz był jasny: oni zginęli ku przestrodze innym niepokornym, ciebie oszczędziłem, ale jeśli piśniesz choć słowo, skończysz jak twoja matka i twój ojciec.

– On to zrobił? Twój narzeczony? – wyszeptała Kamila, patrząc na Małgorzatę oczami okrągłymi z przerażenia.

– On. Wystawił moich rodziców mafii i być może sam do nich strzelał.

Kamila aż jęknęła. Po prostu zabrakło jej słów, jakimi mogła teraz pocieszyć Małgosię. Mama Kamili też zginęła, dziewczyna tęskniła do niej niezmiennie, przez całe te osiem lat, ale... przynajmniej oszczędzono jej widoku zmasakrowanego ciała. Gosia natomiast... Kamila spojrzała na nią z mieszaniną przerażenia i niedowierzania: jak można było przeżyć coś takiego i nie zwariować?

Małgorzata musiała wyczytać to pytanie w oczach Kamili, bo wzruszyła ramionami i rzekła:

– Jakoś się pozbierałam. Uciekłam z Milanówka. Sprzedałam za bezcen dom, który przypominał mi o wszystkich szczęśliwych chwilach, których już nie będzie. Skończyłam studia, dorabiając to tu, to tam. Spotkałam Mateusza, wyjechaliśmy do Londynu. Tak, można powiedzieć, że dawałam sobie radę, aż do... do dnia, w którym znów rozsypało mi się życie. I wtedy już nie dałam rady.

– Ależ dałaś, Gosiuniu! Po tym wszystkim, co przeszłaś, naprawdę jesteś godna podziwu! Owszem, masz czasem napady paniki, ale któż by ich nie miał. Znów mieszkasz w rodzinnym domu, który...

– ... jak się okazało, sprzedałam mafii, tej samej, co zamordowała moich rodziców.

– Mafii? – jęknęła dziewczyna.

– Nikt inny nie chciał go kupić.

– To po prostu nie mieści mi się w głowie. – Kamila chyba pierwszy raz w życiu zrozumiała, że tak naprawdę nikt nigdzie nie jest bezpieczny. Przeraziło ją to. – Czy przynajmniej ktoś odpowiedział za to wszystko? Ukarano kogoś?

Gosia spojrzała na Kamilę ze smutnym uśmiechem:

– Kochana, na jakim ty świecie żyjesz? Nie było dowodów, nie było świadków. Ja milczałam. Moja śmierć naprawdę niczego by nie zmieniła. Nie przywróciłaby życia rodzicom. – W głosie kobiety brzmiała gorycz i jeszcze coś. Może poczucie winy, że nie wskazała mordercy? Czy jednak ktokolwiek mógł ją obwiniać? – Los potraktował sprawiedliwie jedynie mojego „narzeczonego". Zastrzelili go w ramach mafijnych porachunków. Od tamtej pory mam spokój.

– Ale ile cię ten spokój kosztował...

Gosia zwiesiła głowę. Życie matki i ojca. Parę straconych lat. Trochę zdrowia.

– Wspominałaś coś o Jakubie? – podniosła wzrok na Kamilę i uśmiechnęła się lekko. – Bałaś się, że mnie skrzywdzi.

Kamila odpowiedziała uśmiechem równie smutnym, co uśmiech Gosi.

– Nie, nie. Cofam to, co powiedziałam. W porównaniu z twoim „narzeczonym" Jakub to niewinny baranek. Poradzisz sobie z nim bez dwóch zdań.

– Najpierw jednak muszę sobie poradzić z kimś innym. – Małgosia spojrzała w stronę swojego domu, do którego ostatniej nocy zawitał jej były mąż. Wstała, po raz pierwszy od wielu lat nie czując ani chęci, ani potrzeby powrotu do domu.

– Zawsze możesz na mnie liczyć. – Kamila objęła przyjaciółkę i ucałowała serdecznie, ale ta była już myślami gdzie indziej. Kiwnęła tylko głową i ruszyła w stronę ukrytej pod winobluszczem furtki.

Dzień powoli dobiegał końca. Słońce chyliło się ku zachodowi. Ogród Kamili, cichy i spokojny, trwał w ostatnich jego promieniach.

Dziewczyna posiedziała jeszcze chwilę na ławce, rozmyślając o wszystkim, czego dziś doświadczyła. Miała nieodparte i zatrważające wrażenie, że jest to cisza przed burzą.

Rozdział VI

Śnieżyczka przebiśnieg – widok delikatnych, niewielkich roślin, które
z trudem i determinacją przebijają się przez śnieg, by wznieść się ku
wiosennemu słońcu, jest po prostu wzruszający. Pociesza i obiecuje:
już niedługo będzie ciepło! Jeszcze odrobinę cierpliwości!
Ciemnozielone smukłe liście i łodyżki zwieńczone pochyloną ku ziemi
główką śnieżnobiałego kwiatu są tak piękne jak nadzieja, którą niosą.

*D*wa tygodnie później Kamila, po wizycie u notariusza, stała
się – nieco przerażoną – właścicielką przepięknej starej
willi w Milanówku. Przepięknej w oczach Kamili, bo innym nadal wydawała się ruiną.

Robotnicy wrócili do pracy, znów odbierając spokój mieszkańcom Sasanki, ale to nie remont przerażał dziewczynę, ale jego koszty. Nie dowierzała tak do końca Jakubowi, którego zresztą przez ten czas nie widziała – w jej mniemaniu był zmienny i gwałtowny. Jedno nieopatrzne słowo, które wprawi Jakuba w gniew, i konto okaże się puste, a karta do bankomatu zablokowana. Ta właśnie niepewność jutra nie pozwalała Kamili cieszyć się tak do końca i bezkarnie hojnym prezentem. Ukochaną Sasanką, na którą dziewczyna nigdy nie mogłaby sobie pozwolić.

Jej drugim zmartwieniem była praca.

Łukasz nadal przebywał na oddziale kardiologii, a nawet po wypisie nie zanosiło się, by wrócił do firmy. Zmartwiona Magda zwierzyła się Kamili, że nie życzył sobie żadnych odwiedzin, nie chciał widzieć ani przyjaciół, ani współpracowników. Nie chciał? Raczej nie mógł, bo przecież stracił wzrok i nadzieje na jego nagłe, cudowne odzyskanie malały z każdym dniem.

To nie była chwilowa niepełnosprawność, z czego Łukasz doskonale zdawał sobie sprawę. Był niewidomy. Na amen. I pozostanie niewidomy do końca życia.

Za każdym razem gdy sobie to uświadamiał, chciało mu się wyć. I gdy tylko był sam – a rzadko miał ten komfort, bo rodzice i bracia niemal zamieszkali w jego szpitalnym pokoju – często pozwalał sobie na rozpacz. Chrzanić męską dumę, chrzanić „chłopaki nie płaczą". Wykłuj sobie oczy i zgrywaj bohatera, wtedy pogadamy.

Nikt, kompletnie nikt, nie wiedział, jak to jest. Oni wszyscy, od matki począwszy, na wujku Leszku skończywszy, rzucali parę banałów typu „poradzisz sobie" czy „przywykniesz" – jak tu, na Boga, przywyknąć do życia w ciemnościach?! Bracia, co go jeszcze bardziej wkurzało, klepali go po ramieniu – gdyby widział, połamałby im te ręce – i kazali „wziąć się w garść", a on... on wysłuchiwał tych cholernych prawd objawionych, zaciskając zęby i pięści, czekał, aż dadzą mu spokój, i... po prostu wył w poduszkę.

Dwukrotnie wpadł Jakub. Ten przynajmniej nie pieprzył żadnych „nie z takim kalectwem ludzie muszą żyć". Za pierwszym razem zapytał krótko, jak może jemu, Łukaszowi, pomóc. Usłyszał: „Zamień się ze mną na oczy", i poszedł w cholerę.

Za drugim razem rozmowa była jednak zupełnie inna...

Jakub wszedł do szpitalnego pokoju jak do siebie. Przynajmniej tak się wydawało Kamili, która siedziała przy łóżku Łukasza i czytała na głos jakiś kryminał. Zresztą Jakub wszędzie i w każdych okolicznościach sprawiał wrażenie pana na włościach.

– Cześć – rzucił od progu, podszedł do Łukasza i uścisnął go za ramię.

Ten odsunął się niechętnie. Ostatnio każdy niespodziewany dotyk – a jeśli się jest niewidomym, nie można się spodziewać żadnego – niezmiennie go irytował.

– No, no, nie wierzgaj mi tu, przyjacielu. – Jakub wcale się tym nie przejął.

Cmoknął dziewczynę w czubek głowy, jak na dobrego ojca przystało, po czym przysiadł w nogach łóżka i spojrzał na nią wyczekująco.

– Pójdę już – odezwała się posłusznie.

Łukasz w ogóle nie zareagował. Ani jej nie zatrzymywał, ani nie wypędzał. I tak to trwało od dwóch tygodni...

– Przyjdę jutro – dodała, pilnując, by jej głos brzmiał pogodnie, by nie domyślili się łez, które siłą tłumiła.

Jakub odprowadził ją spojrzeniem do drzwi.

– Nie jesteś zbyt uprzejmy – rzucił do Łukasza.

– Jeśli przyszedłeś, by uczyć mnie dobrych manier, to spadaj – odwarknął tamten.

– Nie ze mną te numery. Nie jestem ani twoją matką, ani twoją dziewczyną, byś bezkarnie mógł mną pomiatać – odparł Kiliński.

Łukasz zacisnął szczęki w bezsilnym gniewie. Chciał być sam! Łaknął ciszy i samotności! Czy oni wszyscy nie mogą iść do diabła i dać mu spokoju?! Dlaczego nikt nie pojmuje, że...

– Załatwiam ci miejsce w specjalistycznej klinice w Szwajcarii, a nie jest to łatwe – rzucił Jakub i w następnej chwili patrzył z zadowoleniem, jak twarz Łukasza ożywia się, jak w jego niewidzących oczach zapala się iskra nadziei. – Trochę to potrwa, ale

znasz mnie: ja nie odpuszczę. Jeśli w najbliższym czasie nie odzyskasz wzroku, tam ci go przywrócą. Choćby mieli cudze oczy
ci przeszczepić, będziesz widział.

Łukasz mimowolnie parsknął śmiechem. Przeszczep oczu był
niemożliwy, ale docenił poczucie humoru przyjaciela.

— Ile to będzie kosztowało?

— O to się na razie nie martw. Odpracujesz.

— A jeżeli się nie uda?

— Tym bardziej się nie martw. To moje ryzyko. Jest jeden warunek, Łukasz...

— Jakże by inaczej...

— Ja zawalczę o ciebie, jeśli ty najpierw to uczynisz. Weźmiesz
się w garść, przyjacielu, i zaczniesz stosować do zaleceń lekarzy,
rozpoczniesz rehabilitację czy co tam dla ciebie wymyślą, przesta-
niesz odgrywać się za parszywy los, wierzę, że bardzo parszywy,
na Kamili i spółce. Umowa stoi?

Łukasz znów spochmurniał.

— Wolę pożyczyć od rodziców, niż zdać się na twoją łaskę i niełaskę — odwarknął.

Jakub zaśmiał się krótko.

— Twoich rodziców nie stać na szwajcarską klinikę, wierz
mi. Nawet jeśli sprzedadzą dom w Otwocku i zapożyczą się na
ciężkie pieniądze, nadal zabraknie im paru milionów...

— Które ty akurat masz?

— Które ja akurat mam.

— Niech cię szlag — rzucił Łukasz przez zaciśnięte zęby.

— Rozumiem, że jest to twoje „tak"?

Chciał dobitnie Kilińskiemu poradzić, co ten ma zrobić ze
swoimi milionami i swoim szantażem, ale... gardło ścisnęło mu
się w bolesny węzeł i z ledwością łapał powietrze.

Jakub to widział.

Widział cierpienie przyjaciela i łzy w jego oczach, on sam z trudem opanowywał chęć, by nie wybiec i nie wykrzyczeć Bogu, co sądzi o jego sprawiedliwości i łasce, ale na słabość przyjdzie czas, w samotności czterech hotelowych ścian Jakub upije się, rozbije o ścianę parę szklanek i zaśnie. Teraz ktoś musiał być silny za nich dwóch.

Łukasz wyciągnął do niego rękę i powiedział łamiącym się głosem:

– Ty nie wiesz, jak to jest... – Jakub uchwycił tę dłoń i uścisnął mocno. – Myśl, że mogę już nigdy nie widzieć, doprowadza mnie do obłędu... To nie jest jedynie ciemność przed oczami. To zupełna pustka. Pieprzona czarna dziura, której panicznie się boję. Pamiętasz, jak skoczyłem wtedy, w Tybecie, za tobą w tę przepaść? – Jakub uścisnął tylko jego dłoń na znak, że pamięta, jakże mógłby zapomnieć, że ten młody mężczyzna, wtedy dwudziestokilkuletni, bez chwili wahania uratował mu życie? – Wtedy nie bałem się tak jak teraz. Mogłem stracić życie, owszem, ale życie ślepca przeraża mnie bardziej niż śmierć. Pomóż mi, Jakub, zrób wszystko, żebym znów widział.

Jakub znów mógł tylko gestem przekazać mu, że zrobi wszystko, bo gdyby powiedział choć słowo, nie mógłby powstrzymać łez. Kochał tego chłopaka jak młodszego brata. I nie mógł się pogodzić z tym, że Łukasz, ten dobry, szlachetny facet, który nigdy nikogo nie skrzywdził, został tak ciężko doświadczony. Wziął kilka głębokich oddechów, zdusił łzy.

– Właśnie po to tu jestem, by cię zapewnić, że albo odzyskasz wzrok, albo osobiście podrzucę ci ampułkę cyjanku.

Łukasz uśmiechnął się przez łzy.

– To chciałem usłyszeć.

– *You're welcome*. Tylko jedna prośba...
– Już nie warunek, a prośba?
– Miej litość i dla siebie, i dla innych.
– Zastanowię się.
Uścisnęli sobie dłonie raz jeszcze. Krótko, po męsku.
Kiliński już miał wyjść z pokoju, gdy zatrzymał go jeszcze głos Łukasza:
– Jakub, jest jeszcze coś, co mógłbyś dla mnie zrobić...
– Tak?
– Po wyjściu ze szpitala chciałbym zamieszkać w Sasance.
– O tym musisz pogadać z Kamilą. To jej dom.
– Oddałeś go Kamili?
– Nie powiedziała ci o tym?
Łukasz pokręcił głową.
– Prawdę mówiąc, nie chciałem jej słuchać. Przychodziła, a ja odwracałem się do ściany... masz rację, zachowywałem się jak kawał chama... ona czytała przez parę godzin moim plecom, potem całowała mnie na pożegnanie, ja ją odpychałem i tak mniej więcej wyglądała nasza miłość przez ostatnie dwa tygodnie. Spróbuję być dla niej milszy.
– Ty nie próbuj, ty bądź. Zwłaszcza jeśli zależy ci, by z nią zamieszkać.
– Na pewno zależy mi, by nie mieszkać z matką. Wnerwia mnie strasznie to jej: „Łukaszku, może herbatki?", „Łukaszku, może naleśniczka z serem?". Zachowuje się, jakbym miał trzy latka, i długo tego nie zniosę. Prawdę mówiąc, już mam jej serdecznie dosyć. Mama jest kochana, ale jej nadopiekuńczość ostatnio stała się absurdalna.
– Sasanka na razie nie nadaje się do zamieszkania – odrzekł ostrożnie Jakub. Nie chciał dodawać, że nie nadaje się do zamieszkania przez niewidomego faceta. – Ja mogę przyspieszyć prace

remontowe, lecz o przeprowadzce porozmawiasz z Kamilą sam. Miłość miłością, ale ty potrzebujesz specjalistycznej opieki.

– Dzięki, stary... – odparł Łukasz z przekąsem. I złością. Nie spodziewał się, że Jakub, który jeszcze przed chwilą mówił: „Dla ciebie, przyjacielu, wszystko", będzie sprawiał problemy w temacie przeprowadzki. Właściwie powinien być zadowolony, że on, Łukasz, chce wrócić do normalnego życia.

– Nie wkurzaj się, tylko zastanów rozsądnie, co ze sobą po wyjściu ze szpitala zrobić. Czy nadal zdać się na łaskę innych, choćby i Kamili, czy nauczyć się żyć po swojemu? Dopóki oczywiście nie naprawią cię w Szwajcarii.

– Nawet im może się nie udać? – zapytał Łukasz cicho, choć znał odpowiedź. Rozpacz i strach znów chwyciły go za gardło.

– Będziemy walczyć, stary. Ramię w ramię. Ty i ja. Jak w Pakistanie, jeśli pamiętasz dzień, w który to ja tobie uratowałem skórę.

– Poradziłbym sobie – odmruknął Łukasz.

– Tak, tak, z kulą w sercu.

Zaśmiali się obydwaj i Kiliński, już o niebo spokojniejszy, mógł wracać do pracy. A miał się czym zająć, bo oprócz Farmici Ltd, która stale się rozrastała, zdobywając nowe rynki, musiał nadzorować w zastępstwie Łukasza firmę córkę, chyba że...

Na korytarzu natknął się na Julitę Hardą, która niosła synowi domowy obiad, i... przeraził go widok tej kobiety, a raczej zmiana, jaka w niej zaszła. Jeszcze niedawno była zadbaną, pogodną, pewną siebie ni to artystką, ni damą wyjętą z dawnych rycin, która po odchowaniu trzech wspaniałych chłopaków oddaje się hodowli róż i urządzaniu herbatek dla przyjaciół. Dziś... była cieniem tamtej kobiety. Zawsze była szczupła i delikatna, teraz wyglądała na zagłodzoną. Poszarzała twarz, której nie zdobił subtelny makijaż, podkrążone oczy, zaciśnięte w wąską kreskę usta, które uśmiechały się już tylko do najmłodszego syna... Co się stało z dawną Julitą? Czyżby tak załamała ją choroba Łukasza?

– Pani Julito – zatrzymał ją Jakub, bo sprawiała wrażenie, że go nie widzi albo nie poznaje. – Odwróciła się do niego niechętnie. Zatrzymywał ją w drodze do Łukasza, który przecież musiał zjeść porządny, ciepły, domowy posiłek. – Możemy porozmawiać?

– Spieszę się do syna – ucięła.

Tego się Jakub nie spodziewał. Julita zawsze na pierwszym miejscu stawiała dobre maniery, teraz zaś zachowywała się tak jak Łukasz, ale u niego można to było zrozumieć, jemu można było wybaczyć, zaś Julicie Hardej...?

– Nie pomoże mu pani, wykańczając się – zauważył Kiliński cicho i spokojnie.

Rzuciła mu nieprzyjazne spojrzenie, ale on w jej oczach dojrzał coś więcej niż niechęć. Strach? Na pewno dwie łzy, które w tym momencie napłynęły jej do oczu. Otarła je gniewnym ruchem dłoni i chciała odejść, ale przytrzymał ją za rękę.

– Co się dzieje? – zapytał miękko. – Jestem przyjacielem nie tylko Łukasza, ale pani również. Proszę mi zaufać.

Spuściła wzrok.

– Wszystko jest w porządku, jeśli nie liczyć tego, co spotkało mojego syna.

W następnej chwili pokręciła głową, zaprzeczając swoim słowom. Nic nie jest w porządku! – chciała wykrzyczeć. Nie mam już męża, nie mam rodziny! Próbuję sama walczyć ze wszystkim, a oni mają dla mnie tylko jedno: „Opanuj się, mamo!, nie histeryzuj!". Nic nie jest w porządku, rozumiesz, Jakub?! Ale milczała.

– Pani Julito, cenię panią i szanuję – odezwał się więc on – dlatego proszę, by uważała pani na siebie. Łukasz ma znakomitą opiekę, i nie mówię tu jedynie o doktorze Stefańskim. Myślę, że większej troski potrzebuje teraz pani. Proszę nie odbierać moich słów jako wtrącanie się w nie swoje sprawy, po prostu... martwię się o panią.

Julicie znów łzy nabiegły do oczu. Od dawna nikt nie przemawiał do niej z taką czułością i zrozumieniem, a przecież i ona, otoczona do tej pory miłością, niemal uwielbieniem najbliższych, potrzebowała ich troski czy choćby zainteresowania. Leon po powrocie z pracy czy ze szpitala zamykał się w swoim gabinecie, który stał się teraz także jego sypialnią, albo siadał z kieliszkiem w jednej ręce i butelką wina w drugiej i w tym towarzystwie spędzał czas do późnej nocy. A potem szedł do swojego gabinetu... Starsi synowie dzielili czas między wizyty u Łukasza, swoje rodziny i swoją pracę. Do Otwocka nie zaglądali już wcale. Przyjaciele zaś, których kiedyś miała na pęczki... Oni odsunęli się od Julity, niczym od trędowatej, gdy tylko zaczęła zanudzać ich jękliwymi skargami na Boga i los, co tak ciężko doświadczają jej synka. Gdyby ktoś mógł wysłuchać jej spokojnie i do końca... Gdyby ktoś okazał zrozumienie... Dał jej odrobinę ciepła i czułości... Choć parę chwil zapomnienia...

Uniosła oczy i spojrzała na Jakuba. On potrafiłby wysłuchać. On pocieszyłby zlęknioną samotną kobietę.

Nie zdawała sobie sprawy, że mimowolnie rozchyla usta, a jej źrenice rozszerzają się. Jakub zaś miał wszystkie jej uczucia jak na dłoni. Gdy uniosła rękę – też pewnie nie bardzo tego świadoma – by dotknąć pytająco jego ust, przytrzymał ją za nadgarstek i powiedział cicho, ale stanowczo:

– Nie, pani Julito. Nie tędy droga. Potrzebuje pani odpoczynku i opieki najbliższych, niczego innego. Proszę zanieść ten obiad Łukaszowi i wracać do domu, a tam wyspać się porządnie, bo niedługo nie będzie komu przynosić tych obiadów.

Pozwolił jej wyswobodzić rękę, a potem patrzył, jak odchodzi korytarzem, znów przygarbiona i załamana. Bardzo mu się to nie podobało, lecz...

Nawet ty całego świata nie zbawisz – rzekł do siebie w duchu. – Zajmij się tym, co potrafisz najlepiej: zarabianiem pieniędzy, a może uratujesz i Łukasza, i jego rodzinę.

– Dzień dobry, córeczko – mówił godzinę później, pochylając się nad walczącą z pędami dzikich jeżyn Kamilą, jak zwykle całując ją w czubek głowy, czego szczerze nie znosiła, ale jakoś nie śmiała się sprzeciwić temu nowemu zwyczajowi. Czy wszyscy ojcowie tak się witają i żegnają ze swoimi, dorosłymi – na Boga! – córkami? Czy tylko jej ojciec jest tak dziwaczny? Tego nie wiedziała, bo cudzym ojcom nie miała okazji się przyjrzeć, a własnego znała od paru zaledwie tygodni. – Mam dla ciebie propozycję nie do odrzucenia.

– Jak zwykle – skwitowała to, podnosząc się z kolan. Propozycji Jakuba, jakiekolwiek by one były, wolała wysłuchać na stojąco. Choć i tak nad nią górował. – Kupujesz mi drugi dom? Chyba podziękuję, bo już z tym mam kłopotów od groma.

– Ekipa się nie sprawdza?

– Robotnicy zaczęli kuć tynki od strony wschodniej i tak się rozochocili, że odpadły rynny.

– Naprawią, co spieprzyli – stwierdził, jakby rozumiało się to samo przez się.

Może dla niego, owszem, ale Kamila miała nieco mniejszy autorytet wśród robotników, zwłaszcza teraz, gdy nie stał nad nimi również Łukasz. Prawdę mówiąc, Jakub mógłby wpadać częściej i podkręcać śrubę fachowcom... Nim zdążyła go o to poprosić, on – zupełnie jakby czytał w myślach córki, może zresztą wśród swych rozlicznych zalet posiadał zdolność telepatii? – odezwał się ponownie:

– Chciałbym wesprzeć cię w remoncie Sasanki własną osobą i dodatkową ekipą. Będę przyjeżdżał co drugi dzień, a firma sprowadzona z Wrocławia zajmie się wnętrzami. Jeśli trzeba będzie pogonić dotychczasową ekipę, nowa przejmie całość prac. Za nią mogę ręczyć.

Kamila aż westchnęła z ulgi i wdzięczności. W nagłym odruchu zarzuciła mu ręce na szyję, ucałowała w policzek i szepnęła z głębi duszy:

– Dziękuję, tato.

Wzruszył się. Autentycznie wzruszył i tym gestem – gestem przebaczenia – i tymi słowami, bo po raz pierwszy, nie licząc ironicznych czy złośliwych „tatusiu", jego córka tak go nazwała.

Było warto. Wszystko, co im się przytrafiło, miało jakiś swój głębszy sens.

– Cała radość po mojej stronie – odparł swobodnie, gdy odzyskał głos. – Trzeba jak najszybciej kończyć ten remont, byś mieszkała wreszcie jak człowiek, a nie jak...

– Człowiek tynku łupanego – podpowiedziała mu i roześmiała się szczęśliwa. – Zrobisz im awanturę za te rynny? Mnie zlekceważyli.

– Nie ma sprawy, ale coś za coś.

Westchnęła ponownie. Już nie tak szczęśliwa. Zapomniała, że u Jakuba zawsze jest „coś za coś".

– Poprowadzisz firmę Łukasza. To jest twoją firmą, bo w niej pracujesz. Teraz obejmiesz stanowisko prezesa, bo ktoś musi zarządzać tym biznesem.

Kamila nie zaprotestowała natychmiast tylko dlatego, że odebrało jej głos.

– Dlaczego ja?! – krzyknęła po chwili, bo to pierwsze, co przyszło jej na myśl.

– Bo jesteś moją córką – odparł uprzejmie.

– Remont starego domu, okej, choć ledwo sobie radzę z ekipą budowlańców, ale zarządzanie firmą remontującą kilka zabytkowych kamienic? Jakub, litości!

– Wiesz, Kamila, właściwie mógłbym zlikwidować Armikę, to dla mnie naprawdę żaden problem. Kamienice sprzedam za półdarmo, ludziom wypłacę odprawę i kłopot z głowy, bo Armika to dla mnie dodatkowe problemy. Założyłem ją dla ciebie, byś ty miała gdzie pracować, zamiast pętać się po Mediolanach i ryzykować zamknięcie w burdelu, ale... – Zawiesił głos, patrząc na dziewczynę, którą targała burza uczuć, od wściekłości do wdzięczności. – Ale jest ktoś, komu teraz oboje musimy pomóc. Łukasz. Ta firma musi na niego czekać, jakby nic się nie zmieniło. Gdybym ją zamknął, on poczułby się wyrzucony na margines życia, a tak ma ciągle nadzieję. I czy chcesz, czy nie – podejrzewam, że chcesz – musimy mu tę nadzieję ciągle dawać. Tak więc zrobisz to, o co cię proszę, nie dla mnie, ale dla Łukasza.

Kiwnęła głową. W bursztynowych oczach zalśniły łzy.

– On... on bardzo się zmienił. Myślę, że już mnie nie kocha i tak naprawdę nie chce mnie znać.

– Taak? – zdziwił się Jakub. – A ja słyszałem, że pragnie z tobą tutaj, w Sasance, zamieszkać.

Kamila aż pisnęła z radości.

– Naprawdę?! Powiedział ci to?!

– Owszem. Sam miał cię poprosić o zgodę, ale skoro już sobie gawędzimy... To dlatego między innymi chcę pomóc ci w remoncie willi, by Łukasz jak najszybciej mógł się tu wprowadzić. W jego rodzinnym domu nie dzieje się najlepiej. – Jakub spochmurniał na wspomnienie Julity. Jej też bardzo chciałby pomóc, ale... ona miała męża i to Leon powinien się nią zająć, nie Jakub. – A co do zmian w zachowaniu Łukasza, zrobimy mały eksperyment, tylko musisz mi zaufać...

– Bardziej niż do tej pory już się chyba nie da – odparła, po czym przyglądała się, jak Jakub zdejmuje krawat i...

– Odwróć się. Zawiążę ci oczy.

Zrobiła to, co nakazał. Rzeczywiście zakrył krawatem jej oczy i mocno go związał. Po czym obrócił dziewczynę parę razy dookoła i rzekł zadowolony:

– A teraz ruszaj do domu i zrób mi herbatę.

Kamila, nie widząc nawet własnych myśli, gdzie tam drogi do domu!, stała jak słup soli. Wrażenie bezradności i strachu było obezwładniające. Wiedziała, że to tylko eksperyment, że Jakub zaraz zdejmie jej z oczu ten krawat albo ona sama go zerwie, mimo to nieprzenikniona ciemność i spowodowane nią zagubienie przerażały. Pragnęła odrzucić opaskę, ale... chciała poczuć to wszystko jeszcze dogłębniej, by zrozumieć i zapamiętać.

Wyciągnęła przed siebie ręce. Trafiły na pustkę. Zachciało jej się płakać. Ale Łukasz nie mógł pozwolić sobie na łzy, jeśli chciał jakoś egzystować, nawet nie tyle chciał, ile przecież musiał. Jak on w tych nieprzeniknionych ciemnościach, w tej cholernej czarnej dziurze, da sobie radę?

Biedny, biedny Łukasz...

Zerwała opaskę i odetchnęła pełną piersią na widok słońca, ogrodu, domu i Jakuba.

– Miał prawo się zmienić, no nie? – Jakub uśmiechnął się do niej, ale nie był to wesoły uśmiech. – Jutro pojedziemy na Marszałkowską zrobić w Armice małą rewolucję, a teraz pogadam z robotni... – Urwał, bo furtka łącząca ogród Kamili z domem

Małgosi uchyliła się, winobluszcz uniósł się i Gosia Bielska przeszła na ich stronę.

Widząc Jakuba, cofnęła się odruchowo, ale zaraz jej śliczną twarz rozjaśnił delikatny uśmiech. On też złagodniał, a Kamilę zdumiała ta przemiana. Chciałaby, doprawdy, by to na jej widok tak łagodniał...

Przyglądała się chwilę tym dwojgu: jak on całuje dłoń Gosi, jak ona pozwala przytrzymać swoją dłoń odrobinę dłużej, jak uśmiecha się do Jakuba, siadając na ławeczce przy fontannie, i jak on, zwykle przecież tak zajęty, przysiada obok, i... postanowiła się ulotnić. Choć na parę chwil. Tym dwojgu życzyła jak najlepiej i jeżeli są sobie przeznaczeni, ona, Kamila, temu przeznaczeniu dopomoże.

Rozdział VII

Konwalia majowa − cały rok czekamy na te prześliczne,
delikatne białe dzwoneczki, które pachną tak pięknie
jak żaden chyba leśny kwiat na świecie. Łodyżki z kropelkami
kwiatków, otulonych ciemnozielonymi błyszczącymi liśćmi,
zebrane w wonny bukiet będą najmilszym prezentem
w ten ciepły, słoneczny majowy dzień...

*J*eżeli Małgosia miała nadzieję, że wraz z odcięciem się od świata i pogrzebaniem w wielkim pustym domu jej kłopoty się skończyły − bo jakie może mieć problemy samotna kobieta, która nie ma rodziny ani przyjaciół, na chleb powszedni zarabia, a dom, odpukać, jeszcze się nie sypie − była w błędzie. Widać nie zasłużyła na spokojną wegetację aż po kres swoich dni, przerywaną od czasu do czasu burzami, przed którymi chroniła się u sąsiadek.

Kłopot nosił imię Mateusz i... Gosia nie wiedziała, jak sobie z nim poradzić. Prośby, by się wyprowadził czy po prostu wyniósł z jej domu, nie odnosiły skutku. Po prostu jej słowa spływały po byłym mężu jak po kaczce.

Mogła wezwać policję... nie, nie mogła. Nie zniosłaby obecności policjantów w swoim domu. Nie potrafiła się nawet przełamać i sięgnąć po słuchawkę telefonu, a gdyby jednak to się jej udało, nie wykrztusiłaby ani słowa.

Jedyne osoby, w których towarzystwie nie wpadała w panikę, to Kamila, Janka i... mężczyzna, którego zesłał Gosi chyba sam Bóg. Jakub Kiliński. Ten, co już raz ją uratował, teraz pojawił się w jej życiu ponownie, być może po to by uratować Gosię po raz drugi. Bo potrzebowała jego pomocy. On poradziłby sobie z Mateuszem, tego była pewna, jak jednak go o to poprosić? W ogrodzie Kamili spotkała Jakuba zaledwie dwa razy. Dziś widziała go po raz trzeci. Była dla niego zupełnie obcą osobą, co mógł go obchodzić jej los? Może za parę tygodni czy miesięcy Gosia odważy się opowiedzieć Jakubowi o swoich kłopotach, dziś jednak, choć chciało jej się wyć ze złości na siebie, swoją głupią nieśmiałość i na Mateusza, siedziała na ławce obok Jakuba i... milczała. Jak zawsze.

– Kiedy zabierzemy się do remontu pani domu? – odezwał się pierwszy. – Nie prezentuje się najlepiej...

Spojrzała na niego spłoszona. Remont? Jej domu? Mnóstwo obcych ludzi kręcących się po pokojach i ogrodzie?

– Spokojnie, pani Małgorzato, to tylko taka luźna sugestia – rzekł łagodnie, widząc panikę w jej oczach. – Gdyby jednak się pani zdecydowała...

– Ja... boję się ludzi – szepnęła, uciekając wzrokiem.

– Wiem. I nie śmiałbym pani dręczyć obecnością robotników. Zakasałbym rękawy i sam się zajął najpilniejszymi naprawami.

Uniosła nań pełne niedowierzania spojrzenie.

– Zrobiłby pan to? Dla mnie?

Kiwnął głową, jakby było to najbardziej zrozumiałe na świecie. I tak mu się właśnie wydawało. Miał mnóstwo obowiązków i zajęć, ostatnimi czasy doszło jeszcze kilka, a jednak gdyby ta kobieta rzekła choć słowo...

– Tap... tapety odpadają – odważyła się powiedzieć. – Ale... nie wiem, czy Mateusz... mój były mąż... on chyba nie życzyłby sobie pana pomocy.

– To pani dom, a mąż, jak pani wspomniała, jest były – zauważył i nagle zmarszczył lekko brwi.

Podążyła wzrokiem za jego spojrzeniem i gwałtownie opuściła rękaw sukienki, który podwinął się do góry.

Jakuba już wcześniej trochę zdziwiło, że w taki upał Gosia nosi sukienkę z długimi rękawami, ale odurzony bliskością tej kobiety, nie zastanawiał się nad tym dłużej, gdy jednak ujrzał na jej przedramieniu siniaki, układające się na kształt palców... Nie musiał nawet pytać. Zacisnął tylko szczęki, bo nienawidził przemocy wobec kobiet, dzieci i zwierząt, i umilkł. Jeżeli Małgorzata zechce mu zaufać i powiedzieć, co się dzieje za zamkniętymi drzwiami jej domu, będzie mógł jej pomóc. Jeśli nie... i tak to zrobi.

– Muszę już iść. – Wstała, choć tak naprawdę bardzo pragnęła zostać.

On podniósł się również. Wiedział, że musi uzbroić się w cierpliwość. Wiedział, że oswajanie tej kobiety na tyle, by pozwoliła mu zaistnieć w swoim życiu, zajmie mu sto razy więcej czasu niż zaciągnięcie do łóżka jakiejkolwiek innej. Był gotów czekać. Aż do dzisiaj. Bo widząc siniaki na jej ręce, wiedział, że tego czasu zostało niewiele. Już raz patrzył, jak kobieta, którą kochał, umiera zakatowana przez byłego faceta na śmierć. I obiecał sobie wtedy: nigdy więcej.

Gosi skrzywdzić nie pozwoli.

Nikomu.

Gdy Gosia zniknęła za murem swojego więzienia, Jakub opanował wzburzenie – jeżeli miał rozwiązać ten problem, musiał myśleć i działać na zimno – po czym skierował się do domu, gdzie Kamila, z chusteczką na głowie, co miało osłonić włosy przed wszechobecnym pyłem i dodawało jej uroku, omawiała z Januszem

Marcowym, szefem ekipy remontowej, naprawę uszkodzonych rynien na jego koszt. Był to raczej monolog niż dialog, bo majster zupełnie nie słuchał dziewczyny. Do czasu gdy w drzwiach jadalni stanął Kiliński.

Przysłuchiwał się przez chwilę perswazjom, argumentom i prośbom córki, które zupełnie nie robiły wrażenia na tamtym, po czym wszedł do środka i rzekł po prostu:

– Jest pan zwolniony. Proszę zabierać ludzi i sprzęt i wynosić się z posesji.

Majster przerwał bezczelne oglądanie swoich paznokci i posłał Kilińskiemu zdziwione spojrzenie.

– A pan to kto, panie ładny?

Jakub uniósł kącik ust w uśmiechu, ale tym razem był to uśmiech wredny, a nie obliczony na oczarowywanie kogokolwiek.

– Ktoś, kto właśnie pana wyrzuca na zbity pysk.

– No, no, bez tu takich! Straszyć mordobiciem mnie nie będziesz! A jeśli, frajerze, spróbujesz, to... – Rzucił wymowne spojrzenie na czterech osiłków, którzy właśnie zrobili sobie setną tego dnia przerwę na papierosa.

Jakub zaś patrzył na nieco przerażoną Kamilę.

– Skąd ty wytrzasnęłaś tego mędrka i jego chłoptasiów? – Pokręcił głową.

Ona machnęła ręką w niesprecyzowanym kierunku.

– To jak będzie, wynosisz się po dobroci czy wzywać policję? – zapytał krótko majstra, wyciągając z kieszeni na piersi telefon.

– Zapłacicie mi za wykonane roboty i mogę się wynosić! – rozdarł się tamten.

Jakub, obracając w ręce swoją komórkę, zapytał od niechcenia.

– Ile by to wyniosło?

– Skucie tynków, dojazdy, robocizna, materiały... Jakąś dychę.

– Dziesięć tysięcy?

– Dokładnie. Jeśli na fakturę, to trzeba doliczyć podatek i VAT.

– Czyli bez papierów dychę?

– Równiutką dychę. – Janusz Marcowy, widząc, że kroi się dobry interes za jeden zaledwie tydzień partaniny, znów był układny i do rany przyłóż.

Jakub uśmiechnął się po raz drugi, obrócił telefon w palcach raz jeszcze, po czym nacisnął przycisk odtwarzania i...

„Czyli bez papierów dychę? Równiutką dychę" – rozbrzmiało.

– Dałeś się podejść jak pętak, bo jesteś pętakiem, który wykorzystuje samotne kobiety – odezwał się Jakub po chwili martwej ciszy. W jego głosie nie było już cienia uśmiechu. – Zbierasz manatki i się wynosisz czy mam odwiedzić najbliższy urząd skarbowy i podrzucić mu to nagranie?

– Zbieram się – sarknął tamten i posłał Kamili takie spojrzenie, że serce zamarło jej na parę chwil.

Jakub znał takie niewypowiedziane na głos groźby.

– Jeżeli panią Nowodworską spotkają jakieś nieprzyjemności – zaczął spokojnym, niemal przyjacielskim tonem, kładąc na ramieniu Marcowego ciężką dłoń – nieznani sprawcy wybiją jej szyby w oknach czy, nie daj Boże, ktoś ją samą w cichej uliczce napadnie i tknie choć małym palcem, tobie nieznani sprawcy połamią najpierw ręce, potem nogi, a na koniec spławią cię w Wiśle. Rozumiemy się?

– Rozumiemy – wymamrotał tamten, pragnąc czym prędzej opuścić ten dom i to pierdolone mafijne towarzystwo.

Gdy zniknął za bramą, a razem z nim zniknęli robotnicy i... szansa na szybkie zakończenie remontu Sasanki, Kamila odetchnęła głęboko i spojrzała na Jakuba, kręcąc głową.

– Jezu, tato, masz metody... Ja sama się przeraziłam.

– Metody dobieram do człowieka. Gdyby facet był w porządku, po pierwsze, by cię tak nie traktował, więc ja nie musiałbym
traktować go podobnie, po drugie, nie stawiałby się komuś, kogo
nie zna. Głupi pętak. Może to go czegoś nauczy...

– Tak. Przychodzić do pracy z gazrurką.

– Przyrzekam, że włos ci z głowy nie spadnie. Nikt normalny
nie zadziera z kimś, kto obiecuje kąpiel w Wiśle. – Jakub zaśmiał
się na wspomnienie miny tamtego chojraka, który słysząc te słowa, zmalał, spokorniał.

– Ale... ty nie stosujesz takich metod? Nie masz żadnych powiązań z mafią? – Kamila musiała zadać to pytanie, bo nagle bo-
gactwo i wszechwładność Jakuba wydały się jej podejrzane.

On przyglądał się córce przez chwilę lekko zmrużonymi oczami.

– A gdybym miał, coś by to zmieniło? – zapytał lekkim tonem.

Poczuła nieprzyjemny dreszcz, zimny dreszcz zbiegający po
kręgosłupie.

Wiele by zmieniło – pomyślała, wspomniawszy zwierzenia
Małgosi, a na głos odparła żartobliwym tonem, choć daleko jej
było do żartów.

– Okazałoby się, że jestem córką gangstera.

– Spieszę cię uspokoić: nie mam żadnych powiązań z mafią. To
ryzykowny biznes i dobry dla ludzi o innym pokroju psychicznym.
Ja jestem za słaby na takie wrażenia.

– Ty? Za słaby?! – wykrzyknęła mimowolnie Kamila. – Jesteś
najsilniejszym mężczyzną, jakiego spotkałam w życiu!

– Miło mi to słyszeć, córeczko. – Uśmiechnął się lekko. – Choć
twój Łukasz niewiele mi w tym ustępuje. Nie jest jednak, na swoje
i twoje szczęście, tak bezwzględny i wyrachowany jak ja – dodał. –
Jutro przyjadę po ciebie koło dwunastej, być może już z szefem
wrocławskiej ekipy. On się rozejrzy po domu i przygotuje konspekt
prac, my przedstawimy cię jako nową panią prezes Armiki Co.

Już miał się pożegnać i ruszyć do wyjścia, gdy zawrócił w pół kroku.

– Co wiesz o swym nowym sąsiedzie?

– O kim? W domu Janki ktoś zamieszkał? – zdziwiła się.

– Pytam o eksmęża Małgorzaty.

– Mateusza Wielickiego? – Wzruszyła ramionami. – Rozmawiałam z nim jeden raz, następnego dnia po tym jak się wprowadził. Od tamtej pory go nie widziałam.

– Jakie zrobił na tobie wrażenie? Coś rzuciło ci się w oczy?

– Pewny siebie, niemal arogancki i... jakiś taki oślizgły. No i wygadany, jak na dyplomatę przystało.

– Jest dyplomatą?

– Przynajmniej tak mówiła o nim Małgosia. Na pierwszy rzut oka czarujący, kulturalny, gentleman.

Jakub znał takich kulturalnych i czarujących gentlemanów, którzy za zamkniętymi drzwiami tracili całą kulturę, czar i obycie, tłukąc swoje żony i dzieci. Musi sam ocenić, czy jego podejrzenia są słuszne, spotkać się i pogadać z panem Wielickim w cztery oczy.

– Dlaczego o niego pytasz? – zaniepokoiła się Kamila. – Jemu też chcesz nogi, ręce, a potem do Wisły?

Zaśmiał się krótko.

– Jeszcze nie teraz. Choć... kto wie...?

Rozdział VIII

Bieluń dziędzierzawa – nieraz widziałaś tę roślinę,
jak trującym całunem pokrywa wszystko, na co zdoła się wspiąć.
Nie jest brzydka, bynajmniej nie odstręcza wyglądem,
kwiaty ma naprawdę piękne, śnieżnobiałe, kielichowate,
ona po prostu dławi i zabija. Od owoców –
kolczastych, wypełnionych czarnymi nasionami torebek –
najlepiej trzymać się z daleka.

Małgosia weszła do swojego własnego domu niemal na palcach, ze wstrzymanym oddechem. Mateusz, który był zupełnie innym człowiekiem niż osiem lat temu, ostatnimi dniami stał się jeszcze bardziej drażliwy i porywczy. Potrafił cisnąć talerzem o ścianę, bo przysłowiowa zupa była za słona. A wczoraj, gdy Gosia odmówiła stanowczo pieniędzy na alkohol i papierosy, szarpnął ją boleśnie za rękę, zostawiając pięć sińców.

Kajał się potem i przepraszał, ale bez cienia skruchy w głosie, tłumacząc, że żyje w stresie, potrzebuje chwili zapomnienia ze szklanką dobrej whisky i papierosem w dłoni, a ona, Gosia, powinna to zrozumieć i dać mu te cholerne pieniądze!

Gosia zaś, wyciągając z portfela sto złotych, zastanawiała się, do czego ten człowiek posunie się następnym razem. Zostawi tylko siniaki czy złamie jej rękę? I jak ona sobie, na miłość boską, nastawi tę rękę w domu, bo do szpitala przecież nie pojedzie. Zwariowałaby po drodze ze strachu...

Takie myśli chodziły tej nieszczęsnej kobiecie po głowie, gdy przemykała ciemnym korytarzem do swojego pokoju. Nigdy nie przypuszczała, że zatęskni za pustką czterech ścian i samotnością, jednak wolała to niż obecność Mateusza.

Z jego niechętnych odpowiedzi wywnioskowała, że narobił długów, komornik zlicytował mu dom, z pracy go wyrzucili i gdyby nie ona, Gosia, trafiłby na Centralny albo pod most. Nie współczuła mu, bo młody, zdrowy facet, z takim wykształceniem, obyciem i znajomością języków, doprawdy powinien radzić sobie sam – ona przecież jakoś sobie radziła, a była w o wiele gorszej sytuacji niż Mateusz – lecz gdy tylko próbowała o tym z byłym mężem pogadać, on unosił się gniewem i znikał w pokoju na piętrze, trzaskając drzwiami. Tak reagował na samą próbę rozmowy. Jak więc miała się go pozbyć?

Gdy w końcu znalazła się w swoim pokoju i przekręciła klucz w zamku, zamieniając to miejsce w ostatni bezpieczny bastion, znalazła rozwiązanie: doczeka do czasu, aż w domu Kamili zakończą remont, i wtedy poprosi sąsiadkę o azyl. Swój dom odda w tymczasowe władanie temu nierobowi. Gdy skończy mu się jedzenie w lodówce i alkohol w barku, będzie musiał wyjść choćby do sklepu. I już nie wróci. Gosi w tym głowa, by nie wrócił. Żeby tylko doczekać...

Gwałtowne pukanie do drzwi sprawiło, że aż podskoczyła.

– Co ty tam robisz? Otwieraj! – rozległ się wściekły, nieco bełkotliwy głos Mateusza.

Poznała, że jest pijany, a z pijanymi nigdy nie miała do czynienia. Aż do niedawna...

– Pracuję. Muszę mieć trochę spokoju – odparła drżącym głosem i ponownie drgnęła, gdy kopnął w drzwi.

Były solidne, zamek w nich również, i Gosia miała nadzieję, że wytrzymają do czasu, gdy... Nagle zrozumiała, że pomoc nie nadejdzie. Jak ten tam, za drzwiami, zacznie je wyważać, a potem, doprowadzony tym do furii, wpadnie wreszcie do środka...

Wstała, podeszła, drżąc na całym ciele, do drzwi i przekręciła klucz w zamku. Gdyby w następnej chwili nie odskoczyła, zabiłby ją tymi drzwiami.

Wpadł do środka, chwycił ją za ramię i potrząsnął.

– Od kiedy to zamykasz się przede mną? Moje towarzystwo ci niemiłe? – wywarczał.

Gosia, pobladła ze strachu, zaprzeczyła. Omiótł ją przekrwionymi oczyma.

– Dla kogoż eś się tak wystroiła, bo nie dla mnie. Gdzie byłaś?

– U Kamili. I nie wystroiłam się, to stara sukienka.

– Po domu szlajasz się w dżinsach, a do Kamilki, proszę... Może nie tylko Kamilę odwiedzasz tam, za płotem, może jakiegoś gacha ukrywasz?

– Nikogo nie ukrywam! – Szarpnęła się i wyrwała ramię, na którym na pewno zostawił kolejnych parę sińców. – A nawet jeśli, to nic ci do tego! Rozwiedliśmy się na twój wniosek, pamiętasz? Jestem wolną kobietą i mogę spotykać się, z kim chcę, a jeśli tobie się coś nie podoba, droga wolna!

Po raz pierwszy postawiła mu się i była z siebie dumna. Przez krótką chwilę.

Zrobił krok do przodu i znalazł się tak blisko, że musiała się cofnąć. Gdy zrobił następny, oparła się plecami o ścianę. Na jego twarz wypełzł uśmiech, który zmroził jej krew w żyłach.

– Piękna jesteś, gdy tak się złościsz, wiesz? Nigdy nie przestałaś być piękna. – Przysunął twarz do jej twarzy. Odwróciła się ze wstrętem. – Tęskniłem za tobą – szeptał niezrażony jej reakcją. – Pamiętasz nasze szalone noce? Ostra byłaś w łóżku. Nadal taka jesteś? Sprawdzimy?

Zaczął całować jej szyję, napierając na nią ciałem tak, że nie mogła się ruszyć. Próbowała go odepchnąć, ale bez trudu unieruchomił jej ręce. Zmiażdżył wargami jej usta. Odwróciła gwałtownie głowę. Chwycił ją za włosy i szarpnął. Jęknęła z bólu i w następnej chwili pozwoliła się całować. Wsunął dłoń pod sukienkę i sapnął z rosnącego podniecenia. Była jego. Mógł z nią zrobić, co chciał, a chciał... wiele. Kiedyś, gdy byli małżeństwem, musiał się liczyć z jej wolą, jej chęciami, „tego nie lubię, tego nie zrobię", głupia dziwka, dziś zaś... zabawią się w niewolnicę i pana.

Zmusił ją, nadal zaciskając w pięści jej włosy, by uklękła. Nie zważając na łzy płynące po jej policzkach – może bardziej go te łzy podniecały – nakazał rozpiąć rozporek, „tylko powoli", i wziąć go do ust.

Zrobiła, co chciał.

Zmusił ją do wszystkiego.

Gdy w końcu zostawił ją, nagą, zmaltretowaną i poniżoną do granic, rozciągniętą na podłodze pośrodku pokoju, który jeszcze niedawno był jej azylem, zrozumiała, że albo ona, albo on. Trzeciego wyjścia nie było.

Podniosła się, płacząc cicho z bólu, i powlokła do łazienki, by zmyć z siebie jego plugawy dotyk. W lustrze patrzyła na nią obca osoba. Przerażająca osoba. Pobita, zastraszona, mająca w oczach czysty obłęd.

– Nie zrobisz mi tego, bydlaku – szepnęła przez łzy. – Nie zniszczysz mnie.

Wzięła szybki prysznic, włożyła piżamę, bo tylko to miała pod ręką, a do swojego pokoju po czyste rzeczy nie mogła, po prostu nie mogła już wrócić, i otworzyła drzwi, wstrzymując oddech.

Tamten po wszystkim poszedł na górę, do swojej sypialni.

W całym domu panowała cisza.

Droga do wyjścia była wolna.

Przemknęła przez korytarz, potem przez hol. Już niemal kładła rękę na klamce, gdy za jej plecami padło:

– Dokąd to? Opuszczasz mnie?

Zmartwiała.

Ręka opadła bezwładnie.

On chwycił ją za ramię i nieopierającą się pociągnął z powrotem do jej pokoju. Wepchnął ją do środka, przekręcił klucz i rzekł:

– Posiedzisz tu, aż zrozumiesz, że twój Mateusz wrócił. I zostanie z tobą dotąd, aż mu się znudzisz. Bierz się do roboty, bo lubię dobrze zjeść i wypić, a dam ci spokój. Jeśli nie, dopiero poznasz, co to jest piekło...

Dom pod numerem 5 miał gości. Kamila, wracając ze sklepu, ze zdziwieniem patrzyła na parkujący pod bramą samochód.

Może to Janka wróciła?! Ależ byłoby wspaniale. Janka była taka fajna...

Ale z auta wysiadła para dobrze ubranych ludzi i jakiś człowiek z teczką pod pachą. Nietrudno było się domyślić, że to agent nieruchomości z klientami. Ciekawe, jak im się spodoba dom Janki. Ciekawe, czy spodobałby się jej, Kamili. Tak się jakoś złożyło, że nigdy nie była w środku.

Podeszła do nich – agent próbował znaleźć klucz do furtki, para przyglądała się jego zabiegom w milczeniu – i uśmiechnęła się na powitanie.

– Dzień dobry, mieszkam obok, czyżbyśmy mieli zostać sąsiadami?

Agent natychmiast do niej przyskoczył, witając się wylewnie – miłe sąsiedztwo to połowa sukcesu – mężczyzna przyjrzał się jej tak uważnie, jakby miała zostać jego żoną, a nie sąsiadką, natomiast kobieta odpowiedziała uśmiechem tak nieśmiałym jak jej własny.

– Julia Stern, a to mój mąż Tymek, to jest Tymoteusz.

Furtka w końcu ustąpiła i mogli wejść do środka.

– Zechce nam pani towarzyszyć? – Agent szerokim gestem zaprosił Kamilę. – Któż będzie lepszym przewodnikiem niż urocza sąsiadka?

Nie chciała go wyprowadzać z błędu. Nie co do uroku czy sąsiedztwa, ale co do znajomości domu, chętnie więc ruszyła przodem.

Za murem, takim samym, jaki otaczał Sasankę i dom Małgosi, znajdował się... inny świat.

Nie był to świat przedwojennych willi i tajemniczych ogrodów, ale po prostu Beverly Hills. Podjazd wysypano białym lśniącym w promieniach słońca żwirem. Zakręcał przed domem, otaczając klomb wspaniale utrzymanych róż z niewielką marmurową fontanną pośrodku. Dom zachwycał prostotą bryły, dwiema wysokimi kolumnami – Kamila aż uniosła brwi, widząc, że są również marmurowe – i takimiż schodami. Wielkie dwuskrzydłowe drzwi skrywały zapewne równie wspaniałe wnętrze, ale oni ruszyli najpierw do ogrodu na tyłach domu.

Pośrodku wypieszczonego trawnika (kto go pielęgnował przez te trzy tygodnie?!), otoczonego zadbanymi, nasadzonymi ręką ogrodnika iglakami, królował basen wypełniony błękitną krystalicznie czystą wodą. Można było niemal usłyszeć, szczególnie w tak gorące przedpołudnie jak dziś: „Zanurz się we mnie, zakosztuj rozkoszy kąpieli w chłodnej wodzie"... Nie tylko na Kamili zrobiło to piorunujące wrażenie. Agent nie musiał nic mówić. Otoczenie domu było perfekcyjne. Piękne. Oszałamiające.

A wnętrza?

Również zachwycały.

Wysokie, jasne pokoje, o oknach zajmujących czasem całe połacie ścian, utrzymane w barwach kości słoniowej, delikatnego wrzosu, limonki, zdobione złotymi dodatkami, przypominały wnętrza śródziemnomorskich rezydencji. Wprost trudno było uwierzyć, że taki dom stoi w podwarszawskim Milanówku, a nie na Costa del Sol.

Łazienki – a Kamila naliczyła ich jak na razie pięć: jedną na parterze i po jednej przy każdej z sypialni – wyłożono białym marmurem. Miały sprawiać wrażenie chłodu, czystości i bogactwa, i takie właśnie sprawiały. Dopiero poddasze było o niebo bardziej przytulne i Kamila od razu zgadła, że to tu spędzała większość czasu Janka, to tutaj mieścił się jej własny azyl, do którego nie mieli wstępu... klienci.

Pokój, sypialnia, przylegający do niej niewielki buduar, służący za garderobę, i śliczna łazienka w delikatnych barwach fuksji i złota zachwyciłyby każdą kobietę, nawet Kamilę, która przecież kochała wnętrza bardziej klimatyczne i mniej nowoczesne.

Miałaś świetny gust, Janeczko – pomyślała dziewczyna, obchodząc ze ściśniętym z żalu sercem pokoje, w których czuć jeszcze było obecność poprzedniej właścicielki. – Pewnie trudno było ci opuszczać ten śliczny dom. Biedna Janka...

Zeszli po szerokich schodach z powrotem na parter i dopiero teraz agent mógł zapytać z nieukrywaną dumą, zupełnie jakby ten dom był jego dziełem:

– I jak się to państwu podoba?

Kamila wstrzymała oddech, czekając na werdykt.

Kobieta spojrzała na męża, i to on odezwał się pierwszy. Tak jak można się było po bogatym biznesmenie spodziewać, czyli z lekceważeniem i arogancją:

– Widziałem lepsze wnętrza, ale to też nie jest złe.

– To jest naprawdę bardzo ładne – ośmieliła się wyrazić swoje zdanie jego cicha, nieśmiała żona.

– Podoba ci się? – zgromił ją wzrokiem, ale ona może była bardziej odważna, niż mogłoby się to wydawać, a może rzeczywiście dom przypadł jej do gustu, bo odparła z nieco większą stanowczością:

– Bardzo.

– Ty będziesz w nim spędzać więcej czasu niż ja. Moja żona nie musi pracować – zwrócił się do agenta, zupełnie jakby tego obchodziło prywatne życie klientów. – Jedynym jej obowiązkiem jest wychowywanie naszej córki. Nie musi nawet sprzątać ani gotować, bo od tego jest gosposia. Ja na wszystko zarabiam – dokończył, dumnie i wyniośle, niczym sam król.

Co za palant – przemknęło Kamili przez myśl. – Jakie szczęście, że Łukasz nie ma zadatków na takiego zadufanego w sobie dupka. Nie wytrzymałabym z nim nawet minuty...

– Weźmiemy ten dom, o ile spuści pan z ceny i papiery są w porządku – rzucił tamten, jakby kupowanie domów za kilka milionów było dla niego codziennością.

Agent zaczął zapewniać, że i co do ceny się dogadają, i dokumenty na pewno nie wzbudzą podejrzeń, zaś Kamila... ona przyglądała się swym potencjalnym sąsiadom i była gotowa błagać Jakuba, by sprzątnął im ten dom sprzed nosa. Miała złe przeczucia, naprawdę złe przeczucia co do przyszłości swojej, swego domu, który do tej pory był oazą spokoju, i całej uliczki Leśnych Dzwonków. W czarnowidztwie zapędziła się tak daleko, że zaczęła szacować wartość Sasanki, w razie gdyby sąsiedztwo okazało się nie do zniesienia.

Ale te myśli pierzchły na widok nieśmiałego uśmiechu Julii Stern, która żegnając się z Kamilą przed furtką i dziękując za oprowadzenie po posiadłości, cichym, miłym głosem dodała:

– Bardzo się cieszę, że zostaniemy sąsiadkami. Prawdę mówiąc, to pani osoba bardziej zachęca do kupna tego domu niż te wspaniałe, trochę mnie przytłaczające wnętrza. Ale mój mąż – obejrzała się na mężczyznę, który jeszcze stojąc na podjeździe, dyskutował o czymś z agentem – on lubi przepych i ostentację. W jego zawodzie są niezbędne.

– Jaki to zawód? – ośmieliła się zapytać Kamila.

– Nie poznała pani mego męża? To Tymoteusz Stern. Ten Stern. – A gdy Kamila nadal sprawiała wrażenie, jakby nic jej to nazwisko nie mówiło, dorzuciła z cichym śmiechem: – Właściciel ITV.

Dziewczyna wreszcie zrozumiała i aż wciągnęła powietrze. Właściciel trzeciej co do wielkości stacji telewizyjnej w Polsce i willa w Milanówku? Nie za ubogo jak na takiego krezusa?

Julia musiała prawidłowo odgadnąć to pytanie, bo wyjaśniła:

– Tymek ma drugi dom, dużo większy, na Mokotowie, w Alejach Ujazdowskich, obok ambasady amerykańskiej. Tutaj będę mieszkała ja z córką, bo uznał, że przyda się dziewczynie trochę kontaktu z rzeczywistością.

Kamila obejrzała się na rezydencję Janki i... musiała się roześmiać.

– To raczej bajka niż rzeczywistość – zauważyła, ale bez złośliwości. Willa pod numerem 5 była przepiękna, ale Kamili i tak bardziej podobała się Sasanka i nie zamieniłaby swojego różanego ogrodu na żadne baseny i marmury. A fontannę miała własną. Chociaż trzeba przyznać, że nie tak piękną jak ta tutaj.

Julia Stern zmieszała się i wyjaśniła:

– Po tych wszystkich prywatnych szkołach i klubingu noc w noc córce przyda się normalne liceum i spokój Milanówka.

Kamila wolała nie uświadamiać potencjalnej sąsiadki, sprawiającej bardzo miłe wrażenie, że nawet tutaj, w Milanówku, na uroczej, sennej uliczce Leśnych Dzwonków bywa... niespokojnie.

Pożegnały się, pan Stern skinął Kamili głową – udzielny książę normalnie – i dziewczyna mogła wrócić do siebie. Jakżeż uboga i zrujnowana wydała się jej Sasanka w porównaniu z willą Janki... Mimo wszystko kochała ten dom. Pogładziła balustradę schodów, nie z karraryjskiego marmuru, ale z polskiego dębu, i szepnęła:

– Ty też będziesz pięknie wyglądał, domeczku. Już moja w tym głowa.

I pieniądze Jakuba, który... właśnie podjechał pod bramę i nacisnął niecierpliwie klakson.

Kamila spojrzała w tamtym kierunku i serce podeszło jej do gardła. Musi pojechać z ojcem na Marszałkowską i przejąć jego firmę. Czy Jakub na głowę upadł? Przecież ona nie da rady nawet progu tej firmy przestąpić!

A jednak dała radę. Właściwie nie miała innego wyjścia, bo Jakub trzymał ją mocno pod łokieć, by nie zwiała mu przy pierwszej nadarzającej się okazji. Na widok Kamili i nieznajomego mężczyzny, który wyglądał, jakby dziewczynę przed chwilą aresztował, Magda poderwała się i ze zwykłym, miłym uśmiechem zapytała...

A właściwie nie zdążyła zapytać, w czym może Jakubowi pomóc, bo ten swoim typowym, czyli władczym, tonem powiedział:

– Jestem Jakub Kiliński, właściciel Armiki, a to jest moja córka, której dzisiaj, w zastępstwie Łukasza Hardego, powierzam zarząd.

Biedna Magda mało nie zemdlała. Kamila posłała Jakubowi wściekłe spojrzenie, z którego ten sobie nic nie robił.

– Proszę zwołać zebranie wszystkich pracowników, chcę im przedstawić nową panią prezes.

– Tak, oczywiście, już zaraz... – Magda nie wiedziała, czy chwytać za telefon, czy prowadzić właściciela Armiki i nową prezes – no patrzcie, jak ta Kamila dobrze się konspirowała, taka cicha woda, a córka szefa wszystkich szefów – do sali konferencyjnej, okazało się jednak, że Jakub sam wiedział, dokąd się udać, i tam właśnie poprowadził Kamilę.

Gdy zamknęły się za nimi drzwi jasnego, dużego pokoju, na którego środku królował stół otoczony krzesłami, dziewczyna wybuchnęła potokiem słów:

– Musiałeś dawać takie przedstawienie? Musiałeś? „Jestem jego wysokość właściciel, a to jest jej książęca mość prezesówna". Za kogo oni mnie teraz mają? Za twojego szpiega, ot co! A Łukasz też wyszedł na podstępnego drania, bo to on wprowadził mnie do firmy! Jeżeli chciałeś na dzień dobry narobić mi wrogów, to właśnie ci się udało.

– A jak niby miałem się przedstawić? – zdziwił się Jakub. – Przecież jestem właścicielem tej firmy, a ty jesteś moją córką.

– Dyplomacja jest ci widać zupełnie obca – prychnęła i umilkła, bo do sali zaczęli schodzić się pracownicy: księgowy, dyrektor do spraw zarządzania, dyrektor finansowy, marketingowiec, handlowiec... Wszyscy ci, z którymi Kamila pracowała do tej pory jako zwykła kosztorysantka. Na końcu do pokoju wsunęła się z niezwykłą jak na nią nieśmiałością Magda, usiadła w kącie, wyciągnęła notes i długopis i zastygła w oczekiwaniu.

Kamila na początku nie wiedziała, gdzie podziać oczy, przekonana, że będą na nią patrzeć właśnie jak na szpiega, podstawioną figurantkę, która miała donosić szefostwu na współpracowników, ale... nie. Żaden z nich, z Magdą włącznie, nie miał sobie nic do zarzucenia. Kamilę od początku traktowali serdecznie i z odrobiną dystansu, bo od razu było wiadomo, że wpadła w oko prezesowi Hardemu, teraz więc posyłali jej uprzejme pozdrowienia, bez złości czy wyrzutów.

– Witam państwa, miło mi ujrzeć zespół Armiki w komplecie – zaczął Jakub. – Obowiązki nie pozwoliły mi zajrzeć tu ładnych parę miesięcy temu i poznać każdego z panów i przede wszystkim panią Magdalenę, o której Łukasz wyrażał się w samych superlatywach...

Ty draniu – pomyślała Kamila o ojcu z mimowolnym podziwem – wiesz, jak owinąć sobie ludzi wokół palca. Już jedzą ci z ręki...

Rzeczywiście asystentka aż pokraśniała z radości na tę pochwałę, mężczyźni zaś rozluźnili się i wygodniej rozsiedli na swoich miejscach. Dziś zwolnień raczej nie będzie...

– Ponieważ jednak prezes Hardy jest w niedyspozycji zdrowotnej, a firmą musi ktoś zarządzać, chciałbym przedstawić państwu moją córkę, jako pełniącą obowiązki prezesa, do czasu powrotu Łukasza. – Kiliński stanął za krzesłem Kamili i oparł jej dłonie na ramionach. – Chciałem, by najpierw poznała dobrze firmę od podstaw, jako szeregowy pracownik, i przydzieliłem jej stanowisko kosztorysantki, ale czasem nasze plany ulegają zmianie. Nikt nie przewidział wypadku prezesa Hardego i poważnych konsekwencji, jakie to spowodowało.

Wszyscy zgodnie pokiwali głowami.

Magda, ośmielona już nieco, odważyła się odezwać:

– Czy są jakieś wieści o stanie zdrowia pana prezesa? Szpital nie chce udzielać informacji osobom postronnym, a pan prezes... – urwała, nie chcąc być nielojalną w stosunku do Łukasza.

– To dla niego trudne chwile – odparł Jakub łagodnie, z wyraźną sympatią patrząc na młodą kobietę. – Musimy dać mu czas na dojście do siebie i zadbać, by miał dokąd wracać. W waszych rękach leży dobro tej firmy. Postarajcie się go nie zmarnować.

Przytaknęli.

– Kamila będzie zajmować się tym co dotychczas – mówił dalej, zaciskając lekko palce na jej ramionach. – Oprócz kosztorysowania do jej obowiązków dojdzie akceptowanie wydatków i... – tu uśmiechnął się do siebie, wiedząc, że to spodoba się dziewczynie – wyszukiwanie kolejnych inwestycji. Starych, pięknych kamienic, pałaców i dworów, które będziemy mogli odrestaurować i sprzedać bądź zatrzymać z przeznaczeniem na hotel czy spa.

Kamila uniosła na niego rozpromieniony wzrok. Skąd mógł wiedzieć, że to właśnie – wyszukiwanie dworków, pałaców i kamieniczek, a potem pieczołowity ich remont – było jej pracą marzeń? Pokręcił lekko głową, jakby mówił: „Czy nie znam cię lepiej, niż ty znasz siebie samą?", i uśmiechnął się.

– Mam nadzieję, że Armika będzie nadal rozwijać się tak wspaniale, jakby Łukasz był tutaj z nami, a wy przyjmiecie moją córkę jako jego godną zastępczynię. – Potoczył wzrokiem po zebranych. Wszyscy, oprócz jednego z nich, kiwali zgodnie głowami. Zatrzymał spojrzenie na starszym od reszty zespołu mężczyźnie i dodał stanowczym, choć spokojnym tonem: – Jeżeli któryś z panów nie potrafi pracować jako podwładny kobiety, rozstaniemy się za porozumieniem stron z trzymiesięczną odprawą.

Tamten nie rzekł nic, ale Jakub był pewien, że złoży wypowiedzenie. Niektórzy zatrzymali się mentalnie w czasach, gdy kobiety traktowano jak służące i kucharki, a na takich nie było siły. Gdyby ten facet, prawdopodobnie księgowy, został w firmie, Kamila miałaby z nim same kłopoty, a tego Jakub dla córki nie chciał. Rzucał ją i tak na głęboką wodę, po co więc wpuszczać do basenu rekina?

Zwłaszcza że na miejsce księgowego w czasach bezrobocia znajdzie się dziesięciu innych.

Jakub poprosił jeszcze każdego z obecnych o raport z wykonanych do tej pory zadań – oczywiście to nie była uprzejma prośba, a rozkaz – i zakończył zebranie.

Znów zostali sami we dwoje. Kamila rysowała w notesie kwadraciki, zastanawiając się, co ona tu, na miejscu prezesa, właściwie robi, zaś Kiliński patrzył zamyślony przed siebie.

– Łukasz nieprędko wróci – odezwał się wreszcie.

– Ale wróci? – Kamila poderwała głowę. – Jest nadzieja, że odzyska wzrok, prawda?

– Robię, co w mojej mocy – odmruknął. – Organizuję mu miejsce w szwajcarskiej klinice, ale oni niechętnie przyjmują... – chciał powiedzieć „przypadki beznadziejne", bo tak mu sugerowano podczas pierwszej rozmowy, ale dokończył: – ... cudzoziemców. – Kamila jeszcze ma czas, by stracić tę nadzieję, która teraz błyszczała w jej złotych oczach. – Trochę to potrwa... – dodał cicho. – Dasz sobie radę? – zapytał nagle, przenosząc spojrzenie z ulicy za oknami na dziewczynę.

– Spróbuję.

– Łukasz na pewno zatrudnił w firmie najlepszych z najlepszych, zna się na ludziach, więc z nimi nie powinnaś mieć kłopotów. Pilnuj kosztorysów i terminów robót, doglądaj jakości prac, nie zgadzając się na jakiekolwiek odstępstwa i kompromisy, każdą nieruchomość, którą Armika bierze pod swoje skrzydła, traktuj jak swoją Sasankę, a wszystko będzie dobrze. W razie czego masz mnie. Dziś muszę wracać do Wrocławia, potem polatam trochę po świecie, bo filie w Stanach i Kanadzie domagają się obecności prezesa, ale świat to obecnie jeden wielki grajdoł, mamy telefony, mamy internet... zresztą, jakbyś naprawdę nie dawała sobie rady, przylecę i osobiście spuszczę łomot temu, kto ci bruździ, okej?

Uśmiechnęła się, mimo że była z lekka przerażona. Jednak w ustach Jakuba brzmiało to tak prosto... Odprowadziła go do windy, po czym wzięła głęboki oddech i wróciła do firmy. Od dziś jej firmy. Jakim cudem pozwoliła się w to wmanewrować?!

Mijała pierwsza doba uwięzienia. Gosia jeszcze nie wpadła w panikę, o nie. Dobrze się czuła w swoim pokoiku, do którego przylegała malutka łazienka. To do niedawna, do czasu nastania t a m t e g o – tak teraz myślała o eksmężu – był jej azyl. Dawna służbówka przez ostatnie siedem lat stanowiła cały świat Małgorzaty Bielskiej, bo samotnej, obawiającej się świata kobiecie nic więcej niż pokój z kuchnią i łazienką nie było potrzebne.

Może jeszcze laptop, zapewniający jej łączność ze światem i zleceniodawcami, dzięki któremu miała też nieograniczony dostęp do książek, no i internet. Mogła przeoczyć termin składek ZUS, ale comiesięczną opłatę za media uiszczała w pierwszej kolejności. Dzięki temu nikt nigdy jej nie nawiedzał w sprawach zadłużeń i zaległości. Jeżeli musiała załatwić coś osobiście, ubłagała Jankę, by ta, jako Gosi pełnomocnik, z odpowiednim dokumentem poświadczonym przez notariusza, czyniła to za nią. I to sprawdzało się przez ostatnie lata. Lecz teraz Janki nie było. Azyl Gosi zaś stał się jej więzieniem. Dosłownie.

Pierwsze, co zrobiła, gdy pozbierała się i otrząsnęła z szoku, to podbiegła do okna. Już miała wdrapać się na parapet i zeskoczyć po drugiej stronie, lecz... tamten był szybszy. Okiennice zatrzasnęły się gwałtownie i po ich drugiej stronie szczęknęła zasuwa. Skąd ona się tam wzięła?! Przecież okiennice można było zamknąć tylko od środka!

Gosia zrozumiała, że Mateusz musiał przygotowywać się do jej uwięzienia od jakiegoś czasu, i... nie załamała się, nie wpadła w histerię, nie zaczęła kląć na los, który znów jej dopieprzał, i na tamtego bydlaka. Po prostu przyjęła ten fakt – fakt, że wpuściła do domu podstępną żmiję – do wiadomości.

Skoro drzwiami i oknem nie ucieknie, może ktoś usłyszy jej błaganie o pomoc?

Dopadła do laptopa. Wyśle mail dokądkolwiek, na policję chociażby, ale... internet był odłączony. Dopiero w tym momencie poczuła strach. Była osaczona. I mogła liczyć tylko na siebie. Nikt z zewnątrz jej nie pomoże, bo nikt nie zauważy jej zniknięcia. Może Kamila, ale też nieprędko, dopiero za parę dni albo nawet tygodni, o ile tamten nie nakarmi Kamili jakimś łgarstwem.

Małgosia przez chwilę uspokajała oddech, palce zaciśnięte w pięści tak kurczowo, że na skórze zostały krwawe półksiężyce, rozwarły się w końcu. Wstała i zaczęła krążyć po niewielkim pokoju, rozmyślając już bez paniki o swoim położeniu.

Jedno było pewne: ucieknie. Przy pierwszej nadarzającej się sposobności ucieknie.

Tak to już jest, że ludzie silni wychodzą z życiowych tragedii silniejsi, ludzie słabi – słabsi, a ci zagubieni stają się jeszcze bardziej zagubieni. Gosię Bielską, traktowaną przez los naprawdę okrutnie, można było podziwiać za to, że ze swych tragedii, następujących jedna po drugiej, w ogóle wyszła żywa. Teraz musiała jeszcze wyjść z tego domu. Najlepiej przy zdrowych zmysłach.

Mateusz Wielicki rozparł się na kanapie w salonie z butelką piwa w ręku, co jakiś czas biorąc głęboki łyk prosto z gwinta. Teraz, gdy w domu był sam, z Gośką pod kluczem, nie zawracał sobie głowy pozorami.

Pierwsza część planu powiodła się.

Miał tę głupią dziwkę pod kontrolą.

Wiedział jednak, że była to kontrola tylko tymczasowa. Wcześniej czy później ktoś upomni się o Małgośkę i długo – choćby tej wścibskiej Kamili – zwodzić się nie da. Już raz zrobiła nalot, podejrzewając jego, Mateusza, o niecne zamiary – parsknął śmiechem.

Bystra dziewucha i niebrzydka, może gdy skończy z Gośką, weźmie się za sąsiadeczkę? Trzeba było wymyślić coś, co raz na zawsze da mu prawo do tego domu i zarobków Gośki.

Jakiś plan już Mateuszowi świtał w głowie. Jego usta ponownie rozciągnęły się w zadowolonym, wrednym uśmieszku. Musi cierpliwie poczekać. Na burzę. Gośka sama podpisze na siebie wyrok. Wystarczy, że on, Mateusz, zawiezie ją tam, gdzie trzeba. Tak, najbliższa burza. Oby nadeszła jak najszybciej...

Jak to się stało, że niegdyś przyzwoity przecież człowiek, który nie podniósłby ręki na żonę – a już na chorą eksżonę na pewno nie – tak bardzo się zmienił? Śmierć nienarodzonego syna, którego Mateusz w marzeniach już posyłał na studia, dobre studia, najlepsze, z którym żeglował po mazurskich jeziorach i Morzu Śródziemnym, którego uczył jazdy na snowboardzie i desce surfingowej, spowodowała, że coś w tym mężczyźnie pękło, umarło razem z dzieckiem.

Świat, który dla młodego, inteligentnego dyplomaty z dużymi aspiracjami i takimiż możliwościami był czarą pełną bogactw, że tylko wyciągnij ręce i czerp, okazał się nieprzewidywalny. Jedna głupia decyzja czy nawet kaprys – dlaczego ona jechała metrem?! – jeden bydlak terrorysta – niech mu ziemia ciężką będzie – i Mateusz stracił synka, normalną żonę i spokojny dom, a wraz z nimi poczucie bezpieczeństwa, pewność, że wszystko zależy od niego, podstawową wiarę w świat, ludzi i siebie.

Dla Mateusza Wielickiego był to ogromny cios.

Wtedy gdy to się stało, nie mógł odegrać się na Gośce, której zawdzięczał tę tragedię, bo leżącego się nie kopie... a miał ochotę ją skopać, za jej głupotę i nieodpowiedzialność, za to, że dla durnego kaprysu ryzykowała życie synka i... doigrała się. Miał ochotę sprać tę podłą, bezmyślną sukę do nieprzytomności, zatłuc na śmierć, tak żeby nigdy nie mogła już skrzywdzić nikogo. Ale ona leżała w szpitalu, gapiąc się tępym wzrokiem w sufit. Mateusz mógł jedynie się z nią rozwieść, mając nadzieję, że ten cios jakoś nią wstrząśnie. Że ona zrozumie, co jemu, Mateuszowi, zrobiła.

By zachować pozory, wypłacił jej ekwiwalent za połowę domu, na który razem zapracowali – wtedy, osiem lat temu, musiał jeszcze owe pozory zachowywać, bo nadal pracował w dyplomacji, nadal miał perspektywy, ale... i one szybko przepadły, bo nagle okazało się, że dom, w którym Mateusz pozostał, jest za duży i za pusty dla samotnego faceta, a depresja, która go dopadła (choć oczywiście udawał przed szefostwem, że wszystko jest okej i pod kontrolą, take it easy i keep smiling), zżera go od środka i każe pić. Tak, tak, on sam, Mateusz, wcale nie potrzebował alkoholu, by przeżyć kolejny dzień, przespać kolejną noc, to ona, ta cholerna depresja, nie pozwalała mu normalnie funkcjonować. Kieliszek rano, kieliszek wieczorem znieczulały. Ale po jakimś czasie przestały wystarczać, doszedł więc kieliszek w porze lunchu – no, dwa, ale tylko wina – potem po południu i nim Wielicki się obejrzał, już chodził naprany od rana do wieczora.

Szefowie znosili to przez rok od zamachu, rozumieli traumę, rozumieli żałobę, ale... po roku postawili warunek: „Kończysz, Wielicki, z procentami albo my kończymy z tobą". Pokazał im w myślach środkowy palec i odszedł.

Miał do przepicia jeszcze spory majątek. I szło mu całkiem nieźle, aż do momentu kiedy mało nie zapił się na śmierć, stracił przytomność i prawie zamarzł na ulicy. Ktoś go znalazł, ktoś odratował, było bardzo nieprzyjemnie, gdy na detoksie musiał dzielić pokój z najgorszymi mętami, degeneratami dosłownie – nikt go nie uświadamiał, że sam wygląda dokładnie tak samo jak oni, a moralnie nie jest od nich lepszy. Można by było nawet powiedzieć, że jest gorszy, bo oni się nad nikogo nie wywyższali, pełni pokory i wstydu, że niszczą życie najbliższych..

Mateusz wyszedł z odwyku z mocnym postanowieniem poprawy: nie będzie się zapijał na śmierć w samotności, bo to bez sensu. Znajdzie sobie inne hobby i inną ucieczkę od rzeczywistości. Tak trafił do kasyna. I do towarzystwa, z którym żaden normalny człowiek raczej nie pragnąłby przestawać.

Duże pieniądze wędrowały z rąk do rąk. Życie Wielickiego zmieniło się w jedną wielką imprezę, gdzie piękne kobiety zaliczało się na stołach do ruletki, drogimi samochodami robiło się wypad do Paryża czy Monako, by przepuścić jeszcze więcej forsy, a na wspaniałych jachtach krążyło się między Ibizą a Majorką, by z butelką szampana w ręku i śladami koki pod nosem zatracać się w tym szaleństwie. Do czasu gdy szefowie – zawsze tacy się znajdą – nie wystawili Wielickiemu rachunku. Słonego rachunku...

Stracił dom, stracił dobre imię. Sumienia też już nie miał.

Nie zostało mu nic oprócz Gośki i jej willi w Milanówku. I sześciocyfrowego długu, który musiał spłacić, albo nakarmią nim ryby w Wiśle – tak właśnie Wielickiemu miesiąc temu zapowiedziano, gdy szefowie stracili resztki cierpliwości. Gorące zapewnienia, że Mateusz pieniądze zaraz będzie miał, jeszcze parę tygodni, a się odkuje przy pokerze czy na wyścigach, przecież ma „to coś", szósty zmysł, intuicję geniusza i zła passa musi minąć, przestały robić na nich wrażenie, o ile kiedykolwiek robiły, i Wielicki nie dostał następnej szansy, tylko jasne ultimatum: forsa albo kąpiel w betonowych butach.

Nie miał wyboru.

Przyjechał do Milanówka, by prosić Gośkę o pomoc, ale... tak jakoś wyszło, że... że siedziała teraz w tiurmie, a on na kanapie w jej salonie. Musi wydobyć od niej oszczędności – na pewno jakieś miała, jak ją znał – którymi zatka na pewien czas pazerne mordy mafii, a potem sprzeda willę i spłaci resztę długu. Trzeba tylko Gośkę ubezwłasnowolnić i uzyskać nadzór kuratoryjny nad nią i jej majątkiem. Proste.

Pierwsza burza będzie dla Mateusza furtką ku wolności. Uniósł butelkę z piwem w drwiącym toaście. „Ty wszystko mi odebrałaś, ty za wszystko zapłacisz. Niech cię szlag, Gośka, niech cię jasny szlag..."

Rozdział IX

Powój polny – taki na pozór delikatny, ot, cieniutka łodyżka,
a na niej, wśród drobnych listków, kielichy różowo-białych kwiatów,
a jednak tak silny. Dajmy mu jakąkolwiek podporę, a już będzie
się piął w górę, ku słońcu, ciesząc urokliwymi dzwonkami kwiatów
i delikatnym zapachem. Piękno tkwi nie tylko w wyniosłej róży,
roztaczającej wokół swój urok i oszałamiające aromaty,
ale też w skromnej roślinie, zwanej powojem...

Łukasz wziął sobie do serca słowa przyjaciela. A może uczyniła to nadzieja, którą Jakub zasiał w jego sercu? Grunt, że stał się milszy dla rodziny, a przede wszystkim dla Kamili.

Dziewczyna, która całymi dniami ślęczała nad stosem dokumentów – skoro miała zarządzać firmą, oczywiście tylko do powrotu prawowitego prezesa, musiała ją dobrze poznać – ledwo żywa wpadała wieczorami do szpitala i opowiadała Łukaszowi o dokonaniach minionego dnia. Ku swemu zdumieniu nie tylko miała się czym pochwalić – jak na razie wszystko, łącznie z remontem kamienic i Sasanki zdawało się pod kontrolą – ale i musiała przyznać, że podoba się jej zadanie, jakie postawił przed nią Jakub. Z wielkim zapamiętaniem, gdy tylko skończyła wertowanie papierów, jakie codziennie znosiła do jej gabinetu Magda, oddawała się poszukiwaniom nowych nieruchomości.

Może ten pałac...? Może ta kamieniczka niedaleko Łazienek...? A może dworek nad samym morzem w pięknym parku...? Świadomość, że dysponuje nieograniczonymi niemal funduszami, bo Jakub nie określił sum, jakie przeznaczył na rozwój Armiki, zapierała dech w piersiach.

Dziewczyna cieszyła się każdą chwilą spędzaną w internecie na wyszukiwaniu pięknych, zabytkowych obiektów, którym wraz z ojcem przywrócą dawną świetność, a czasem po prostu uratują je przed zniszczeniem. O tym właśnie, ożywiona i szczęśliwa, opowiadała co dzień Łukaszowi, a on już nie odwracał głowy, tylko słuchał uważnie, ciesząc się jej radością.

W poniedziałkowy wieczór, dwa tygodnie po tym jak stanęła na czele firmy, miała dla niego jeszcze lepsze wieści. Wpadła do szpitalnego pokoju, pukając przed tym zdawkowo, i... zatrzymała się na progu jak wryta.

Łukasz stał obok łóżka.

Z wyciągniętymi przed siebie rękami próbował odnaleźć w nieprzyjaznej, mrocznej przestrzeni drogę do... Potrącił stojak od kroplówki, który runął na podłogę z hukiem, cofnął się odruchowo i wpadł na szafkę. Zaklął. Znieruchomiał.

– Kto tu jest? – zapytał wściekłym tonem, zwracając niewidzące oczy ku Kamili.

Ta przełknęła żal, dławiący krtań, i odrzekła cicho:

– To ja. Dokąd tak wędrujesz?

– Do toalety – odwarknął.

– Nie mogłeś wezwać pielęgniarki? Zaprowadziłaby cię...

– Gdybyście nie rzucali mi pod nogi jakichś gratów, sam bym trafił! Pielęgniarka nie będzie mnie do końca życia wysadzać. Ty też nie.

Kamila nie wiedziała, co na to odpowiedzieć. To dobrze, że Łukasz próbował sobie radzić, ale... ręce same się ku niemu wyciągały z pomocą, a serce ściskało z żalu na widok jego bezradności i zagubienia.

– Gdy przygarniesz mnie w końcu do siebie, oznaczę sobie drogę liną czy klinami wyżłobionymi we framugach drzwi – zażartował ponuro. – Z czasem nie będę spadał ze schodów, potykał się o dywany czy meble, bo...

– Nie będzie żadnych dywanów – ucięła stanowczo.

– Mebli też nie? – uniósł brew. – To o co będę się potykał?

Kamili ciepło się zrobiło na sercu, że znów potrafi kpić sam z siebie.

– O Kulkę – odparła. – Kulka z pewnością nie będzie cię odstępowała na krok. A wracając do mebli, dywanów, czyli jednym słowem, Sasanki: dwa tygodnie temu postanowiłam zmienić kolejność robót, na ile to oczywiście możliwe, i najpierw wykończyć wnętrza, byś mógł się jak najszybciej wprowadzić.

Bogiem a prawdą, Łukasz już jakiś czas temu powinien opuścić szpital, ale do domu w Otwocku go nie ciągnęło, a sam w apartamencie na Mokotowie nie mógł mieszkać. Doktor Stefański nadal zlecał więc dodatkowe badania, by zatrzymać go w szpitalu jak najdłużej, choć dyrekcja zaczynała już sarkać. Prosił też o konsultacje najlepszych specjalistów. Jednak czas Łukasza na oddziale kardiologii dobiegał końca.

Żeby choć parter willi nadawał się do zamieszkania...

– I dziś mam dla ciebie, i dla siebie również, cudowną wiadomość: szef ekipy zapewnił mnie, że skończą remont parteru za miesiąc, może nieco wcześniej.

– Miesiąc?! – wykrzyknął Łukasz z niedowierzaniem. – Mam tu siedzieć jeszcze cały miesiąc?!

Po radości, z jaką tu przyszła, nie zostało ani śladu.

– To tylko cztery tygodnie, może krócej – próbowała się jeszcze bronić, ale on, znów pochmurny, niemal wściekły, rzekł tylko:

– Nie mogę tu zostać tak długo. Jutro pogadam z mamą i, trudno, zamieszkam w Otwocku.

– Ale ja nie będę mogła się z tobą widywać! – Kamilę ogarnęła nagła rozpacz. Jechała tu przez pół Warszawy, nie mogąc się doczekać przekazania Łukaszowi dobrych wieści, tymczasem on...

– Co za bzdury gadasz. Oczywiście, że będziesz mogła – obruszył się.

Nie wiedział, bo przecież Kamila mu się z tego nie zwierzała, jaką niechęcią darzą ją Leon z Julitą. Nie wiedział, że obwiniają Kamilę o wypadek i jego następstwa, o całe zło, które według nich sprowadziła na Łukasza. I teraz ma ona wpadać codziennie do Otwocka na herbatkę? Poszczują ją psami przy pierwszej próbie. Nie miała co do tego wątpliwości.

W oczach dziewczyny pojawiły się łzy, których on na szczęście nie mógł widzieć.

– Będę przyjeżdżała – przyrzekła cicho. Jeśli jej nie wpuszczą, to trudno, ale codziennie przyjeżdżać będzie. Tak po prostu.

Wyciągnął do niej rękę. Ujęła ją i przytuliła do policzka.

– Kocham cię – szepnęła cichutko, a on przyciągnął ją do siebie i objął mocno. Gdyby zamknęła oczy i wyrzuciła z umysłu obraz szpitala, mogłaby cofnąć się w czasie do chwil, gdy wszystko było dobrze, niebo nad głową bez jednej chmurki, a serce pełne nadziei... Może wróciłaby do tego poranka, gdy obudziła się obok Łukasza i patrzyła, jak on jeszcze śpi, czując przepełniającą ją miłość? Jak niewzruszenie pewna była wtedy ich przyszłości... I jak los równie niewzruszenie jej sny zniweczył...

– Nie przeszkadzam? – rozległo się od progu.

Czy przeszkadzał, czy nie, Jakub wszedł do pokoju, posyłając Kamili lekki uśmiech. Zmieszała się i wyswobodziła z ramion Łukasza. On sam stał w miejscu, w którym go zostawiła.

– Przepraszam, że przerwałem wam intymne tête-à-tête, ale mam wiadomości, które nie mogą czekać ani chwili dłużej. Porywam ci, moja droga, ukochanego i wywożę... w piękne szwajcarskie Alpy!

– Będę jeździł na nartach? Na oślep? – rzucił kpiąco Łukasz.

– Ty masz poczucie humoru, jak Boga kocham – zaśmiał się Kiliński. – Wywalczyłem ci miejsce w klinice. Czekają na ciebie, więc pakuj się i lecimy.

– Teraz? Natychmiast?

– Jutro z samego rana. Akurat zdążą cię stąd wypisać. Zamówiłem już śmigłowiec, który zabierze nas stąd do kliniki, żebyś nie doświadczył stresu podróżowania liniami rejsowymi – zakpił Kiliński.

Kamila przysłuchiwała się temu z rosnącym niedowierzaniem, ale i z radością. Owszem, rozstaną się z Łukaszem na kilka tygodni czy miesięcy, ale wróci zdrowy!!! Po młodym mężczyźnie też było widać rosnące podekscytowanie i nadzieję.

– Pakuj się, kolego – powtórzył Jakub.

– Jeśli ktoś łaskawie zaprowadzi mnie do łazienki, gdzie trzymam szczoteczkę, jestem gotów.

Kamila z Jakubem zaśmiali się, Łukasz również uniósł kącik ust w uśmiechu. W tym momencie drzwi uchyliły się ponownie i do środka weszła Julita Harda.

Śmiech ucichł jak nożem uciął. Kamila w obecności matki Łukasza natychmiast poczuła się maleńka i nieważna, a jej obecność niepożądana, natomiast Jakub, który nie spotykał Julity niemal dzień w dzień na szpitalnym korytarzu, jak jego córka... umilkł wstrząśnięty.

Przez te dwa tygodnie kobieta zmieniła się jeszcze bardziej. Czy nikt, na Boga, z rodziny Hardych nie widzi, co się z nią dzieje? Schudła tak, że ubranie wisiało na niej jak na wieszaku. Ręce, dźwigające jak zwykle naczynia z obiadem, stały się niemal przezroczyste. Oczy podkrążone, jakby w ogóle nie spała. Co jest, do cholery?! I jak ją o to delikatnie zapytać? Może Stefański będzie wiedział coś więcej albo czegoś się domyśla? I tak musi z nim porozmawiać o przeprowadzce Łukasza do Szwajcarii, dlaczego więc nie teraz, w tej chwili?

– My się już pożegnamy, skoro nasz beniaminek jest w lepszych rękach – rzekł na głos i pociągnął dziewczynę za sobą.

Wyrwała się, by cmoknąć jeszcze Łukasza w policzek i obiecać mu szeptem, że jutro rano odprowadzi go do śmigłowca.

W następnej chwili, już za drzwiami, Jakub mówił do córki:

– Masz kluczyki, poczekaj na mnie w samochodzie, odwiozę cię do Milanówka. Ja muszę zamienić jeszcze parę słów z doktorem Stefańskim.

Bez słowa protestu zrobiła to, o co prosił, on zaś skierował się do gabinetu ordynatora. Po chwili ściskał na powitanie dłoń Stefańskiego.

– Jutro z samego rana porywam panu pacjenta i wywożę do najlepszej kliniki okulistycznej na świecie – zaczął, zastanawiając się, jak z tematu Łukasza przejść na temat jego matki.

– Nie wierzy pan w naszych specjalistów? – żachnął się doktor.

– Ależ wierzę, jeden z nich pracuje właśnie w tej klinice – odparł Jakub bez mrugnięcia okiem.

Stefański nie mógł się oczywiście sprzeciwiać. I nie chciał. Dotychczasowe badania potwierdziły wstępną diagnozę: Łukasz był fizycznie zdrowy. Utratę wzroku spowodował bodziec psychiczny.

– Życzę powodzenia – odparł doktor z przekąsem, ale zaraz przeprosił. Powinien przecież popierać wszystko, co może pomóc jego chrześniakowi w powrocie do zdrowia. Wielkoduszna pomoc przyjaciela jest w tym przypadku bezcenna. Stefański obawiał się jednak, że nawet ona okaże się daremna, a nadzieje nią rozbudzone, płonne. I dlatego właśnie był tak sceptyczny. – Co powie pan Łukaszowi, gdy ten wyjazd i ta klinika nie spełnią pokładanych w nich nadziei?

– Nie ma takiej opcji – uciął Jakub bez wahania. – Jeżeli gdzieś mają przywrócić mu wzrok, to tylko tam.

Stary doktor pokiwał głową. Medycyna, zwłaszcza gdy nie ograniczają ją finanse, potrafi czynić cuda, niejeden raz był świadkiem niespodziewanego ozdrowienia. Musi po prostu wyzbyć się obaw i wątpliwości i z całego serca modlić się o Łukasza. Ot co.

– Nie tylko o tym chciałem z panem porozmawiać, doktorze – zaczął Kiliński z wahaniem. – Przyznam, że w tej chwili bardziej martwi mnie nie Łukasz, ale jego matka.

Stefański utkwił w Jakubie ostre spojrzenie. Jego łagodna zazwyczaj twarz spochmurniała.

– Co pan chce przez to powiedzieć? – zapytał bardziej oschłym tonem, niż by chciał.

– Julita marnieje w oczach, z dnia na dzień. Sama wygląda na ciężko chorą, na pacjentkę tego oddziału. Czy pan tego nie widzi?

– Ma sporo zmartwień, jak pan zapewne zauważył – odparł doktor opryskliwie.

Owszem, jego samego również martwił widok Julity, ale to nie znaczy, że ma się swoimi opiniami dzielić z obcym, bądź co bądź, człowiekiem. Co właściwie ten cały Kiliński miał do rodziny Hardych, że się tak szarogęsił? Tu załatwi szwajcarską klinikę dla Łukasza – ciekawe, skąd ma na to pieniądze – tam zatroszczy się o zły wygląd jego matki... Nie podobało się to Stefańskiemu, oj nie... Na tym świecie tak już jest, że nic nie ma za darmo. Kiedyś

Kiliński wystawi Hardym rachunek i może być on wysoki. O ile w ogóle będą w stanie go zapłacić.

Jakub przyglądał się Stefańskiemu z niedowierzaniem.

– Pan naprawdę tego, co dzieje się z Julitą, nie widzi czy nie chce widzieć? – zapytał powoli. Mniejsza z tym, że i pytanie, i ton, jakim je zadał, były niegrzeczne, każdy środek jest dobry, jeśli osiągnie się zamierzony cel. Jeżeli uprzejma rozmowa z tym doktorem, przyjacielem rodziny Hardych, nic nie dała, może brak uprzejmości nim wstrząśnie. – Rozmowa z tą kobietą, zainteresowanie się nią czy w końcu kilka podstawowych badań, które można byłoby wykonać, przerastają pana możliwości?

Starszy człowiek zacisnął szczęki, by nie wybuchnąć. Nie wykrzyczeć temu smarkaczowi, gdzie sobie może wsadzić swoją troskę. Oczywiście, że widział zmianę w Julicie, oczywiście, że próbował z nią rozmawiać, odpowiedź zawsze była ta sama: „Jestem tylko nieco zmęczona, gdy Łukasz wyzdrowieje, zajmę się sobą...". Miał ją więc siłą nakłaniać do zwierzeń? I badań?

To właśnie, siląc się na spokój, powiedział, Kilińskiemu, którego tak jak wcześniej lubił i szanował, tak w tym momencie szczerze nie cierpiał. Wścibski drań, wszystko musiał wiedzieć, wszędzie się wcisnąć ze swym altruizmem i dużymi pieniędzmi, pieprzony obrońca Hardych i innych uciśnionych...

– To nie jest li tylko zmęczenie – naciskał Jakub. – Proszę z nią porozmawiać. Do pana, doktorze, ma większe zaufanie niż do mnie. Może to depresja? Może kilka sesji z psychoterapeutą i dobrze dobrane leki jej pomogą? Jeśli trzeba będzie, zapłacę za specjalistów...

Tego było Stefańskiemu za wiele.

– Co pan ciągle z tymi pieniędzmi?! – wybuchnął. – Myślisz, człowieku, że nas tutaj nie stać na leczenie?! Leon zarabia na rodzinę – to po pierwsze, a po drugie, państwowa służba zdrowia, wbrew pozorom, poradzi sobie z depresją Julity, więc...

– ... więc proszę ją nakłonić do wizyty u psychiatry – wpadł mu w słowo Kiliński i jak jeszcze przed chwilą doktor go jedynie nie cierpiał, tak teraz wręcz nienawidził.

– Mam ją wziąć za rękę i siłą zaciągnąć na oddział zamknięty? – wycedził.

– Nie wiem. Wiem, że potrzebna jej pomoc, a rodzina i przyjaciele zdają się tego nie zauważać.

– Mędrek się znalazł – odwarknął Stefański.

Jakub wsparł się na rękach o blat jego biurka i rzekł powoli:

– Nie jestem pana wrogiem. Wrogiem Julity tym bardziej. Ona woła o pomoc, a my jej nie słyszymy. Proszę coś z tym zrobić albo ja się nią zajmę.

– Zajmij się swoim popapranym życiem...

– To w następnej kolejności – odparł nonszalancko Jakub, doprowadzając tym lekarza do białej gorączki. Nie chciał go jednak dłużej prowokować. Cel został osiągnięty. Pożegnał się więc uprzejmie i wyszedł. Jutro zabiera stąd Łukasza, a Julita będzie miała czas, by odetchnąć i zająć się sobą. Jeżeli tego nie uczyni, zgodnie z obietnicą on, Jakub, się nią zajmie. Nawet jeśli siłą miałby panią Hardą zaciągnąć na oddział.

Mimo że na pozór wyszedł ze szpitala spokojny i opanowany, wydarzenia dzisiejszego dnia odcisnęły na Jakubie swoje piętno. Wsiadł do samochodu, w którym czekała na niego Kamila, uśmiechnął się do niej nikle, potarł twarz gestem człowieka zmęczonego do granic, po czym uchwycił kierownicę i trwał tak kilka chwil niezdolny nawet do przekręcenia kluczyka w stacyjce.

Kamila siedziała cicho, rzucając mu od czasu do czasu zaniepokojone spojrzenie. Wreszcie ruszyli i dopiero wtedy odważyła się zapytać:

– Ciężki dzień?

– Bywały gorsze – odmruknął.

– Jeżeli masz nie dość zmartwień, mogę dorzucić ci jeszcze jedno?

– *No problem.* Dawaj. Zmartwień nigdy dość – zakpił.

– Od dłuższego czasu nie widziałam Małgosi... – zaczęła. Jakub natychmiast spoważniał i tym razem to on spojrzał na Kamilę niespokojnie. – Ostatni raz rozmawiałam z nią w dniu, w którym wyrzuciłeś fachowca...

– To było ze dwa tygodnie temu!

– No właśnie. Dlatego zaczęłam się martwić. Byłam u niej w ogrodzie już kilka razy, pukałam do drzwi, ale nikt mi nie otworzył. Dom wygląda, jakby był pusty, i może jest, ale czy Gosia opuściłaby, ot tak, jedyne bezpieczne miejsce? – Kamila pokręciła głową. – Powinna się przynajmniej pożegnać, nie uważasz?

Nic nie odpowiedział skupiony na prowadzeniu samochodu i słuchaniu córki.

– Gdyby mieszkała sama, włamałabym się do środka i zaczęła jej szukać, ale jest tam przecież jej były mąż...

– I to martwi mnie jeszcze bardziej.

– ... który wezwałby policję, jak amen w pacierzu, gdybym tylko próbowała dostać się do środka. Co mam robić?

– Poczekać, aż wrócę ze Szwajcarii. Do tego czasu codziennie dobijaj się do ich drzwi. W końcu muszą ci otworzyć, jeśli są w środku, albo on, albo ona. Gdy wrócę... zajmę się tym.

I czym jeszcze? – pomyślał ze znużeniem, nim zdążył się zawstydzić tej myśli. Czasami miał dosyć. Czasami pragnął, by to nim ktoś się zajął...

Jakub od najmłodszych lat, dosłownie od kiedy sięgał pamięcią, był zdany sam na siebie, by nie rzec: pozostawiony sam sobie. Ojca nie znał – aż do momentu gdy ten o sobie przypomniał – a mama, jak potem Jakub to zrozumiał, nie tyle była „zamknięta w sobie" czy „bujająca w obłokach", ile po prostu miała ciężką depresję przez wiele, wiele lat i całymi dniami leżała wpatrzona w sufit, szukając tam – jak się małemu Kubie wydawało – niebieskich migdałów. Dziś był mądrzejszy, dziś, gdy tylko do niego dzwoniła, wyłapywał w jej głosie złowróżbne nuty, wsiadał w samochód i po prostu wiózł ją do szpitala. Jednak jako dziecko czuł się samotny i odtrącony przez najbliższą mu osobę, przez matkę, a przez to pełen złości.

Całymi dniami, jako mały, głupi szczeniak, włóczył się po podwórku, szukając zaczepki. To samotne pętanie się nie było w czasach jego młodości, w czasach dzieci z kluczami na szyi, niczym dziwnym. Sąsiadów dziwiło jedynie to, że drobny i chudy, wręcz niedożywiony, startował do większych i silniejszych. Ale dziecko, gdy matka go odrzuca, szuka winy w sobie i siebie za to karze. Mama Jakuba nie reagowała na jego wybryki nawet najmniejszym grymasem złości – zawsze łagodna, zdziwiona jego obecnością, nieporuszona ani zachowaniem złym, ani dobrym – czasem zastanawiał się, czy ona w ogóle wie, że ma dziecko – wystawiał się więc na wciry od podwórkowych łobuziaków. I wtedy dopiero czuł, że żyje. Że ktoś go zauważa.

Ponieważ były to czasy, w których, owszem, dzieciaki się biły, ale nie katowały na śmierć, siniaki szybko znikały, drobne zadrapania goiły się, a Kuba mógł zająć się zapuszczonym mieszkaniem, mógł zwędzić do jedzenia coś lepszego niż suchy chleb z margaryną – bo na to jedynie wystarczała skromna renta matki – i... mógł sobie przyrzec, że gdy dorośnie, nigdy – nigdy! – nie będzie głodny.

Któregoś dnia mądry sąsiad, który przyłapał dzieciaka na kradzieży kartofli z pola, zamiast mu wlać jak kozie za obierki, wziął go do domu, nakarmił porządnie, wysłuchał – ciepło panujące w kuchni i troska gospodarzy wycisnęły Kubie łzy z oczu i potok gorzkich słów z gardła – i powiedział:

– Jeśli chcesz coś w życiu osiągnąć, chłopcze, bądź pierwszy we wszystkim, ale nie w łobuzerce. Moi starzy zaczynali i kończyli dzień z butelką wódki w ręku, a mnie i brata zauważali tylko wtedy, gdy trzeba było komuś wpieprzyć. I patrz na mnie: skończyłem szkoły, kupiłem za pożyczkę dla młodych rolników kawałek pola, posadziłem, co akurat było trzeba, i chodziłem dookoła tego lepiej niż koło pierworodnego i żony. Postawiłem dzięki ciężkiej pracy własnych rąk ten dom i stawiam drugi, dla syna. Nikt nigdy mi nic nie dał. Rodzice przepili swoją gospodarkę i gdybym im pozwolił, przepiliby i moją. Ale nie dałem się, a ty wyglądasz mi na takiego, co też się nie da. Będziesz kiedyś głodny, przyjdź, nakarmię, bo takie przykazanie dał Jezus: „głodnego nakarmić". Będziesz potrzebował paru złotych dla matki, przyjdź, dam ci uczciwie zarobić. Ale, na Boga, nie kradnij, bo to pierwszy krok na dno. A tam nie chciałbyś się znaleźć. – Starszy człowiek przyglądał się dzieciakowi uważnie. Ten pokręcił głową. Był zdecydowany zdobyć to co jego gospodarz: ciepły dom i pełną miskę. – Kiedy zaczynasz szkołę? Teraz, we wrześniu?

Dzieciak przytaknął.

– Masz kajety i podręczniki?

Dzieciak zaprzeczył, spuszczając wzrok. Brak podstawowych przyborów, książek i zeszytów był dla pierwszoklasisty ogromnym wstydem i zmartwieniem. Prawdę mówiąc, Kubę, gdy tylko o tym myślał, ogarniała rozpacz. Skąd jednak wziąć na to pieniądze, skoro mama nie zarabiała nic, a on sam jakieś grosze za sprzedaż zbieranych po parkach butelek i makulatury?

Sąsiad rozmyślał przez chwilę.

– Pożyczę ci na szkolną wyprawkę, a ty to odpracujesz. Umowa stoi?

– Co będę musiał robić i jak długo? – zapytał Kuba, nim uścisnął wyciągniętą ku sobie dłoń.

– Po szkole będziesz pomagał w gospodarce. Przez dwa miesiące. Ale oprócz tego...

Kuba, który już wyciągał rękę, cofnął ją gwałtownie. Było więc coś jeszcze.

– Oprócz tego masz się uczyć. Na same piątki. Ze wszystkich tych „Alamakota" masz być najlepszy w klasie, rozumiesz, dzieciaku?

Siedmioletni chłopiec, który przeżył dużo więcej, niż siedmiolatek przeżyć powinien, z powagą skinął głową. Po raz pierwszy tak ktoś z nim rozmawiał, życzliwie, spokojnie, uważnie, i nie chciał tego kogoś zawieść. Później nie chciał też zawieść sam siebie.

Od początku uczył się świetnie. Najlepiej. To było jedyne, co zależało tylko od niego. Jego wybór i jego wpływ na własne życie. Tylko to nie zależało od pieniędzy, które zarabiał po szkole gdzie się dało i z których musiał utrzymać i siebie, i matkę. Matkę, która po czternastu latach depresji i wegetacji niczym roślina nagle przebudziła się i popadła w stan całkiem odmienny: zaczęła szaleć. Szaleć z zakupami, na które nie było pieniędzy, szaleć z imprezami, z których wracała pijana, i szaleć z mężczyznami, czego Kuba najbardziej nie mógł znieść.

Jego cichy, pusty dom stał się nagle domem otwartym, a matka – duszą towarzystwa. Przypomniały sobie o niej przyjaciółki, choć te do mieszkania na parterze starej kamienicy przyciągał przede wszystkim piękny młody chłopak. Dzieciak spragniony czułości i opieki, szukający w każdej kobiecie namiastki matki. Jak łatwo wpadł w ręce jednej i drugiej harpii... Jednak Kuba nie miał charakteru ofiary. Owszem, pozwalał się deprawować tym kobietom, ale coś za coś. Za ciepły posiłek, za porządne buty, za komplet podręczników.

„Wujkowie" też mogli baraszkować w jego domu z jego matką, ale pieniędzy „na kino", które mu wciskali do ręki, musiało także wystarczyć na czynsz czy chociaż na prąd. A Kuba był bardzo oszczędny i nie wydawał na to, na co każdy normalny dzieciak w jego wieku ciuła kieszonkowe, on musiał nie tylko przeżyć, musiał też utrzymać dom i matkę, no i przede wszystkim uczyć się. Najlepiej.

Bez problemu dostał się do dobrego liceum, uwiódł – trzeba nazwać rzecz po imieniu – najpiękniejszą nauczycielkę, odcierpiał jej zniknięcie, zdał z doskonałym wynikiem maturę i, z ogromną ulgą, mógł wreszcie opuścić rodzinny dom. Zamieszkał w akademiku, otrzymał stypendium naukowe i odkrył, że oprócz nauki istnieje jakże interesujące życie studenckie, a na roku ma kilka bardzo ładnych i inteligentnych koleżanek...

Z Kuby stał się Jakubem Kilińskim. Pożądanym w studenckim towarzystwie i niezwykle pociągającym jako mężczyzna. Sprawiał wrażenie dużo dojrzalszego niż kumple z roku, bo też czuł się starszy niż te wychuchane dzieciaki z dobrych domów i bogatych rodzin.

Oni mieli wszystko, on na to wszystko musiał ciężko pracować. I połowę zarobionych pieniędzy wysyłać matce, która z jakiegoś powodu uznała, że Jakub ją zawiódł, że jest nim rozczarowana, i nie dość, że nie okazywała wdzięczności – nie mówiąc już o poczuciu winy za jego zmarnowane dzieciństwo – to miała dla syna same gorzkie słowa...

Teraz jednak Jakub więcej rozumiał i niczego już od niej nie oczekiwał.

Kończąc z wyróżnieniem studia na prestiżowej uczelni, miał otwarte drzwi do wielu firm w Polsce i za granicą, ale on chciał tylko jednego: dużych pieniędzy. Zaraz, natychmiast. Zamiast więc piąć się po szczeblach kariery w wielkiej korporacji, zaczął handlować podróbkami markowych ciuchów na Stadionie Dziesięciolecia. I miał te duże pieniądze. Szemrane towarzystwo, w którym siłą rzeczy się teraz obracał, nie stanowiło dla Jakuba problemu. To byli ludzie z charakterem, silnym charakterem. Jak on. I przeszłość również mieli podobną, tylko może o wykształcenie nie zadbali wystarczająco, ale przecież nie każdemu na drodze staje anioł pod postacią dobrego, starszego człowieka, który do siedmiolatka wyciąga pomocną dłoń i wskazuje, jak żyć...

Gdy znudziło mu się wystawanie na Stadionie, otworzył z kumplem klub, który szybko zyskał w stolicy sławę miejsca, gdzie spotyka się towarzystwo dosyć... podejrzane.

Nie wiadomo, jak by się dla Kilińskiego skończył „romans" z warszawskim półświatkiem, gdyby któregoś dnia nie spotkał... Kamili Nowodworskiej. Kamili, w której zakochał się, którą uwiódł i której na koniec zabił matkę, a swoją pierwszą miłość, Anielę.

To był dla Jakuba potężny wstrząs. Wstrząs, który mógł zniszczyć mu życie albo je przewartościować. Uczynił to drugie.

Kiliński sprzedał udziały w klubie, a całkiem spore pieniądze, których zdążył się dorobić, zainwestował w coś, co pociągało go od zawsze: rynek farmaceutyczny. Na początku była to niewielka hurtownia leków, potem – prowadzona inteligentnie, acz z rozmachem – zmieniła się w sieć hurtowni, ale Kilińskiemu wciąż było mało. On marzył o czymś więcej niż o handlu lekami, on pragnął je tworzyć. I tak powstało laboratorium badawcze. Czym się zajmowało, nad czym Jakub z zaufanymi chemikami i farmaceutami pracował, było to pilnie strzeżoną tajemnicą. Grunt, że dziś

Farmica Ltd była międzynarodową potęgą w wąskiej dziedzinie leków antynowotworowych, a jej jedyny właściciel – Jakub nie zwykł dzielić się władzą z nikim – bardzo bogatym człowiekiem. Nie zapomniał jednak, co to głód i strach. Nie zapomniał, co to samotność i poczucie odrzucenia. Nie zapomniał również o sąsiedzie, któremu wszystko zawdzięczał.

O ojcu, który opuścił małego synka i schorowaną żonę, również pamiętał...

– Tacy jak Wielicki są zdolni do wszystkiego – odezwał się ni to do siebie, ni do Kamili. – Nie mają sumienia – dodał po chwili. – Wrócę ze Szwajcarii, gdy tylko uznam, że mogę zostawić Łukasza samego, i zajmiemy się Małgorzatą. Tak jak należało się nią zająć osiem lat temu. Nie wolno pozostawić samemu sobie kogoś, kto przeżył taką tragedię, po prostu nie wolno...

Kamila, o niebo spokojniejsza, przytaknęła w milczeniu. Musi tylko doczekać powrotu Jakuba.

A przez ten czas będzie odwiedzać sąsiadów spod jedynki codziennie. O różnych porach. Niech ten facet, Mateusz Wielicki, wie, że ona, Kamila, ma go na oku, a Gosia nie jest zdana na jego łaskę i niełaskę. Już niedługo się o nią z Jakubem upomną...

– Będę miała nowych sąsiadów... – odezwała się ponownie.

– Wiem – wpadł jej w słowo, nim zdążyła powiedzieć coś więcej, i uśmiechnął się, widząc jej zaskoczenie.

– Zapomniałam, że ty wiesz wszystko o wszystkim – skwitowała z przekąsem. – Może jeszcze powiesz mi, kto taki chce kupić ten dom?

– Tymek Stern z rodziną – odparł i parsknął śmiechem na widok miny swojej córki. – Sam im ten dom nagrałem – dodał, poważniejąc. – Janka prosiła przed wyjazdem, bym pomógł w jego sprzedaży.

No tak, Kamila mogła się spodziewać, że Jakub zna sąsiadkę nie tylko spod jedynki, ale i spod piątki.

– Co u niej? Masz jakieś wiadomości? Utrzymujecie kontakt? – Bardzo pragnęła, by tej kobiecie wszystko ułożyło się jak najlepiej.

– Wynajęła mieszkanie na Teneryfie. Gdy dostanie pieniądze ze sprzedaży domu, kupi coś własnego. Zaczęła nowe życie i... dobrze sobie jak na razie radzi – odparł.

Kamila posłała mu pytające spojrzenie. Zrozumiał, co chciała wiedzieć.

– Zamierza zająć się turystyką i... nie wracać do poprzedniego zawodu.

Dziewczyna odetchnęła z niewysłowioną ulgą. Tego właśnie dla Janki pragnęła: normalnego życia, gdzieś na końcu świata, gdzie nikt stąd jej nie spotka.

– Przekaż jej przy okazji, o ile ją to w ogóle obchodzi, że my też tutaj sobie radzimy.

Kiwnął głową, po czym podjechał pod dom i zgasił silnik.

– Jutro wielki dzień? – Ni to stwierdziła, ni zapytała Kamila, nie chcąc jeszcze wysiadać z samochodu. – Wyleczą Łukasza w tej klinice?

– Oczywiście – odparł bez cienia wątpliwości. – Tam dokonują cudów, czasem nie do końca zgodnych z prawem, a ja za taki właśnie cud wpłaciłem im zaliczkę. Moja firma zaś będzie im przez pewien czas dostarczać leki za półdarmo. Wierz mi, zrobią wszystko, by Łukasz widział lepiej niż kiedykolwiek.

Uspokojona, poprosiła jeszcze, by po nią z samego rana przyjechał, ale, o dziwo, odmówił.

– Daj Łukaszowi ten jeden raz spokój. To będzie dla niego trudny dzień. Najpierw będą go wypisywać, potem pewnie Julita dostanie histerii... Daj spokój, dobrze?

Zgodziła się niechętnie.

– Ale przekażesz mu...

– Wszystko przekażę. Oprócz całusa – odparł tak komicznym tonem, że mimo rozczarowania musiała się roześmiać.

W następnej chwili z całego serca życzyła obu – ojcu i ukochanemu – powodzenia i pożegnała się.

Rozdział X

*Lulek czarny – obecnie, na całe szczęście, rzadko spotykany,
bo też silnie trujący. Kwiaty, o ciekawym kształcie, brudnożółte
z delikatnymi fioletowymi żyłkami, łodygi i liście pokryte
srebrnym meszkiem – tak, ta roślina mogłaby się podobać,
gdyby nie to, że jest śmiertelnie niebezpieczna...*

Gdy światła czarnego jaguara zniknęły za zakrętem, już miała wejść do domu, gdy przypomniała sobie o obietnicy złożonej zaocznie Gosi Bielskiej. Przeszła więc przez furtkę do jej ogrodu, ale tym razem zamiast zapukać do drzwi, postanowiła cicho jak duch obejść cały dom.

W pokoju na piętrze paliło się światło, a więc ktoś w środku był. Od strony ogrodu, na parterze, przez zatrzaśnięte okiennice również widać było słabą poświatę, więc i Gosia musiała być w swoim pokoju. Kamila wspięła się na palce, próbując zastukać w okiennice, ale znajdowały się za wysoko.

Rozejrzała się za czymś, na czym mogłaby stanąć. Jej wzrok padł na stare drewniane krzesło, rozpadające się na tarasie. Na palcach, starając się nawet nie oddychać, przemknęła po schodkach, chwyciła oparcie i... czując za plecami czyjąś obecność, aż pisnęła z przestrachu.

W następnej chwili na szyi dziewczyny zacisnęło się silne, męskie przedramię i nie była już w stanie wydobyć z siebie nawet pisku.

Mateusz uniósł ją bez wysiłku, nadal dusząc ramieniem, ściągnął z tarasu, powlókł w kierunku muru i tam dopiero cisnął dziewczyną o furtkę, tak silnie, że nieomal zemdlała. Ale nie pozwolił jej upaść. Przytrzymał ją troskliwie w pionie i gdy spojrzała na niego przytomnie, z nieukrywanym przerażeniem, zapytał, cedząc jadowicie słowo po słowie:

– Czego węszysz pod naszym domem? Szukasz kłopotów?

Pokręciła głową. Przez obolałe gardło nie mogła wykrztusić nawet krótkiego „nie".

– Jeśli jednak szukasz, to znajdziesz. Tym razem nie wezwę policji, bo z sąsiadami należy żyć w przyjacielskich stosunkach – ile ironii było w tych słowach... – ale następnym razem, owszem. Albo od razu cię zastrzelę, biorąc w ciemnościach za włamywacza. Zrozumiałaś?

Kamila nie wiedziała, czy ten facet ma prawo do niej strzelać, czy w ogóle posiada broń, ale... nie zamierzała tego sprawdzać. Przytaknęła tylko gorliwie.

– O Gosię się nie martw, opiekuję się nią lepiej niż ty, ma wszystko, czego jej potrzeba. Tak więc, śliczna sąsiadeczko, zmykaj do siebie i więcej się tu nie pokazuj, bo pogadamy inaczej.

Nim zdążyła się cofnąć, chwycił ją za kark, przyciągnął do siebie i przylgnął wargami do jej ust. Krzyknęła i wyrwała się. Nie zatrzymywał jej więcej, patrząc, jak ucieka bliska łez przez furtkę do swojego ogrodu. Jego podły, drwiący śmiech długo jeszcze gonił dziewczynę, ocierającą ze wstrętem usta.

Wpadła do domu, przekręciła w zamku klucz, ale nadal nie czuła się bezpieczna. Pobiegła więc na górę, do swojej sypialni, i tu również zamknęła drzwi na zasuwkę. Padła na łóżko, wtuliła twarz w poduszkę i rozpłakała się.

Tak jak jeszcze wczoraj mogła mieć podejrzenia, że z Gosią dzieje się coś złego, tak teraz miała pewność.

Nie wierzyła w ani jedno słowo tego sukinsyna, w ani jedno! Jutro poprosi Jakuba, by wracał jak najszybciej, i we dwoje ruszą Małgosi na pomoc. Nie może tylko pisnąć ani słowa o tym, co tamten bydlak jej zrobił, bo Jakub chyba by go zabił. A na pewno stłukł do nieprzytomności. I znając takich bydlaków jak Mateusz Wielicki, poszedłby siedzieć za pobicie „niewinnego człowieka"...

Nie mogła zasnąć aż do świtu. Bała się, że gdy tylko zmruży oczy, tamten stanie nad nią z czymś ciężkim czy ostrym i zrobi jej krzywdę. Czekała na brzęk tłuczonej szyby, szczęk zamka u wejściowych drzwi, przez calutką noc strach podnosił jej włoski na karku i dławił gardło. Z komórką w ręku i Kulką przy sobie jakoś dotrwała ranka. Robotników z Wrocławia, którzy jak co dzień zjawili się w pracy, powitała niczym zbawców. A gdy jeszcze do drzwi zapukała nowa sąsiadka, Kamila poczuła, że może znów da się w Sasance spokojnie żyć...

– Dzień dobry! – Niemal rzuciła się Julii Stern na szyję. – Proszę, zapraszam do środka, chociaż wszędzie wre remont...

Kobieta, nieco zaskoczona, ale mile zaskoczona tak entuzjastycznym przyjęciem, weszła do holu i zaczęła rozglądać się z przejęciem.

– Lubię takie stare domy z duszą – rzekła ku zadowoleniu właścicielki. – Trochę żałuję, że mój dom jest gotowy, bo chętnie sama bym nad nim popracowała, ale mąż nie uznaje remontów. On musi mieć wszystko na już.

– Przyznam, że sama mam tego rozgardiaszu, hałasu i kurzu serdecznie dosyć, ale... – Kamila podeszła do schodów i jak wiele razy wcześniej pogładziła dębową poręcz. – I tak kocham moją Sasankę. Kiedy się państwo wprowadzacie?

– Ja właściwie już dzisiaj. – Julia uśmiechnęła się nieco zmieszana. Swoją nieśmiałością, jakimś takim „przepraszam, że żyję", przypominała Kamili ją samą sprzed kilku miesięcy, nim Jakub z Łukaszem odmienili ją i jej życie. Przypominała też Gosię Bielską, która... Gosia. Może nowa sąsiadka pomoże Kamili w krucjacie na rzecz uwolnienia Małgorzaty z rąk byłego męża? Dziewczyna rzuciła kobiecie, podziwiającej kryształowy żyrandol, szybkie, ale uważne spojrzenie. Julia wyglądała na łagodną i spokojną, ale kto wie, co tak naprawdę w niej drzemie?

– Mąż dopełnia formalności, ale że córka od poniedziałku musi iść do szkoły już tutaj, w Milanówku, spakowałam nasze rzeczy i dziś powinny dotrzeć. Dom nie wymaga remontu, odkurzyć i posprzątać mogę przecież sama, choć Tymoteusz koniecznie chce zatrudnić pomoc domową i kucharkę... – W tym momencie ucięła, znów zmieszana. Nie chciała kłuć nowych sąsiadów w oczy bogactwem. Kamila nie wyglądała na taką, która zatrudniałaby sztab ludzi do pomocy w domu. Może nie zechce się z nią, Julią, przyjaźnić, uznając nową sąsiadkę za snobkę? A na sympatii otoczenia bardzo Julii Stern zależało...

– Jeżeli przydałaby się pani w czymkolwiek moja pomoc, proszę po prostu powiedzieć – odezwała się Kamila. Zupełnie nie interesował jej stan majątkowy innych ludzi. Miała swoją Sasankę, którą jakimś cudem obdarował ją dobry los (czy raczej dobry Jakub), i to naprawdę wystarczyło jej do szczęścia. Dodawało też pewności siebie. – Przyznam, że wiążę z panią duże nadzieje – dodała, nagle równie nieśmiała co jej gość. – Z Janką zdążyłyśmy się zaprzyjaźnić i bardzo mi jej brakuje. Trzymałyśmy się tutaj we trzy. Może znów będzie z nas mocna trójka?

Julii rozbłysły oczy. Ona sama też przecież o tym marzyła! Piętnaście lat temu żyła spokojnie w małym nadmorskim miasteczku otoczona przyjaciółmi i liczną rodziną. W niewielkim, ale pełnym ciepła domu rodzinnym nie miała ani chwili spokoju, bo ciągle ktoś przychodził i wychodził. Albo do niej, albo do którejś z sióstr czy któregoś z braci, do taty czy mamy. Zawsze było się komu zwierzyć, wypłakać smutki i rozczarowania pierwszych miłości... Co sprawiło, że czar prysł? Coś, co powinno zadziałać wręcz przeciwnie – dodać życiu barw: wybory Miss Polonia.

Cała rodzina namawiała Julię, rzeczywiście prawdziwą piękność, do udziału w tym konkursie. Odkąd skończyła osiemnaście lat, co i rusz ktoś chciał ją oglądać w koronie zwyciężczyni. Wreszcie, w dniu dwudziestych pierwszych urodzin, uległa namowom i zgłosiła się do organizatorów. Oczywiście, nie biorąc tego na serio i nie licząc na nic więcej niż na dobrą zabawę. Ale los miał co do pięknej rudowłosej, zielonookiej Julii poważniejsze plany. Konkursu nie wygrała, za to wpadła w oko producentowi programu. Tymoteuszowi Sternowi.

Długo zabiegał o jej względy – starszy od niej i niezbyt przystojny, apodyktyczny i wymagający, nie był wymarzonym księciem na białym koniu. Potrafił jednak zdobywać to, na czym mu zależało, a na pięknej młodej żonie, inteligentnej i na dodatek dobrze wykształconej, której wszyscy będą mu zazdrościć i która nie przyniesie mu wstydu na salonach, zależało temu magnatowi srebrnego ekranu bardzo.

Julia podejrzewała również – wtedy podejrzewała, teraz miała pewność – że jej pochodzenie, z niebogatej rodziny, z małego miasteczka, też miało niebagatelny wpływ na wybór Tymoteusza. Łatwiej było utrzymać w ryzach żonę potulną i zakompleksioną niż pewną siebie dziedziczkę wielkiej fortuny, czyż nie?

Po kilku latach udanego mimo wszystko małżeństwa, gdy ich córka Sandra poszła do pierwszej klasy szkoły podstawowej, Julia i Tymoteusz zawarli niepisaną umowę: ona przymyka oczy na jego wyskoki, on zaś daje jej święty spokój i pieniądze na godne życie. Pozostają małżeństwem, owszem, bo tego wymaga medialny wizerunek, Julia jest mu wierna, bo niewierności żony by nie zniósł, ale... tylko tyle.

Julia nie żałowała swojej decyzji. Nie śmiałaby, żyjąc tak spokojnie i dostatnio, skarżyć się na los, gdy wokół było tyle biedy i nieszczęścia. Jedyne, czego jej brakowało w tej złotej klatce, to właśnie przyjaciół, bo dawnych zostawiła w rodzinnym miasteczku, a nowych jakoś nie udało jej się w środowisku celebrytów zdobyć.

Gdy dwa tygodnie temu tylko ujrzała Kamilę, poczuła, że z tą młodą, ale poważną dziewczyną wiąże ją nić porozumienia. Że mogą się zaprzyjaźnić. Teraz więc na propozycję trójprzymierza odrzekła z serca:

– Bardzo bym tego pragnęła. I proszę mówić mi po imieniu.

Kamila odpowiedziała uśmiechem. Obie szczęśliwe przeszły do ogrodu, gdzie Julia znów musiała się zachwycić.

– Lubię mój strzyżony trawnik z basenem pośrodku, naprawdę lubię, ale to miejsce jest magiczne...

– I nie zamieniłabym go na żaden basen – zgodziła się Kamila, patrząc na swoje róże z miłością. – Wymaga ciągłej troski i krzątaniny, widzisz, wciąż trzeba pielić, walczyć z czarną plamistością liści, mszycami i innym tałatajstwem, usuwać przekwitłe pąki, podwiązywać zbyt długie pędy i tak dalej, w koło Macieju, ale... – Umilkła, bo zabrakło jej słów, by wyrazić, jak bardzo kocha swój ogród.

– Pomożesz mi założyć choć niewielkie rosarium?

– Pomogę. Pewnie, że pomogę! Chociaż nie jestem doświad-
czonym hodowcą. Ale przekopać kawałek ogrodu i posadzić kilka krzaczków potrafię.

– Myślałam, że sama tego dokonałaś... – Julia szła alejką, roz-
glądając się. Co chwila pochylała się nad kwiatem róż i wdychała
ich aromat. Wreszcie dotarła do ulubionego miejsca wszystkich:
ławeczki przy fontannie, otoczonej pergolą, po której pięła się
wspaniała, kwitnąca bordowymi gronami Sympathie.

Usiadły zgodnie obok siebie i cieszyły się ciszą przedpołudnia,
przerywaną od czasu do czasu odgłosami remontu.

– Dostałam ten dom i ten ogród od ojca – odrzekła Kamila. –
Od ojca, którego poznałam zaledwie parę tygodni temu.

– Wspaniały podarunek! – wykrzyknęła Julia.

Dziewczyna, zamiast przytaknąć jej z równym entuzjazmem,
pokręciła ledwo zauważalnie głową, uśmiech z jej oczu znikł. Julia
umilkła zdezorientowana. Czy powiedziała coś złego?

– Ojciec trochę nabroił i ta willa to takie odkupienie win – odrzekła Kamila, wzruszając lekko ramionami. Siliła się na nonsza-
lancję, ale zrobiło się jej ciężko na sercu na wspomnienie mamy
i ostatnich ośmiu lat. – Wybaczyłam mu, ale nie dlatego, że przeku-
pił mnie domem i różanym ogrodem. To po prostu dobry człowiek.

Julia przytaknęła, jakby się to rozumiało samo przez się.

– Dobry i szczodry. Jak mój mąż – dodała.

Tymoteusz w pewnym sensie wykorzystał naiwną dziewczynę
z małego miasta, jaką Julia kiedyś była, a i teraz do wzoru wiernego
małżonka było mu daleko – plotki o nowych romansach prezesa,
szeptane podczas oficjalnych imprez, w których miała obowiązek
stać u jego boku, często do niej docierały. Jednak Julia machnęła
w końcu na to ręką, bo Tymoteusz, cokolwiek by o nim mówić,
dbał o nią i o córkę i – taką Julia miała cichą nadzieję – one dwie

były dla niego całym światem. A że mężczyzna na pewnym stanowisku i w pewnym wieku rozgląda się za młodszymi...

– Mówiłaś o trójprzymierzu. Kim jest ta trzecia? – Spojrzała w kierunku ponurego domostwa spod jedynki.

– Gosia. Gosia Bielska – odparła cicho Kamila. – Myślę, że powinnam cię w paru słowach uprzedzić, co może nas z jej strony czekać. Gosia boi się właściwie wszystkiego. Ludzi, świata na zewnątrz, burzy... Tak, burzy boi się najbardziej, a – jak zapowiadają – burze mają się pojawić pod koniec tygodnia.

– Ja też boję się burzy – przyznała Julia, zupełnie jakby chciała być solidarna z nową, nieznaną jeszcze sąsiadką.

– Ale nie tak jak Gosia, wierz mi. – Kamila uśmiechnęła się mimo wszystko. – Ona wpada w panikę nawet na dźwięk odległego grzmotu, a wtedy trzeba znać magiczne słowa i mieć ciemną łazienkę pod ręką.

Opowiedziała Julii historię Małgosi, a raczej tę część historii, którą kiedyś poznała od Janki – resztę Gosia opowie kiedyś Julii sama, o ile zechce oczywiście – i nowa sąsiadka musiała przyznać, że jej strach jest rzeczywiście niczym w porównaniu z tym Gosinym.

– Będę pamiętała – obiecała Kamili, podnosząc się z nagrzanej słońcem ławeczki. – „Hold on, don't give up" i ciemna łazienka. Gdyby ciebie nie było, ja ją przygarnę.

Julia mimo wszystko nie wiedziała, do czego się zobowiązuje, bo nawet ją, Kamilę, za każdym razem widok Gosi, wyjącej pod oknem i uderzającej w szybę dłońmi, przyprawiał o atak serca, a potem było jeszcze gorzej... Jednak Kamila, naprawdę wzruszona tą deklaracją, objęła nową przyjaciółkę i ucałowała w policzek.

Czuła, że nie jest już sama. Że razem dadzą radę.

Musiała tylko, nim Julia powędruje do siebie, uprzedzić sąsiadkę o jeszcze jednym... A było to trudniejsze niż opowiadanie o burzach i łazienkach.

– Gosi przybył niedawno jeszcze jeden kłopot. Ma on na imię Mateusz i jest jej byłym mężem – zaczęła z wahaniem, ale potem słowa popłynęły same. – Moim zdaniem to furiat i kawał bydlaka, który ma w stosunku do Małgorzaty jakieś niecne plany. Nie pozwala jej do mnie przychodzić, nie pozwala mi się z nią zobaczyć. Gdy wczoraj wieczorem próbowałam zajrzeć do niej przez okno... sama zobacz... – Odwiązała apaszkę, którą od rana nosiła na szyi, a Julia aż jęknęła na widok sińców, jakie zostawiły na skórze Kamili szpony tamtego. – Mało mnie nie udusił – mruknęła. – I obiecał, że gdy zakradnę się do ich ogrodu – choć to nie żaden „ich", tylko Gosi! – następnym razem, to mnie zastrzeli.

Julia aż pobladła.

– Może... może więc nie powinnaś...

– Jeżeli Gosia powie mi to samo, więcej tam nie pójdę. Ale muszę usłyszeć to od niej. Nie od bydlaka, który nieproszony wdarł się do jej życia i dusi jej przyjaciółki.

Kobieta przytaknęła, ale bez przekonania. Kamila przyglądała się niedawnej sojuszniczce w milczeniu, wiedząc, że popełniła błąd. Julia mieszkała pewnie do tej pory na strzeżonych osiedlach, gdzie takie ekscesy po prostu nie miały miejsca, bo wzywało się ochronę i tyle. Duszenie sąsiadek? Strzelanie do nich, jeśli wpadną „w odwiedziny"? To się pewnie takim ludziom jak Sternowie nie mieściło w głowach. Tak jak do niedawna Kamila nie wierzyła, że gdzieś istnieje jakaś mafia, która zabija czyichś rodziców, ot tak, nie ponosząc za to na dodatek żadnej kary... A jednak Gosia w ten właśnie sposób straciła matkę i ojca, później inni odebrali jej synka i zdrowie. Czy teraz, gdy los zesłał tej nieszczęsnej kobiecie kolejnego dręczyciela, Kamila może machnąć ręką i o Małgosi zapomnieć?

Poczekam na Jakuba – obiecała sobie w duchu, widząc niepewność czy nawet dystans w oczach Julii. Ale nowo poznana sąsiadka zdziwiła ją w następnej chwili, bo uniosła nagle podbródek i rzekła stanowczo:

– Jeszcze dziś wpadnę pod jedynkę z sąsiedzką wizytą. Jeśli ten koleś potraktuje mnie tak samo jak ciebie, wrócę z ochroniarzem. A może nawet dwoma. Pod bronią. Ciekawe, czy wtedy też będzie tak wyrywny, by do nas strzelać.

Kamila oczyma duszy wyobraziła sobie, jak cicha, spokojna uliczka Leśnych Dzwonków zamienia się w Dziki Zachód, i... z początkowego zachwytu, z jakim słuchała słów Julii, została jedynie obawa. Musi jednak zobaczyć Gosię, porozmawiać z nią chwilę i usłyszeć od niej samej zapewnienie, że wszystko jest okej. Po prostu musi. Nie może spać spokojnie, sama bezpieczna i szczęśliwa, wiedząc, że Małgosia cierpi. Odwracając oczy na widok czyjejś krzywdy, udając, że „nic się nie stało", stajemy się tak samo winni jak ten, który krzywdzi i zadaje ból – o tym Kamila była przekonana. Nie zamierzała udawać, że za ścianą, u sąsiadki, jest wszystko w porządku. Bo nie było. Czuła to całą sobą. Nie było...

Rozdział XI

Poziomka – któż nie zna i nie tęskni za smakiem leśnych poziomek,
których słodycz i aromat nie mają sobie równych? A polana
usiana tysiącem białych gwiazdek o złotych oczkach?
W letni poranek nie ma nic piękniejszego niż wspólna wyprawa
na poziomki, a potem delektowanie się ich smakiem,
doprawionym odrobiną bitej śmietanki.

*W*ieczorem zadzwonił Łukasz. Był podekscytowany, co Kamilę szczerze ucieszyło. Ostatnimi dniami rzadko widywała uśmiech na jego twarzy – chyba że żartował z Jakubem czy kpił w jego towarzystwie z samego siebie. Gdy jednak był z Kamilą sam na sam, stawał się poważny, jakby o czymś głęboko rozmyślał czy próbował podjąć trudną decyzję.

Parokrotnie dziewczynie wydawało się, że już, już mają paść jakieś słowa, i... wcale nie chciała ich słyszeć. Podejrzewała bowiem, że nie będą to oświadczyny, wręcz przeciwnie. Zdawała sobie sprawę, co on czuje, jak bardzo jest zagubiony, sfrustrowany, niepewny siebie i bezradny. Dla niej było bez znaczenia, czy Łukasz widzi, czy nie, przecież ona, Kamila, zapracuje na nich oboje! Pragnęła jedynie jego bliskości, dotyku kochającej dłoni, pocałunków czy wreszcie intymności, którą mógł jej dać niezależnie od czegokolwiek. On jednak wydawał się oddalać od Kamili z każdym dniem.

Tak dobrze było więc usłyszeć jego pełen radości i nadziei głos, gdy opowiadał o przyjęciu do kliniki, o serii badań, którym od razu, jeszcze tego samego dnia, go poddano, o ostrożnych, ale optymistycznych rokowaniach...

Kamila słuchała jego słów z rosnącym sercem, cieszyła się wraz z nim, zupełnie jakby nazajutrz miał wracać, całkiem zdrów, do Polski, i... głos Łukasza zaczął przygasać. Znów coś zaprzątało jego umysł bardziej niż szpitalna rzeczywistość. Dziewczyna milkła również.

W końcu...

– Kamila, chciałbym cię o coś prosić – padły słowa, na które od dawna czekała.

Bo przecież czekała na nie, prawda? Marzyła, by Łukasz, właśnie on, żaden inny, poprosił ją może nie od razu o rękę, ale...

– Zgadzam się – odparła szybko, żeby nie zdążył się rozmyślić. – Kocham cię i zgadzam się.

Po drugiej stronie zapanowała cisza. Łukasz zacisnął palce na telefonie i przygryzł wargi. Domyślił się, jakich słów ona oczekiwała, wiedział, na co tak szybko wyraziła zgodę, i wzruszyło go to, naprawdę, lecz... nie chciał, tak bardzo nie chciał jej ranić...

– Chciałbym prosić, byś nie dzwoniła do mnie – powiedział cicho i zacisnął powieki, niemal czując jej ból jak swój własny.

– J-jak to? – zająknęła się. Marzenia o wspólnym życiu prysły, gdzieś w dali rozbrzmiał złośliwy chichot losu. – Nie chcesz mnie już znać? W ogóle mnie nie chcesz?

Starała się, by jej głos brzmiał spokojnie, wręcz sucho, ale... usta same zaczęły drżeć i ostatnie słowa zabrzmiały jak jęk, a zaraz potem po policzkach popłynęły pierwsze łzy. Słuchała, nie słysząc, jak on tłumaczy, że lekarze zalecili całkowite odcięcie od przeszłości i otoczenia. Oczywiście na czas terapii. Słuchała, że o to samo poprosi rodziców i braci. Rozumiała wszystko, każde słowo Łukasza, ale co z tego? Jego matka i tak będzie dzwonić, a on i tak będzie z nią rozmawiał. Z Jakubem, tym cholernym dobroczyńcą, również nie zerwie kontaktu, gdzieżby śmiał, i tylko z nią, Kamilą, rozstanie się na Bóg wie jak długo, może nawet na zawsze, bo lekarze tak zalecili...

– Gdybyś mnie kochał, nie prosiłbyś o to – wyszeptała przez łzy. – Nie zniósłbyś ani jednego dnia bez krótkiej rozmowy ze mną.

– Kamila, proszę cię... Przecież wiesz... – Urwał nagle czy raczej jemu przerwano. Jakub wyjął mu z rąk telefon i rzucił krótko:

– To ja, droga córeczko. Słyszę, że płaczesz, i domyślam się powodu, chociaż dopiero wszedłem do pokoju. Twój Łukasz nie zrywa z tobą, bo znalazł inną. Będzie tutaj poddany rozmaitym zabiegom, także psychoterapii, i tak, jest to rzeczywiście zalecenie lekarzy, a nie jego widzimisię: zero kontaktu z rodziną i przyjaciółmi.

– Z tobą także? – zapytała jadowicie, gniewnym ruchem dłoni ocierając łzy.

– Ja to co innego, bo ktoś musi płacić rachunki – odparł, zupełnie nic sobie nie robiąc ze wzburzenia dziewczyny. – Ale ty, jeśli kochasz Łukasza, dasz mu przez te kilka tygodni spokój.

Chciała wykrzyczeć, co myśli o takich zaleceniach. Chciała rzucić, że się nie zgadza, bo to nienormalne, by z chorym nie utrzymywać kontaktu, zamiast przeciwnie: mieć jak najczęstszy. Chciała... wiele chciała, lecz nagle zmroziła ją myśl: oni wszyscy uważają, że to jej wina. Że to przez nią Łukasz stracił wzrok. I niewiele się mylą. Znów poczuła pod powiekami piekące łzy żalu, a plecy przygarbiło poczucie winy. Odparła pokornie:

– Zrobię, co sobie życzycie. Nie będę dzwoniła.

Ale gdy Jakub pożegnał się i rozłączył, dorzuciła z goryczą:

– Jeśli to moja wina, to i twoja. Ciebie być może też kiedyś kobieta, którą pokochasz, „poprosi", byś zniknął z jej życia raz na zawsze. Przyjdź wtedy do mnie, a ja ci opowiem, jak to bolało i jak sobie z tym bólem radzić.

Rozejrzała się po domu, jeszcze przed chwilą skąpanym w ostatnich promieniach zachodzącego słońca, i poczuła, że razem ze słońcem coś zgasło w jej duszy raz na zawsze...

Z bólem złamanego serca każdy radzi sobie na swój sposób – o ile można w ogóle sobie z nim jakoś radzić – Kamila wierzyła w porządki. Zaciskając zęby, żeby nie rozpłakać się już teraz – dopiero w nocy, gdy jej łzy skryje mrok, będzie mogła pozwolić sobie na rozpacz – chwyciła odkurzacz, szczotkę i płyn do mycia okien i ruszyła do pierwszego, ukończonego właśnie dziś przez ekipę remontową pokoju. Było to niewielkie pomieszczenie tuż przy kuchni, wraz z przylegającą do niego łazienką, które Kamila przygotowywała dla Łukasza: ładny jasny pokoik z oknami wychodzącymi na ogród, pomalowany na delikatny miętowy kolor, z kremowymi kontrapunktami. Może ktoś by powiedział, że za bardzo kobiecy, ale Kamila nigdy jeszcze nie urządzała pokoju dla mężczyzny.

Ważniejsze od kolorystyki, której Łukasz nie mógł przecież widzieć, było to, że nie trzeba było pokonywać żadnych schodków, by dostać się do pokoju, kuchni czy łazienki. Łukasz byłby więc całkiem bezpieczny. Byłby...

Kamila, zeskrobując z parapetów i parkietu plamy po farbie, nie po raz pierwszy wyrzucała sobie naiwność. I to idiotyczne, przedwczesne, niechciane wyznanie: „Kocham cię, zgadzam się zostać twoją żoną i matką twoich dzieci, dopóki śmierć nas nie rozłączy...".

– Szkoda, że nie zgodziłam się od razu na pochówek we wspólnym grobowcu – warczała, szorując zapamiętale podłogę w ładnej kremowo-błękitnej łazience. – I na zwiedzanie, ręka w rękę, świata na emeryturze. Ale miałeś ubaw, Łukasz, słuchając mojego „zgadzam się". Ubaw do potęgi, zważywszy na to, że prosisz mnie o wolność...

Wściekła i zrozpaczona, cisnęła szczotkę do wiadra z wodą, aż ta chlusnęła na świeżo umyte kafelki. W tym momencie Kulka, na którą prysnęło trochę piany, posłała swojej pani urażone spojrzenie i podreptała do holu. Chwilę potem rozległ się dzwonek. Kamila otarła przedramieniem zaczerwienione oczy i ruszyła za pieskiem. Przed furtką stała Julia Stern. Pomachała do schodzącej na jej powitanie dziewczyny.

– Byłam tam – wskazała brodą dom obok, gdy Kamila otworzyła furtkę i zaprosiła sąsiadkę gestem do środka.

– I co? I co? – ożywiła się mimowolnie dziewczyna.

– Otworzył jakiś facet, zapytał mało uprzejmie, czego sobie życzę, a gdy powiedziałam, że jestem nową mieszkanką domu pod numerem 5 i wpadłam z dobrosąsiedzką wizytą, tutaj podałam mu brytfankę ze świeżo upieczonym ciastem – pokazała Kamili szarlotkę, którą ze sobą przyniosła – podziękował za miły gest, powiedział, że niczego nie potrzebują, i zatrzasnął mi furtkę przed nosem. Gosi nie widziałam, ale też nie wpuścił mnie za próg.

Błyszczące w półmroku oczy Julii przygasły.

– Miałam nadzieję, że będzie bardziej uprzejmy – dodała. – I rozwieje nasze podejrzenia, ale teraz... – Wzruszyła ramionami. – Sam się prosi...

Kamila słuchała słów kobiety, skubiąc mimowolnie zdobiącą ciasto kruszonkę. Powinna była wspomnieć o swoich obawach ojcu. Zamiast wyznawać miłość Łukaszowi, powinna była porozmawiać z Jakubem, ot co. Teraz zapewne ma wyłączony telefon... Wybrała numer i po kilkunastu sygnałach rozłączyła się zrezygnowana.

– Co robimy? – zapytała Julia, patrząc na ciemne okna domu obok.

– Nie mam pojęcia – szepnęła Kamila. – Nie wezwiemy policji tylko dlatego, że sąsiedzi nie chcą wpuścić nas do domu.

– On, ten cały Mateusz, nie jest sąsiadem – zauważyła przytomnie kobieta. – To obcy facet, eksmąż Małgosi, która go do siebie nie zapraszała.

– Może jednak zapraszała...?

– Przecież mówiłaś... – Julia uniosła brwi, ale Kamila pokręciła głową.

– Już sama nie wiem, co mówię. Co jest prawdą, a w co uwierzyłam, bo chciałam wierzyć – powiedziała z goryczą. To właśnie czuła w tej chwili: kompletny brak wiary w siebie, wszystko i wszystkich.

– Myślałam... – zaczęła Julia, ale znów umilkła. Nie znała Małgorzaty Bielskiej. Nie widziała jej na oczy. Wszystko, co o niej wiedziała, pochodziło od Kamili, a skoro Kamila nie wie, co o tym wszystkim myśleć i co robić, jak może wiedzieć ona, Julia? – Jestem obok – rzekła więc. – Gdybyś mnie potrzebowała, wystarczy zadzwonić.

Kamila kiwnęła głową i z ulgą zamknęła za sąsiadką furtkę. Znów się wygłupiła. Najpierw podnosi alarm, że pod jedynką mordują kobietę, a gdy przychodzi co do czego, „sama nie wiem, co mówię". Wściekła na siebie, powróciła do szorowania łazienki. Niech ten dzień wreszcie się skończy... Niech wstanie nowy, w którym nie narobiłam jeszcze tylu głupstw...

Kulka była chora. Biedna mała suczka, która jeszcze wieczorem biegała po ogrodzie, rano niechętnie wygramoliła się z koszyka, co Kamila skwitowała niefrasobliwym: „Coś ty się taka leniwa zrobiła, Kuleczko?", po czym wsiadła w samochód i pojechała do pracy, bo dziś umówiona była na spotkanie z właścicielem pierwszego pałacyku, jaki zamierzała kupić i wyremontować.

Postanowiła, że zanim pojedzie w Karkonosze i zakocha się w tamtym miejscu od pierwszego wejrzenia, a tym samym wyda kilka nie swoich milionów, wykaże się odpowiedzialnością oraz chłodnym umysłem i dokładnie sprawdzi dokumenty nieruchomości.

Właściciel pałacu zrobił na Kamili bardzo miłe wrażenie. Przedstawił akt notarialny zakupu ziemi wraz z zabudowaniami, pokazał zdjęcia, na których pałac prezentował się oszałamiająco, w malowniczych i przemawiających wprost do duszy dziewczyny słowach opowiedział jego historię, a na koniec uprzedził, że pałac cieszy się dużym zainteresowaniem inwestorów krajowych i zagranicznych i kto pierwszy, ten lepszy.

Kamila chciała być pierwsza.

Musiała być pierwsza!

Ten pałac zachwycił ją. Stanowił kwintesencję romantycznych wyobrażeń o przeszłości naszego kraju. Cztery kolumny, na których wspierał się portyk, szerokie schody, wielki hol, prowadzący do równie imponującego salonu, sali jadalnej i balowej o lśniących podłogach i wielkich oknach; marmurowe schody na piętro, gdzie mieściły się pokoje sypialne i gościnne, a potem na poddasze, pełne starych kufrów, wypełnionych skarbami z minionych epok... Kamila była pewna, że to perełka, której poszukiwał Jakub, czyż może go zawieść i przepuścić taką okazję?

— Za kilka tygodni wraca do kraju prezes firmy... — zaczęła, ściskając zdjęcia pałacu w dłoniach, jakby zamierzała już nigdy nie wypuścić ich z rąk.

– Wydawało mi się, że pani jest prezesem – zauważył miłym tonem właściciel pałacu.

– Tak, ale...

– I posiada pani wszelkie pełnomocnictwa – wpadł jej w słowo. Musiała przytaknąć. Rzeczywiście, mogła bez konsultacji z Jakubem kupić taką nieruchomość, jaka jej się podobała, o ile stan konta na to pozwoli. W przypadku pałacyku w Grojewie pozwalał.

– Co więc szkodzi, by to pani podjęła decyzję? – drążył pan Adam herbu Grojewic. – Wystarczy jedna krótka wizyta, by zakochała się pani w tym miejscu, tak jak ja się zakochałem – kusił. – A potem druga, u notariusza. Dokumenty, zapewniam panią, są w porządku. Jeżeli ma pani jakiekolwiek wątpliwości...

– Ależ nie mam! To po prostu zbyt wysoka kwota, bym mogła ją zapłacić bez porozumienia z ojcem!

Mężczyzna uśmiechnął się.

– Więc prezes Armiki jest pani ojcem?

– Właściciel. Prezesem jest...

– Tym bardziej powinna pani ufać swemu osądowi. Tak jak tatuś ufa pani...

Przysłuchujący się temu trzej dyrektorzy Armiki nie potrafili ukryć uśmiechów politowania. Co za tania gadka! Chyba dziewczyna nie da się tak łatwo podejść? Owszem, jest młoda, ale nie głupia, skoro postawiono ją na czele firmy i dano pełnomocnictwa?

Kamila wiedziała, że sprytny facet bierze ją na pochlebstwa, czuła, że za wszystkim może kryć się jakiś przekręt, jednak... ten pałac był tak piękny... Pojedzie na miejsce, przekona się na własne oczy o jego stanie, sprawdzi raz jeszcze dokumenty i wtedy podejmie decyzję. Nie będzie zważała na te wszystkie ostrzeżenia właściciela, że za chwilę może być już za późno. To rzecz oczywista, że jeśli chciał sprzedać nieruchomość, to jak najdrożej i jak najszybciej.

– Dobrze więc, obejrzę ten obiekt sama – odezwała się wreszcie. Pan Adam uśmiechnął się z aprobatą. Był nobliwym, przystojnym gentlemanem w wieku cioci Łucji i Kamili przyszło w tym momencie na myśl, że pasowaliby z ciocią do siebie. Może więc przy okazji kupna pałacu upiecze i drugą pieczeń?

Umówili się na pierwszy weekend września i rozstali w przyjaźni, ku niebotycznemu zdumieniu przysłuchujących się tej rozmowie dyrektorów.

– Pani Kamilo, może któryś z nas sprawdziłby najpierw historię tego pałacu, porozmawiał z konserwatorem zabytków, przejrzał księgi wieczyste? – zaczął ostrożnie Kamiński, nadzorujący remont kamienic należących do firmy, gdy tylko za panem Grojewickim zamknęły się drzwi.

– Akt notarialny wygląda bez zarzutu. – Kamila, przepełniona entuzjazmem i chęcią natychmiastowego zakupu pałacu wraz z otaczającym go parkiem, podała mężczyźnie teczkę z kserokopiami dokumentów.

– Nie można kupować nieruchomości na podstawie kserokopii – zauważył główny księgowy, którego Kamila zatrudniła zaraz po odejściu poprzedniego.

Posłała mu nieprzyjazne spojrzenie. Przecież to zrozumiałe, że nie kupi tego pałacu, ot tak, w ciemno! Ci faceci powinni mieć nieco lepsze mniemanie o córce właściciela firmy, który płaci im pensje!

– Obejrzę pałac, sprawdzę oryginały i wtedy zdecyduję – odezwała się pewna jednego: oni nie tyle starają się dobrze jej radzić, ile po prostu nie chcą, by dokonała transakcji życia. Pałac jest piękny, świetnie zachowany, a dokumenty bez zarzutu. Jeżeli ona, Kamila, byłaby tak zachowawcza jak tych trzech dyrektorów, nigdy nie dokonałaby tego, czego dokonała.

A czego ty właściwie dokonałaś? – włączył się naraz głos rozsądku. Jestem tu, gdzie jestem, i robię to, co robię. Aktualnie kupuję pałac w Grojewie – odpowiedziała samej sobie i wstała, kończąc tym wszelkie dyskusje.

By pozostać w zgodzie z własnym sumieniem, wysłała mail do Jakuba, który od trzech dni nie odbierał telefonów, i otrzymawszy krótką odpowiedź: „Masz wolną rękę", postanowiła kupić ten pałac. Tak po prostu. Jeżeli nic nie stanie na przeszkodzie, w sobotę pojedzie do Grojewa, a już w poniedziałek...

Gdy wieczorem wróciła do domu, znalazła Kulkę przy drzwiach. Piesek był nieprzytomny.

– Ratuj ją, ratuj... – powtarzała, patrząc z przerażeniem, jak Iza Zadrożna bada suczkę ostrożnie i bardzo powoli. Za bardzo. – Podaj jej coś, przecież ona umiera! Zrób coś, Iza, błagam cię!

Ale lekarka podniosła na nią oczy i pokręciła głową.

– Muszę najpierw pobrać krew i zrobić szybkie badanie. Nie podam leków w ciemno. Pomożesz mi... – Sięgnęła po zestaw probówek i igieł, na którego widok Kamili pociemniało przed oczami.

– Ale ja...

– Bez gadania. O tej porze nie skombinuję pielęgniarki. Albo ty, albo nikt.

Dziewczyna skinęła głową, zamykając oczy.

Widok własnej krwi był trudny do zniesienia, zaś wbijania się w chudą łapkę Kulki chyba nie zniesie. Trzymała jednak tam, gdzie kazała trzymać Iza, ściskała, kiedy trzeba było ściskać, a drugą ręką głaskała ledwo oddychającą Kulkę po główce, szepcząc:

– Żyj, Kuleczko, błagam. Co mi po Sasance bez ciebie?

Kochała swą willę, kochała stary ogród, ale przecież bez Kulki staną się one puste nie do zniesienia!

Iza wróciła po kilku minutach z niewielkiego laboratorium mieszczącego się na tyłach lecznicy i rzekła, kręcąc głową:

– To babeszjoza. Nie wiem, czy uda mi się twoją Kulkę uratować.

– Musisz! Przecież dostawała kropelki! Pilnowałam, by nie miała ani jednego kleszcza, ani połówki!

Lekarka wzruszyła ramionami. Kropelki kropelkami, a kleszcze jak były wredne, tak są. Bez dalszej zwłoki podłączyła kroplówkę i podała suczce kilka zastrzyków.

– To może potrwać – mruknęła.

– Mam czas – odparła Kamila, walcząc ze łzami.

– Ej, to nie twoja wina! – Lekarka szturchnęła ją w ramię. – Trafi się jedno krwiopijne bydlę, odporne na preparat, które zarazi psiaka, i koniec.

Łzy popłynęły Kamili po policzkach i zaczęły skapywać na głowę suczki.

– Mówiąc „koniec", miałam na myśli zakażenie, a nie twoją Kulkę. Nie opłakuj jej przedwcześnie – sarknęła Iza bardziej zła na samą siebie niż na Kamilę. Nienawidziła kleszczy, nienawidziła babeszjozy, nienawidziła z nią przegrywać, a nadal więcej zależało od odporności pacjenta niż od jej starań.

Siedziały naprzeciw siebie, patrząc na miarowo skapujące krople.

– Co z Łukaszem? – odezwała się lekarka, by przerwać nieznośną ciszę.

– Jest w klinice, dochodzi do siebie – odparła niechętnie Kamila. Dobrze pamiętała scenę sprzed kilku miesięcy, gdy zastała Łukasza i Izę sam na sam tu właśnie, przy tym stole, i pod tym względem nie miała do pani doktor za grosz zaufania. Może była wspaniałym lekarzem weterynarii, ale była również bezwzględną uwodzicielką cudzych mężczyzn.

– A doktor Staśko? – zapytała przekornie w następnej chwili.

Iza wzruszyła ramionami.

– Prawdę mówiąc, nie wiem. Rzadko go widuję.

– Przecież to twój mąż!

– Prawda?

Kamila spojrzała na lekarkę uważniej. Ileż goryczy było w pięknych zielonych oczach tej kobiety.

– Możesz myśleć o mnie, co chcesz – odezwała się Iza odpychającym tonem, natychmiast gasząc choć cień współczucia – i nic mnie to nie obchodzi. Mój mąż poślubił szpital, a dopiero potem mnie i widuję go rzadziej niż jego pacjenci. Nie wychodź za lekarza, ja ci to mówię.

– Przecież... – zaczęła Kamila, ale umilkła. Nie miała śmiałości dokończyć: „małżeństwo nie przeszkadza ci w uwodzeniu innych facetów".

– Wiem, co chcesz powiedzieć, wiem, co gadają o mnie ludzie, i wierz albo nie: to przeszłość. Właśnie jakiś czas temu coś sobie obiecałam i... cholernie tego żałuję. – Izie z trudnością przychodziło każde słowo.

Pragnęła się komuś zwierzyć. Z samotności. Z tego, że całymi dniami widuje jedynie czworonożnych pacjentów i ich właścicieli, a noce spędza sama w dużym pustym domu. Że brakuje jej czułego dotyku i pocałunków, jak każdej normalnej, młodej przecież jeszcze kobiecie. Że mąż, gdy wraca do domu, jest tak skonany, że ma siłę jedynie na kąpiel, ciepły posiłek i sen, a ona nie śmie go prosić choćby o przytulenie. Że chętnie by ją pewnie widział w ramionach innego mężczyzny, zamiast patrzeć na głód w jej oczach, głód, którego nie może zaspokoić. Że ona, Iza, nie może o tym – do cholery! – pogadać z przyjaciółką, bo takowej nie ma, od kiedy ostatnia z nich przyłapała Izę i swego małżonka na gorącym flircie.

I na koniec, że zasłużyła na to wszystko, bo rzeczywiście jest podłą dziwką, uwodzącą każdego, kto nosi spodnie, i...

Rozpłakała się.

Żałośnie. Bezradnie. Oparła przedramiona na stole, obok Kulki, i łkała cicho, drżąc na całym ciele.

Kamila obeszła stół dookoła i próbowała przytulić płaczącą kobietę, ale tamta odepchnęła ją.

– Łukaszowi też bym nie przepuściła, wiesz?

Nie. Kamila nie chciała tego wiedzieć ani nawet o tym słuchać.

– Miałam na niego chęć... pieprzyć ciebie i mojego męża... ale wtedy Łukasz tutaj, przed lecznicą, na moich oczach... miał ten wypadek... i ja przyrzekłam sobie, że już nigdy... I co?! – Nagle uniosła lśniące od łez oczy na Kamilę. – Ja dotrzymałam słowa!

Dziewczyna, nic z tego nie rozumiejąc, mogła jedynie przytaknąć. I modlić się, by wzburzona lekarka nie wyrzuciła jej z chorą Kulką za drzwi. Iza patrzyła na Kamilę długą chwilę, jakby szukała odpowiedzi na niezadane pytania, w końcu otarła oczy i odezwała się cicho:

– Przepraszam. Nie wiem, co mi odbiło. Naprawdę trudno wytrzymać w pustym domu, gdy można sobie pogadać jedynie do krzesła.

– Coś o tym wiem – odpowiedziała równie cicho Kamila. – Ja też mogę sobie jedynie do krzesła. I Kulki. Dlatego uratuj mi ją.

Przez następne dwie godziny siedziały obok siebie, czasem rzucając parę słów, ale częściej milcząc, i czuwały nad chorym pieskiem. Wreszcie Iza odłączyła pustą kroplówkę.

– Wracaj do domu. Jutro przyjadę i podam jej następną. No i bądź dobrej myśli. Dopóki ty się nie poddasz, psiak będzie walczył, wierz mi, to się sprawdza.

Kamila z ciężkim sercem wzięła Kulkę na ręce. Ona będzie walczyć do końca, ale czy suczka znajdzie siły, by przezwyciężyć chorobę?

Zasnęła dopiero nad ranem, z nieprzytomną Kulką na kolanach, gdy świt ozłocił świerki przed domem, ale nie przyniósł nadziei.

Rozdział XII

*Przylaszczka – cóż za śliczny, delikatny kwiatek, który cieszy oczy
leśnych wędrowców przez całą wiosnę... Mijamy tę niepozorną
roślinkę o różnych barwach płatków: białych, żółtych, fioletowych,
które otaczają złote serce z mnóstwem pokrytych pyłkiem pręcików,
i czasem może ktoś pomyśli, jak smutny wydawałby się las
bez małych, skromnych przylaszczek...*

Gosia trwała z dnia na dzień. Powoli traciła wiarę w to, że
ktoś sobie o niej przypomni i uwolni ją z bestialskich rąk
Tamtego – tak właśnie i tylko tak mówiła teraz o byłym mężu. To
nie był już Mateusz Wielicki, to był Tamten. Ciemiężyciel, który
ją pozbawił wolności i odarł z człowieczeństwa. Bezwzględny, bez-
karny kat, co biciem wymusza posłuszeństwo.

Mijał trzeci tydzień, gdy pozwoliła zamknąć się w małym pokoiku – „pozwoliła" to za dużo powiedziane, bo przecież Tamten
jej o zdanie nie pytał. Powoli zapominała, jak to jest być wolną,
zapominała, jak pachnie świat za oknem, jak przyjemne jest ciepło
słonecznych promieni na twarzy, jak wiatr chłodzi rozpalone czoło.

On nie pozwalał jej wychodzić nawet na taras. W ogóle nie wy-
puszczał Gosi z pokoju. Karmił i podrzucał środki czystości. To
wszystko. Gdyby nie szczęśliwy traf, że pokój miał własną niewielką
łazienkę, musiałaby pewnie załatwiać się do wiadra i myć w misce.

Pilnował jej, o tak. Pilnował swojej kury znoszącej złote jajka. Pieniądze płynęły nieprzerwanym strumieniem na konto, do którego hasło poznał już następnego dnia po uwięzieniu Małgosi. Mało nie zakatował jej wtedy na śmierć. Długo miała tamto lanie w pamięci, a ślady po nim na ciele...

Mimo to nie traciła ducha.

Tamten musi kiedyś stracić czujność! Po prostu musi!

Albo ktoś się wreszcie o nią, Małgosię, upomni!

Nie można jej przecież pochować i zapomnieć za życia! Nie jest to możliwe, by – ot tak – zniknąć ze świata i ludzkiej pamięci, prawda?

Prawda była, owszem, ale bardziej okrutna, niż się nieszczęsnej kobiecie wydawało. Przyjaciółka pamiętała i martwiła się, lecz... czekała. Nadal czekała na...

Na co właściwie czekasz, Kamila?

Aż na płocie obok wywieszą nekrolog, a nieutulony w żalu Mateusz Wielicki przyjdzie zaprosić cię na pogrzeb byłej żony? Dlaczego dzień w dzień mijasz obojętnie zamknięte okna willi Zacisze, nie poświęcając jej mieszkance ani jednej myśli? Tak bardzo absorbują cię własne problemy, że pozwalasz na cichą tragedię rozgrywającą się w domu obok? Dlaczego nie zgłosisz na policji zaginięcia przyjaciółki? Może w ogóle przyjaciółką nie byłaś?

Janka prędzej dałaby się Wielickiemu zabić, niż powstrzymać się od sprawdzenia, czy ze mną jest wszystko w porządku – myślała Gosia z goryczą. – Ale to była dzielna i mądra Janka. A ty, Kamila? Co musi się stać, byś pospieszyła mi z pomocą? Co ten drań musi mi uczynić, byś sobie o mnie przypomniała? Zabić?

Takie myśli chodziły Gosi po głowie – szczególnie wtedy gdy życie w czterech ścianach stawało się nie do zniesienia – ale nie otrzymywała na swe pytania odpowiedzi. Była Kamili i reszcie świata całkowicie obojętna i gorzka to była prawda...

Jakub... oto następne pytanie.

Człowiek, który był ważny dla niej i dla którego ona zdawała się ważna.

Namieszał w jej myślach, obudził nadzieje i... zniknął.

Dlaczego?!

Przestań, kobieto! Nie możesz zadręczać się i nim, bo zwariujesz, a Tamtemu o to przecież chodzi! O zamknięcie cię w Tworkach i zagrabienie Zacisza! Nie wolno mu na to pozwolić. Otwórz komputer, weź się do pracy. Zapomnij.

Zapomnij o rzeczywistości.

Zapomnij o uwięzieniu.

Tam, w tym, co tworzysz, jesteś wolna...

Gosia otworzyła plik z nowym zleceniem, które teraz oczywiście odbierał przez internet Tamten, i już miała zatracić się w pracy, gdy... nagle stężała od stóp do głów.

Do tej pory aura ją oszczędzała. Choć ona jedna. Burze omijały Milanówek. Ale dziś Gosia czuła, że zbliża się prawdziwa nawałnica, odległy jeszcze grzmot, który rozbrzmiał przed chwilą, tylko ją o tym upewnił, podnosząc włosy na karku.

Kobieta zakwiliła jak bezradne pisklę, tuląc głowę w ramionach.

Przez zamknięte od trzech tygodni okiennice przeświecał nadal brzask poranka, promienie słoneczne próbowały wedrzeć się do środka, ale Małgosia czuła, że gdzieś tam, na horyzoncie, którego ona nie widzi, zbierają się burzowe chmury. Z jej gardła powtórnie wydarł się jęk. Jak ona przeżyję tę burzę? No jak?

Odległy grzmot sprawił, że Kamila śpiąca z Kulką na kolanach, poderwała głowę i oprzytomniała natychmiast. Pierwszą myśl poświęciła choremu pieskowi, ale już następną Gosi, której nie widziała...

od jak dawna? Dwóch? Trzech tygodni? Jak to możliwe, by tak skutecznie wyrzucić najbliższą przyjaciółkę z pamięci?!

Dziewczyna podniosła się i ostrożnie położyła pieska na fotelu. Przez chwilę z troską i niepokojem przyglądała się chudemu ciałku. Kulka, ta żywa, wesoła Kulka, leżała teraz bezwładnie, łapki zwisały z fotela, oczy, zwykle wpatrzone w panią, zapadły się pod zamkniętymi powiekami...

Kamila, czując, że za chwilę się rozpłacze, wysłała esemesa do doktor Zadrożnej z prośbą o pilną wizytę, a sama pobiegła do sypialni po kołdrę, by wymościć Gosi wygodne gniazdko w łazience. Była pewna, że za parę minut, gdy burza zbliży się do uliczki Leśnych Dzwonków, będzie miała sąsiadkę u siebie na tarasie, z całych sił uderzającą dłońmi w szyby. Żaden Mateusz Wielicki nie powstrzyma takiej Gosi w szale...

Pociemniało, mimo że był to początek dnia. Wicher, który zerwał się nie wiadomo kiedy, pochylił czubki świerków. Kamila, tuląc do siebie Kulkę, stała w kuchennym oknie i czekała na Izę. Jeśli burza rozpęta się na dobre, lekarka nie przyjedzie, a jej pomoc była przecież psiakowi bardzo potrzebna. Wtem za furtką zamajaczyła jakaś postać. Dziewczyna bez namysłu pobiegła otworzyć. To była nieco pobladła ze strachu Julia.

W chwili kiedy Kamila otwierała furtkę, podjechało srebrne combi Izy Zadrożnej. We trzy, kuląc się od podmuchów coraz silniejszego wiatru, wpadły do domu.

– Zanosi się na niezły kocioł – stwierdziła lekarka, oglądając się za siebie. – Na wszelki wypadek zabrałam ze sobą zapasy. – Uniosła ciężką torbę wypełnioną medykamentami. – Glukoza, narkoza, co tylko chcecie. Nawet na tamten świat mogę was wysłać, jeśli będziecie nalegać.

Julia uniosła brwi w niemym zdumieniu. Nie poznała dotąd doktor Zadrożnej i jej nieco dziwnego poczucia humoru.

– Jak tam nasza pacjentka? – Iza pochyliła się nad Kulką i zaczęła delikatnie ją badać. – Jakby nieco lepiej. Podamy ci kotlet schabowy w płynie, mała, i zobaczymy, co dalej...

Zręcznie podłączyła kroplówkę pod uważnym spojrzeniem nieznajomej, której Kamila nie zdążyła jej przedstawić.

– To Julia Stern, moja nowa sąsiadka. A to Iza Zadrożna, nasza pani weterynarz – rzekła szybko dziewczyna.

Grzmot, całkiem już głośny, zagłuszył jej ostatnie słowa. Iza uśmiechnęła się i chciała sięgnąć po strzykawkę, by podać Kulce zastrzyk czy dwa, gdy... ręka zastygła jej w połowie drogi.

Upiorne wycie rozległo się jednocześnie z deszczem, który wściekle zabębnił o dach.

– Co to było? – wyszeptała Julia.

Kamila zaś krzyknęła tylko:

– Rany boskie, Gosia!!! – i wybiegła wprost w narastającą nawałnicę.

Przez strugi deszczu niewiele widziała. Nie miała też pojęcia, skąd dobiega lament Małgosi. Pierwsze, co przyszło Kamili do głowy, to furtka, łącząca oba ogrody, ale w zamku tkwił klucz, wbity od tamtej strony i przekręcony tak, by nie dało się go wypchnąć. Była to robota Wielickiego – Kamila nie miała co do tego najmniejszych wątpliwości.

Obiegła więc ogród, wypadła na ulicę, zalewaną coraz silniejszymi potokami deszczu, i ruszyła ku bramie sąsiadki, ale ta była również zamknięta. Z drugiej strony dochodził skowyt Gosi i wściekły głos Wielickiego.

Kamila rąbnęła pięściami w odrzwia.

– Co jej robisz?! Wpuść mnie, bydlaku!!!

Brama była zamknięta.

Wycie ucichło nagle.

To jednak, zamiast Kamilę uspokoić, przeraziło jeszcze bardziej. Rozejrzała się w rozpaczy dookoła. Uliczka była pusta. Brama i mur wysokie. Musi wrócić do domu po drabinę, a przez ten czas kto wie, jaką krzywdę tamten zrobi Małgosi...

Nagle z Sasanki wypadły Iza z Julią, próbując utrzymać wyrywany przez podmuchy wichru parasol.

– Co ty wyprawiasz, wracaj do domu! – krzyknęła lekarka, chwytając Kamilę za ramię, ale dziewczyna wyrwała się.

– Tamten bydlak morduje Małgosię! Muszę zobaczyć, co się dzieje po drugiej stronie! – krzyknęła, znów uderzając w zamkniętą na głucho bramę.

– Jaki znów bydlak?! Jak rany... – Iza, nie namyślając się długo, bo burza była coraz bliżej i nie dawała czasu na wahania, podbiegła do Kamili, chwyciła ją pod kolano i uniosła w górę. Dziewczyna podciągnęła się i... z krzykiem zeskoczyła na ziemię. W tym momencie skrzydło bramy odskoczyło i na ulicę wypadł purpurowy z wściekłości Mateusz Wielicki.

– Co ty wyrabiasz, durna babo?! Dasz nam spokój, wścibska pokrako?! – rozdarł się, ruszając ku Kamili.

Ta odruchowo cofnęła się dwa kroki, wpadając na Izę.

– Nie dam, dopóki nie zobaczę Gosi – odparła dziewczyna, czując za sobą wsparcie dwóch przyjaciółek.

– Małgorzata jedzie do lekarza, a wy spadajcie z podjazdu, bo dzwonię po policję!

Iza pociągnęła Kamilę ku sobie, zabierając ją z drogi rozjuszonego mężczyzny, ale dziewczyna wyrwała się.

– Dzwoń! Chętnie poczekam na jej przyjazd!

– Kamila, na miłość boską, nie czekaj na policję, bo cię przyskrzynią, tylko wracaj do domu – zaczęła perswadować lekarka.

– Ty nic nie rozumiesz! – krzyknęła dziewczyna. Po policz-kach spływały jej łzy zmieszane z deszczem. – On jej coś zrobił! Niech przyjeżdża policja! Jeśli nie ten bydlak, to ja ją wezwę. Ma-cie telefon?

Julia z Izą pokręciły głowami. Wybiegły przecież po Kamilę z parasolem, nie z telefonem! W tym momencie Wielicki wsko-czył do samochodu i nie zważając na drugie skrzydło bramy, któ-re pozostało zamknięte, włączył silnik i ruszył z impetem. Brama poszła w drzazgi.

One ledwo zdążyły uskoczyć przed samochodem.

Kamila krzyknęła.

Iza nie namyślała się ani sekundy, po prostu wskoczyła do swo-jego auta, krzyknęła do Kamili i Julii: „Wsiadajcie!" – i chwilę póź-niej gnały za czarnym volvo.

Przez potoki deszczu, zalewające ulicę, nie mógł jechać tak szyb-ko, jakby chciał, Iza również nie, ale mimo to dogoniła go i trzymała się w bezpiecznej odległości.

– Dokąd on jedzie? Jest z nim Małgosia? Co to w ogóle za gość? – zasypywała pytaniami przerażoną dziewczynę.

Kamila nie wiedziała, co jej odpowiedzieć. Czy Gosia jest z tym draniem, czy właśnie umiera ze strachu w swoim domu? Co one najlepszego robią? Gonią faceta po Milanówku, bo...? Nagle zoba-czyła rękę – rękę Małgosi – unoszącą się znad tylnego siedzenia i uderzającą raz, jeden jedyny raz, w tylną szybę i... już nie miała wątpliwości.

– Nie wiem, gdzie ten bydlak ją wiezie, ale wiem, że ona tego nie chce – odparła.

To Izie Zadrożnej wystarczyło. Już bez zbędnych pytań przy-spieszyła, skupiając się na prowadzeniu. Tamten przyspieszył rów-nież. Nagle samochodem zarzuciło. W strugach deszczu zahamo-wał tak nagle, że Iza mało na niego nie wpadła.

Zaklęła.

Drzwi volvo uchyliły się.

Ze środka wypełzła...

– Gosia! – krzyknęła Kamila i wyskoczyła na zewnątrz.

Nim dopadła przyjaciółki, volvo ruszyło.

Kamila pochwyciła wpół Małgosię i próbowała postawić ją na nogi. Z drugiej strony pomogła jej Julia, Iza podjechała autem i po chwili wszystkie cztery znalazły się w środku.

– Jest ranna? Wieziemy ją do szpitala? – Lekarka obejrzała się przez ramię, ruszając z miejsca.

– Ja nie wiem. Gosiu, jesteś ranna? – Dziewczyna pogładziła Małgosię po policzku, ale z ust kobiety wydobył się tylko żałosny skowyt. – Wracajmy do mnie, zamkniemy się z nią w łazience i dopiero zdecydujemy.

– W łazience?! – Iza uniosła brwi.

Julia, która znała historię Małgosi, kiwnęła potakująco głową. Była równie przerażona jak lekarka i prawdę mówiąc, marzyła o jednym: znaleźć się jak najdalej stąd...

Chwilę później srebrne combi zatrzymało się na uliczce Leśnych Dzwonków, skąpanej w strugach wody. Pół niosąc, pół prowadząc Małgosię, dotarły do środka i zamknęły za sobą drzwi z niewysłowioną ulgą.

– Jesteśmy w miarę całe i zdrowe? – zapytała retorycznie lekarka. – Jeśli tak, to co z tą łazienką?

Kamila nie odpowiedziała. Po prostu wskazała drzwi, za którymi już czekało wymoszczone kołdrą ciche i ciemne pomieszczenie. Położyły Małgosię na podłodze. Ona westchnęła cicho, zwinęła się w kłębek i wyciągnęła w rozpaczliwym geście dłoń, a Kamila pochwyciła ją i zaczęła, sama będąc bliską rozpaczy:

– *Hold on*, Gosiuniu, *don't give up*...

Julia pociągnęła lekarkę za rękaw i obie cichutko wyszły, zamykając za sobą drzwi.

Jeszcze nieco roztrzęsione przeszły do kuchni – Iza sprawdziła po drodze, czy Kulka leży pod kroplówką tak, jak ją zostawiły – i Julia nastawiła wodę na herbatę, uznając, że ciepły napój na rozgrzanie przyda się wszystkim, może oprócz suni.

Kuchnia nadal czekała na remont, ale Kamila uprzytulniła ją, jak tylko potrafiła. Można więc było przysiąść spokojnie za stołem, nakrytym obrusem w jagody i poziomki, z kubkiem w ręku i wysłuchać historii Małgosi, o co lekarka poprosiła Julię.

– Przyznam szczerze – zakończyła Julia swą krótką opowieść – że Milanówek kojarzył mi się z oazą spokoju. Aż do dzisiaj...

– Bo to bardzo spokojne miasteczko. Serio! Tylko ostatnio ludziom coś odbiło i... – Iza urwała na widok Kamili wchodzącej do kuchni. – I co? I co z tą bidulą?

Dziewczyna wzruszyła ramionami, bo gardło miała jeszcze ściśnięte z żalu i ze strachu.

– Czekałyśmy na ciebie z wezwaniem pogotowia albo policji – wyjaśniła Julia.

– I chyba dobrze – mruknęła Kamila. – Nie wiem, jak Gosia zniosłaby widok innych ludzi. A gdyby chcieli zabrać ją do szpitala, chyba by zwariowała do reszty.

– Ona nie zmarznie w tej łazience? – zatroskała się Julia, mając w pamięci rozłożoną na podłodze kołdrę. – Może spróbowałybyśmy we trzy przenieść ją do łóżka?

Kamila pokręciła głową:

– Gosia musi mieć jak najciemniej i jak najciszej. W przeciwnym razie znów wpada w panikę.

– To może ją chociaż przebierzmy w suche rzeczy. Jest cała przemoczona. Jak my – Julia spojrzała po sobie.

Rzeczywiście, u ich stóp na podłodze potworzyły się małe kałuże. Ale Kamila, która miała już za sobą dwie burze z Gosią w łazience, znów zaprzeczyła:

– Janka mi kiedyś powiedziała, żeby po prostu dać jej spokój, opatulić kołdrą i włączyć piecyk. Piecyk włączyłam jeszcze przed burzą.

Julia przyglądała się Kamili przez chwilę.

– Wiesz, jesteś niesamowita. O wszystkim pomyślałaś. A przecież Małgosia jest dla ciebie obcą osobą. Ani siostra, ani matka. Po prostu przyjaciółka.

Dziewczyna zaśmiała się.

– Aż przyjaciółka. Dłużej tu pomieszkasz, a też będziesz myślała o wszystkim, spokojna głowa.

Julia zmrużyła lekko zielone oczy i po chwili przytaknęła. Dopóki mieszkała w swoim miasteczku, też ruszała z odsieczą na najmniejszy sygnał o jej potrzebie. Nieważne, czy należeli do rodziny, czy byli sąsiadami, po prostu do potrzebujących wyciągało się pomocną dłoń. Znali się wszyscy, doskonale wiedzieli, że w razie tragedii czy klęski żywiołowej są zdani tylko na siebie. Kiedyś ty możesz potrzebować sąsiada, więc nie odmawiaj, gdy on potrzebuje ciebie – to była prosta zasada.

Dopiero gdy trafiła do Warszawy, fantastycznie i strasznie anonimowej Warszawy, oduczyła się wtrącać w czyjeś życie, gdy kilkakrotnie jej próby pomocy zostały chłodno odrzucone. Tutaj każdy żył dla siebie, i tylko dla siebie. Nie znało się najbliższych sąsiadów, nie wspominając o ich problemach, a tych, którzy starali się interesować życiem innych, traktowano z podejrzliwością. Julia, mająca naturę społeczniczki, była tym na początku bardzo rozgoryczona, ale w końcu przywykła.

Za to teraz zachwyciło ją postępowanie obu dziewczyn. Tak właśnie należało reagować na czyjeś nieszczęście: po prostu wyciągać pomocną dłoń, a nawet obie.

– A gdy Gosia się przebudzi, co wtedy? – pytała dalej, bo podczas następnej burzy to ona może gościć sąsiadkę w swojej łazience.

– Na początku jak zwykle będzie mocno zdezorientowana, ale zaraz potem będzie nalegać na powrót do domu. Jest nie do zatrzymania, gdy sobie coś postanowi. Mam jednak nadzieję, że tym razem zostanie na dłużej, bo jak powstrzyma tamtego bydlaka przed powrotem do jej domu, skoro Zacisze nie ma nawet bramy?

– Bramę się jakoś zabezpieczy... – zaczęła z namysłem Iza.

– To Gosię trzeba jakoś zabezpieczyć – przerwała jej Kamila. – Nie rozmawiałam z nią, nie wiem, co się tam działo przez ostatnie trzy tygodnie, ale ostatnie trzydzieści minut mi wystarczyło.

– Mogę zadzwonić do Tymka, przyśle kilku ochroniarzy – zaoferowała się Julia, ale dziewczyna pokręciła głową.

– Gosia nie zniesie niczyjej obecności.

– Trudny przypadek – zauważyła Iza.

Kamila mogła tylko przytaknąć. Bardzo pragnęła, by Gosia po przejściu burzy obudziła się jak gdyby nigdy nic, tak jak poprzednio, niewiele pamiętając. Bardzo chciała, by w świetle dnia nie okazało się, że siniaki i krwawe pręgi, które widziała na ciele kobiety, okazały się jedynie wytworem jej, Kamili, wyobraźni...

Z trudem powstrzymując łzy, przeszła do salonu, gdzie na fotelu leżała Kulka, uklękła, pogładziła główkę suczki i wyszeptała:

– Im dłużej znam ludzi, tym bardziej kocham zwierzęta.

W tym momencie suczka uniosła powieki i zamerdała słabo ogonkiem.

Iza Zadrożna wracała do lecznicy głęboko zamyślona. Przed wyjazdem zbadała raz jeszcze Kulkę i mogła uspokoić Kamilę: wyglądało na to, że suczka przezwyciężyła chorobę i teraz już tylko będzie zdrowieć, a to zawsze cieszy nie tylko właściciela, ale i lekarza. Potem zajrzała do łazienki, gdzie spała, czy raczej trwała w letargu, Gosia Bielska.

Lekarka nigdy jej wcześniej nie poznała – ona sama zamieszkała w Milanówku po zabójstwie Bielskich, a Gosia po odkupieniu willi od mafii i powrocie na ulicę Leśnych Dzwonków rzadko pokazywała się poza domem, a z czasem przestała wychodzić w ogóle. Prawdę mówiąc, okoliczni mieszkańcy uważali dom pod numerem 1 za opuszczony.

Gdy więc patrzyła na skuloną w pozycji embrionalnej kobietę, chorobliwie chudą, z widocznymi nawet w półmroku śladami uderzeń na twarzy i ramionach, serce się Izie ściskało ze współczucia i wściekłości. Wściekłości nie tylko na Wielickiego, ale i na siebie samą również, bo mieszkała zaledwie kilka przecznic dalej, a nic nie wiedziała o cierpieniu sąsiadki. Jak to możliwe, by w dwudziestym pierwszym wieku, w środku cywilizowanego kraju jakiś bydlak bezkarnie znęcał się nad kobietą? No jak?

Iza nienawidziła takich bydlaków.

Nienawidziła bestii, które zadają ból bezbronnym istotom, nie tylko kobietom i dzieciom, ale i zwierzętom. Traktowałaby takie bestie równie okrutnie, jak one traktują swoje ofiary, nie ma zmiłuj się. Oko za oko, zwyrodnialcu, ząb za ząb.

Nienawidziła...

I w tej samej chwili gdy dłonie zaciskały się na kierownicy w bezsilnym gniewie, doceniła kochającego, łagodnego Tadzia Staśko, swojego męża, który mimo wszelkich jej, Izy, wybryków i bólu, jaki nieraz mu swą niewiernością zadała, nigdy nie podniósł na nią ani ręki, ani głosu. Był, jaki był: pedantyczny, wiecznie nieobecny, jeśli nie ciałem, to duchem, zawsze zmęczony i przepracowany, ale dla żony i pacjentów nieskończenie cierpliwy i dobry. Po prostu dobry, szlachetny człowiek, jakich teraz coraz mniej. Czym ona, Iza, mu odpłacała?

Pełna wstydu i poczucia winy, przygryzła wargę, żeby się nie rozpłakać.

Weszła do domu na palcach, wiedząc, że Tadek wrócił ze szpitala przed jej wyjściem, i teraz śpi skonany. Jeszcze wczoraj trzasnęłaby drzwiami, żeby specjalnie go obudzić i ponarzekać. Przede wszystkim na niego. Teraz usiadła cicho w fotelu obok łóżka i długie chwile patrzyła na spracowanego starszego mężczyznę, który był jej mężem.

Uświadomiła sobie, że karała go przez te wszystkie lata. Za to przede wszystkim, że nie mógł dać jej dziecka, ale przecież wiedziała o tym i godziła się na to, wychodząc za niego za mąż. Sama mówiła głośno, że nie lubi i nie chce mieć dzieci. Co się więc zmieniło?

Karała go, bo był za dobry, za cichy, za pokorny. Mógł zarabiać dziesięć razy więcej, gdyby postawił się dyrekcji, a przynosił do domu jakieś śmieszne pieniądze. Zamiast dorabiać prywatną praktyką, uznawał tylko szpital, szpital i jeszcze raz szpital. Gdyby nie Izka i jej lecznica... Ech...

Jednak oddałaby wszystkie pieniądze za to, żeby po prostu był. Żeby nie czuła się tak strasznie samotna w pustym domu. Pustym całymi dniami i nocami...

– Kocham cię – wyszeptała, całując policzek męża, szorstki od zarostu. – Mam nadzieję, że zrozumiesz i wybaczysz mi to, co muszę zrobić.

Pogładziła go po tym policzku raz jeszcze i wyszła z pokoju, zamykając za sobą cicho drzwi. Potem zaś, nie zważając na ulewę, opuściła bezpieczny i przytulny dom, ruszając przed siebie...

Gosia obudziła się po południu, gdy burza minęła, a ekipa pana Wojciecha kończyła naprawiać bramę wyłamaną przez Wielickiego. Wyszła z łazienki z wyrazem kompletnego zagubienia na twarzy, który ustąpił nieśmiałej radości na widok Kamili. Dziewczyna, czuwająca do tej pory w salonie, z Kulką na kolanach, położyła suczkę na poduszce, wstała i wyciągnęła do Gosi ręce.

– Jak się spało? – zagaiła żartobliwym tonem, choć na widok sińców i ran, „zdobiących" twarz i ramiona przyjaciółki, chciało się Kamili raczej płakać, niż żartować.

– Dziękuję za ratunek – odrzekła Małgosia cicho, chwytając ją za dłonie i ściskając z całych sił. – Gdyby udało mu się to, co zamierzał... Straciłabym dom, na resztę życia zamknęliby mnie w szpitalu. Dziękuję, Kamila. Jesteś wspaniałą przyjaciółką.

Kamila milczała. Głównie dlatego, że przez zaciśnięte gardło nie przeszłoby żadne słowo. Ale również dlatego, że czuła się bardzo marną przyjaciółką, a właściwie żadną. Tylko burzy zawdzięcza Małgosia ratunek, ot co.

– Pozwoliłam się mu podejść, jak szczenię. Po prostu wszedł do mojego domu i został, a ja nie zrobiłam nic, żeby go przegonić – mówiła Gosia bardziej do siebie niż do dziewczyny. – A przecież wystarczyło zadzwonić na policję...

– To nie takie proste – odezwała się wreszcie Kamila. – A na pewno nie dla ciebie. – Dotknęła ledwo zagojonej rany na przedramieniu Małgosi i dodała łamiącym się głosem: – Przepraszam, Gosiu, że nie spostrzegłam wcześniej, co się z tobą dzieje. Pozwoliłam się zastraszyć temu całemu Mateuszowi, właśnie zamiast wezwać policję, a przecież ja byłam bezpieczna, tutaj, w Sasance, a ty...

– Czułam się jak w matni, wiesz? – odszepnęła Gosia i usiadła obok Kulki, bo nogi odmówiły jej posłuszeństwa. – Zamknął mnie i pilnował jak oka w głowie. Za dobre sprawowanie karmił i nagradzał spacerem po domu, za każdy przejaw buntu tłukł, niczym jakiś pieprzony właściciel niewolników. Mogłam krzyczeć do woli – nikt nie mógł mnie usłyszeć, za to tamten skutecznie potrafił uciszyć. Ech, Kamila... Jak ja mogłam dać się tak podejść, no jak?

Gosia pokręciła głową. Ramiona jej opadły. Tak jak do tej chwili zdawała się podekscytowana odzyskaną wolnością, tak teraz cała energia z niej uszła.

– Ej, koleżanko, już wszystko dobrze! – W głosie Kamili było więcej entuzjazmu, niż go czuła.

Prawdę mówiąc, jeśli Gosia nadal będzie żyła w takiej izolacji, każdy zbłąkany wędrowiec może wyrządzić jej podobną krzywdę jak Wielicki. Albo po prostu zamordować kobietę w tym wielkim, pustym domu, gdzie nikt nie usłyszy jej krzyku.

– Poradzimy coś na to, założymy kamery, opłacimy monitoring. Żadna z nas nie może być tak bezbronna – dodała, bo przyszło jej do głowy, że ona sama jest równie bezbronna w swojej Sasance jak Gosia.

I nagle zrozumiała coś jeszcze: dziś straciła poczucie bezpieczeństwa. Już wcześniej napad na Jankę nim zachwiał, ale tego ranka utraciła spokój ducha definitywnie. Jak teraz mieszkać, nadal samotnie, w pustym domu, gdy w każdej chwili ktoś może się do środka włamać i wyrządzić jej krzywdę?

Aż się wzdrygnęła.

Sasanka tonęła w promieniach ciepłego wrześniowego słońca, a Kamili wydało się, jakby nagle zapadł mrok. Gosia musiała dojrzeć strach w oczach dziewczyny, bo uśmiechnęła się dzielnie, ściskając jej zimne dłonie:

– Nikt więcej nam nie zagrozi. Ani tobie, ani mnie. Będziemy trzymać się razem. We dwie.

– We trzy – odparła Kamila nieco pewniejszym tonem. – Dom Janki ma nową właścicielkę. Też jak na razie samotną. Julia Stern. Poznasz ją niedługo i mam nadzieję, polubisz. Tylko błagam, Gosiuniu, nie potraktuj jej swym chłodnym, wręcz lodowatym „muszę już iść". Daj się tej biedaczce nieco do siebie zbliżyć, nim ją odepchniesz na bezpieczny dystans.

Kobieta uśmiechnęła się nikle.

– Muszę już iść – szepnęła i widząc minę Kamili, w następnej chwili zaśmiała się cicho. Zaraz jednak spoważniała. – Chyba... chyba nie mogę tam wrócić – rzekła ni to zdziwionym, ni zrozpaczonym tonem. – Boję się. Gdy pomyślę, że będę musiała patrzeć na pokój, w którym tamten mnie zamknął. Mijać te drzwi, widzieć schody, po których mnie ciągnął...

– Oczywiście, że nie możesz wrócić do tamtego domu! – wykrzyknęła Kamila z ulgą. Jej samej dalsze samotne mieszkanie w Sasance wydało się... trudne. – Zostaniesz tutaj. Właśnie skończyłam remont pierwszego pokoju. Proszę bardzo... – Chwyciła Gosię za rękę i przemocą poprowadziła do pokoju, który przygotowała dla Łukasza. – Tadam! Nowiutki, czyściutki, z łazienką i wszystkimi wygodami oraz wyjściem wprost do ogrodu. Jak się podoba?

Małgosia rozejrzała się po jasnym, czystym pomieszczeniu. Jeśli jednak Kamila spodziewała się wybuchu entuzjazmu i wdzięczności, musiała się rozczarować. W oczach kobiety zagościł typowy dla niej niepokój, jaki Kamila często widywała, za każdym razem gdy Gosia chciała uciec do domu. Tym razem jednak Małgosia bardziej bała się swojego domu niż tego nowego miejsca.

Z westchnieniem, które przypominało urwany szloch, odparła:

– Bardzo ładny. Jestem ci naprawdę wdzięczna za tę propozycję, ale...

– Nie ma żadnego ale, kochana – wpadła jej w słowo Kamila. – Jeśli wrócisz do swojego grobowca, ja nie zasnę spokojnie. I nie tylko dlatego, że będę się bała o ciebie... Zostaniesz? Chociaż na parę tygodni, dopóki nie założą kamer?

Gosia skinęła głową.

Patrzyły przez chwilę jedna na drugą.

I nagle na ich twarzach zagościł uśmiech. Teraz naprawdę nie były same. Miały siebie.

Rozdział XIII

Orlik pospolity – wcale taki pospolity nie jest, bo upodobał sobie lasy
bukowe, ale jeśli już go wypatrzymy, zachwyci nas bez reszty.
Na wysokiej łodyżce pyszni się niebieskofioletowy kwiatek o ciekawym
ułożeniu płatków: pięć zewnętrznych, wydłużonych tworzy wieniec,
otaczający pięć wewnętrznych, zaokrąglonych, które z kolei otulają
żółte niczym maleńkie słońca pręciki, uginające się od pyłku.
Śliczna to roślina i warto wybrać się w bukowiny, by ją odnaleźć.

Gosia powoli zadomowiła się w Sasance. Żeby niepotrzebnie
jej nie stresować obecnością obcych ludzi, Kamila przeniosła ekipę remontową pana Wojtka z wnętrz z powrotem na dwór.
Tam robotnicy do woli mogli szaleć na dachu, na rusztowaniach,
przy rynnach, na balkonach i tarasie. W domu wprawdzie było
głośno – jak to podczas remontu – ale nikt się po pokoju, gdzie
Małgosia spędzała całe dnie, nie kręcił.

Już następnego dnia po jej nastaniu w Sasance Kamila dokonała
niezwykłego odkrycia. Zawsze zastanawiało ją, jak ta cicha, niepeł-
nosprawna, nieśmiała kobieta daje sobie radę na co dzień, nie wychodząc z domu, jak w ogóle na utrzymanie tak dużej willi, którą
trzeba przecież ogrzać, zarabia. Na pierwsze pytanie szybko dostała
odpowiedź: Małgosia poprosiła Kamilę, by zgodziła się zostać jej
pełnomocnikiem, a Kamila bez wahania się zgodziła.

Wiedziała, że takie prośby nie mogą być dla Gosi łatwe: obca bądź co bądź osoba musiała załatwiać za nią wszelkie urzędowe sprawy, wymagające osobistego stawiennictwa. Wszystkiego, czego nie można było załatwić przez internet albo telefon, musiał się podjąć pełnomocnik. Gosia zdawała sobie sprawę, jak mogło to być uciążliwe dla Kamili, pamiętała, jak czasem sarkała na takie zobowiązanie Janka, ale... przecież nie miała innego wyboru.

– Próbowałam, wierz mi – mówiła Kamili, błagając ją wzrokiem o zrozumienie. – To nie jest tak, że przez wygodnictwo wolę posłać do ZUS-u czy skarbówki ciebie, ale... za bramą po prostu tracę przytomność. Potrafię dojść najwyżej do twojego domu, jeśli idę chodnikiem. Przez ogród docieram do domu Janki, a teraz Julii. Marzę o tym, Kamila, naprawdę marzę, by stać się normalnym człowiekiem, ale... – Urwała, wbiła spojrzenie w swoje dłonie, tak mocno zaciśnięte, że aż pobielały jej knykcie.

Kamila poklepała ją po ręce.

– Gosiuniu, ja się chętnie podejmę załatwiania twoich spraw, naprawdę. Przecież nie ma ich aż tak wiele.

Gosia kiwnęła głową. Kamila podała jej komputer, który przed chwilą przyniosła z Zacisza. Dziewczyna sama zaproponowała, że przeniesie do Sasanki skromny dobytek Gosi, bo ona na samo wspomnienie wielotygodniowego więzienia bladła. I Kamila zrobiła to: przeszła przez znów otwartą furtkę w towarzystwie pana Wojtka – sama chyba zwariowałaby ze strachu, że za drzwiami czeka Wielicki – a potem przemykała z pokoju do pokoju, ciesząc się, że nie ma z nią Małgorzaty. Dom przedstawiał obraz nędzy i rozpaczy już wcześniej, ale teraz poniewierały się jeszcze po nim stosy puszek po piwie i pustych butelek. Wszędzie panował chlew i Kamila przyrzekła sobie w duchu, że wróci tutaj, może w towarzystwie Julii, i ogarnie to pobojowisko. Na razie jednak zebrała parę ciuchów i przede wszystkim laptop – to jego Małgosia potrzebowała najbardziej.

Teraz wzięła swoje narzędzie pracy z rąk Kamili, która nie potrafiła ukryć ciekawości, uśmiechnęła się zagadkowo, wstała, pokuśtykała do regału z książkami i wyciągnęła jedną z nich. Kamili ulubioną. O dziewczynie takiej jak one dwie, zagubionej, trochę niecodziennej i bardzo romantycznej, która szuka swojego miejsca na ziemi. Małgosia pogładziła okładkę i wskazała najpierw na nią, potem na siebie.

Kamila podeszła do niej zaintrygowana.

– O tobie jest ta książka?

Gosia pokręciła głową.

– Ty ją napisałaś? – pytała Kamila z coraz większą ciekawością.

– Niee, nie jestem tak zdolna, ale... – Jeszcze raz pogładziła okładkę, jedną z najpiękniejszych, jakie Kamila widziała.

Dziewczyna wyrwała jej książkę z dłoni, otworzyła na stronie redakcyjnej i przeczytała z niedowierzaniem „Projekt okładki: Małgorzata Bielska", a potem westchnęła tylko z zachwytem i radością.

– Mam więcej książek z twoimi okładkami!

Gosia uśmiechnęła się i zaczęła wskazywać kolejne swoje dzieła. Była bardzo utalentowaną i wrażliwą graficzką, a jej okładki wyróżniały się pięknem i delikatnością.

– Mam dużo zleceń – wyznała, otwierając komputer. – Mogę sobie siedzieć i tworzyć. Zarabiam na siebie. Nie będę na twoim garnuszku. Potrzebuję tylko dostępu do internetu, żeby ściągać ilustracje, i kawałka biurka, choć może być stolik z kulawą nogą.

– Voilà! – Kamila szerokim gestem wskazała swój pokój, gdzie Gosia miała do wyboru i jedno, i drugie. Uśmiech na jej twarzy był dla dziewczyny największą nagrodą.

Zeszły na parter, bo przez furtkę, od strony ogrodu Janki, nadchodziła Julia. Od czasu pamiętnej burzy tak się jakoś utarło, że śniadania jadły razem, w Sasance.

Na tarasie wychodzącym na ogród rozstawiały stół i krzesła, Julia przynosiła ze sobą chleb domowego wypieku i wędliny – jak się okazało, przepyszne – Kamila w swojej nadal domagającej się remontu kuchni piekła ciasta, a Gosia, która ze swoją niepełnosprawną nogą mimo wszystko starała się być równie użyteczna, ozdabiała stół i nakrycia, zaparzała herbatę z sobie tylko znanej mieszanki. Potem zasiadały we trzy i delektowały się pysznym posiłkiem, przemiłym towarzystwem i ploteczkami z Milanówka i okolic, które zaczęła zbierać Julia, bardzo szybko, mimo nieśmiałości – a może właśnie dzięki niej – zawierająca znajomości w sklepie i na bazarku.

– Julcia, ja nie chcę nic mówić, ale od ładnych paru dni mamy wrzesień – zagaiła Kamila, gdy stół był już nakryty, a one zasiadły do śniadania.

Julia uśmiechnęła się nieco smutno, wiedząc, do czego dziewczyna zmierza, za to Gosia spojrzała na nią pytająco.

– Nasza sąsiadka została tu, do Milanówka, zesłana razem z córką, by latorośl poznała proste życie zwykłych zjadaczy chleba – wyjaśniła Kamila.

Gosia parsknęła śmiechem.

– Proste życie w willi Janki? W tych marmurach i basenach z fontanną? Doprawdy...

– Tak miało być, ale... gdzie owa latorośl? Chyba nie jest chora?

Uśmiech na twarzy Julii przygasł.

– Sandra się zbuntowała – wzruszyła ramionami – i zapowiedziała, że jak ojciec ją tutaj ześle, to ona się zabije.

– No, no, mała szantażystka. Rozumiem, że ulegliście?

– Tymoteusz oczywiście się przestraszył – odparła cicho Julia. – Chociaż... teraz myślę, że od początku oboje to ukartowali.

Obie, Kamila z Gosią, uniosły brwi w niemym zdumieniu.

– Może to okropne oskarżenie i całkiem niesłuszne, ale oni chyba chcieli się mnie pozbyć. – Julia spuściła głowę, by nie widziały łez, które rozbłysły w kącikach zielonych oczu.

Łatwo było wybuchnąć świętym oburzeniem i zaprzeczyć takim domysłom, ale i Gosia, i Kamila milczały.

– Nie jest mi tu źle, nie skarżę się – mówiła dalej Julia, bardziej do siebie niż do nich, chociaż wdzięczna, że jej słuchają, że ma się komu zwierzyć. – W każdej chwili mogę wrócić do Warszawy, bo tam też jest przecież mój dom, ale... mimo wszystko czuję się odsunięta, wyrzucona poza nawias własnej rodziny. Gdy nakazałam Sandrze przyjazd do Milanówka i rozpoczęcie nauki w tutejszym liceum, tak jak było to ustalone, ona po prostu... no, wyśmiała mnie. Powiedziała, że tatuś pozwolił jej zostać w domu i nigdzie nie będzie się przeprowadzać, a ja, jeśli się czuję samotna, mogę wreszcie kupić sobie psa, o jakim zawsze marzyłam. Rozumiecie: zamiast rodziny, zamiast córki i męża, których kocham, będę miała psa.

Julia nie płakała, mówiąc to. Po prostu była bardzo, bardzo smutna.

– Nie rozumiem – odezwała się cicho Gosia. – Normalnie nie rozumiem facetów. I nastolatków również nie, ale z tymi akurat miałam nikły kontakt. Ciebie znam krótko, Julia, ale wydajesz się ciepłą, fajną kobietką, jesteś niezwykle piękna i urocza, jak ktokolwiek mógłby chcieć się ciebie pozbyć? Nie rozumiem... Wiem, co w tej chwili myślicie, że mnie się taki jeden pozbył...

– Ja tak nie pomyślałam, sorry – wtrąciła Kamila z udanym oburzeniem.

– Ja też nie – dodała Julia.

Gosia uśmiechnęła się, mimo że nie było jej za wesoło, i mówiła dalej:

– Ale ja jestem kaleką i fizyczną, i psychiczną, ale ty, Julka... Na pstryknięcie możesz mieć każdego, którego zechcesz, ja ci to mówię.

– Ale ja nie chcę nikogo innego, tylko mojego męża i córki! – odparła żałośnie Julia.

– To walcz o nich. Wracaj do domu, dopóki jeszcze jakiś dom masz. I nie mówię tu o czterech ścianach, bo te stoją tutaj, po drugiej stronie muru...

– Też o tym myślałam. Spakuję się i wrócę bez uprzedzenia do Warszawy. Chyba mnie nie wyrzucą, co?

– W razie czego masz dach nad głową i nas.

– Niedługo tu pomieszkałaś – odezwała się naraz Kamila. – Chciałabym, żebyś była szczęśliwa, ale będę za tobą tęsknić.

Julia wstała, obeszła stół i uściskała ją serdecznie.

– Myślę, że całkiem niedługo ujrzysz mnie tu, przy tym stole, z powrotem. Oni mnie nie potrzebują.

– Ale my, owszem – ucięła Gosia.

Odprowadziły Julię do furtki i wróciły do domu, by pozmywać po śniadaniu. Nagle na schodach od strony podjazdu rozbrzmiały czyjeś kroki.

Gosia posłała Kamili pytające spojrzenie. Nie spodziewały się przecież gości, a potem, zupełnie jakby zapaliło się w jej umyśle czerwone światło, rzuciła się do ucieczki przez jadalnię. Kamila przez sekundę zastanawiała się, czy otwierać drzwi, czy gonić za Małgorzatą. I to ona wydała się Kamili ważniejsza.

– Gośka, poczekaj! – krzyknęła. – Co ci znowu odbiło?!

Dopadła kobietę w ogrodzie. Siłą zatrzymała, odwróciła ku sobie i patrzyła w przerażone niebieskie oczy, czując wszechogarniający smutek. Jeżeli łudziła się, że wraz z zamieszkaniem w Sasance Małgosia cudownie ozdrowieje i obłęd nie wróci – myliła się.

– No już, już, spokojnie, to tylko... – odwróciła się w stronę domu i aż pisnęła z radości i ulgi: – Jakub!

Wchodził właśnie na taras. Jak zwykle swobodny, niebywale przystojny i pewny siebie. Pan i władca tego domu i okolic. Pozwolił uścisnąć się córce, ale spojrzenie skierował ku Małgosi. Na jego surowej, męskiej twarzy pojawił się lekki uśmiech. Ona, jeszcze przed chwilą gotowa uciekać choćby górą, przez mur, teraz stała nieruchomo, jakby oczy i uśmiech mężczyzny ją hipnotyzowały.

– Jak się czuje Łukasz? Wszystko z nim w porządku? Kiedy będę mogła do niego zadzwonić? – dopytywała się Kamila, która przez ostatni tydzień nie miała ze Szwajcarii żadnych wiadomości. Telefony i Łukasza, i Jakuba milczały jak zaklęte.

Kiliński spochmurniał nagle i przeniósł spojrzenie z Małgorzaty na córkę.

– Chciałbym powiedzieć, że wraca jutro, zdrowy i szczęśliwy, ale skłamałbym – zaczął, ważąc każde słowo. – Potrzeba trochę czasu, tak mówią lekarze.

– Ale już wiadomo, co mu jest? Wiedzą, jak go leczyć? Będzie miał operację?

Jakub pokręcił głową.

– Nie będzie żadnej operacji – odparł. – Powtarzają to, co już słyszeliśmy w Polsce: to kwestia psychiki, nie urazu mózgu.

– Jak to psychiki?! – zdenerwowała się Kamila, choć już przecież słyszała tę diagnozę. – Przecież Łukasz chce widzieć! Bardzo chce! Nie wmówisz mi, że stracił wzrok na własne życzenie!

– Nie będę nawet próbował. To reakcja obronna na potężny szok.

– Wypadek miał przecież wcześniej! – jęknęła Kamila.

– Widocznie reakcja nastąpiła z opóźnieniem – odparł Jakub wymijająco.

Dopiero teraz w jego głosie zabrzmiały podejrzane nuty, których nie potrafił ukryć przed córką.

– Ty coś wiesz – wyszeptała. – Wiesz więcej, niż mi mówisz.

– Łukasz rozmawiał ze mną w zaufaniu. Nie dostałem zgody, by przekazać ci treść tej rozmowy. Wróci i powtórzy ci to, co powiedział mnie – odpowiedział łagodnie, ale Kamila odebrała to jak cios prosto w serce.

– O ile w ogóle wróci – rzekła z goryczą.

– Mam nadzieję. Pobyt w tej klinice jest naprawdę rujnujący – w głosie Jakuba zabrzmiały żartobliwe tony. – Wierz mi, że bardzo by chciał być tutaj, z tobą, ale jeszcze nie czas. Jeszcze musi trochę powalczyć. Przechodzi najróżniejsze terapie. Lekarze są dobrej myśli.

– Trudno, żeby nie byli za takie pieniądze... – Kamila wzruszyła ramionami.

– My też musimy być dobrej myśli – rzekł, znów patrząc ponad ramieniem córki na Gosię, która stała tam, gdzie Kamila ją zostawiła.

Jakub minął dziewczynę i ruszył ku Małgosi. Ona rozejrzała się, szukając odruchowo drogi ucieczki, ale... ogród Kamili, otoczony murem, z furtką zamkniętą na klucz, stał się pułapką. Wyjść można było jedynie przez taras, mijając po drodze nadchodzącego mężczyznę.

Zatrzymał się przed Małgosią, ujął jej dłoń i uniósł do ust. Ucałował delikatnie, ale nie wypuścił. Przyglądał się przez chwilę pociemniałymi z gniewu oczami śladom uderzeń na jej rękach, na ramionach, wreszcie na twarzy. Pogładził tak samo delikatnie siniak na policzku kobiety.

– On jest w domu? – zapytał cicho.

– Uciekł – szepnęła i wyswobodziła ręce.

– Ma drań szczęście. Gdyby wrócił, liczę, że mnie pani powiadomi.

– Ja... ja nie chcę na razie tam mieszkać. Kamila pozwoliła mi zająć jeden z pokoi tutaj, w Sasance.

– Mądra dziewczyna.

Jakub umilkł, patrząc na ponury dom pod numerem 1. Na pozór spokojnym mężczyzną targały dwa sprzeczne uczucia: wściekłość czy raczej zimna furia, wymierzona w Wielickiego, który śmiał podnieść rękę na tak kruchą i delikatną istotę jak Gosia Bielska, i... jeszcze coś, do czego nie chciał się na razie przyznać nawet przed samym sobą.

– Muszę na parę dni wyjechać do Wrocławia – odezwał się, znów opanowany, niemal chłodny. – Firma w końcu padnie, gdy nie będę jej pilnował. Ale wrócę...

Małgosia kiwnęła głową. Jeżeli miała nadzieję, że Jakub zostanie w Milanówku czy chociaż w Warszawie na dłużej, dając jej i Kamili poczucie bezpieczeństwa, nie było tej nadziei po niej znać.

Jakub pożegnał się i ruszył z powrotem do domu. Odprowadziła go wzrokiem. Patrzyła, jak zatrzymuje się przy córce, by zamienić z nią jeszcze kilka słów, wreszcie zniknął w drzwiach tarasowych, a Gosia westchnęła tylko. W umyśle miała chaos. Jej sercem miotało mnóstwo uczuć, od przerażenia do wdzięczności. Wreszcie pozostało tylko jedno uczucie i jedna myśl, ale do nich Gosia, tak jak przed chwilą Jakub, nie chciała się przyznać nawet w duchu, żeby nie kusić losu. Doświadczenie nauczyło ją bowiem, że to, co on dawał, równie szybko odbierał. Takie ciążyło nad nią fatum. Taka była jej karma...

– Gosiuniu, zaopiekujesz się Kulką? – zapytała Kamila, wyrywając kobietę ze smutnych rozmyślań. – Jakub przypomniał mi, że ja również prowadzę jakąś firmę i dobrze byłoby od czasu do czasu do niej zaglądać.

Godzinę później jechała do Warszawy, do biura Armiki, gdzie czekała świeżo upieczoną panią prezes niespodzianka. Jedna z tych niemiłych niespodzianek.

W biurze jak zwykle pracowało kilku mężczyzn, no i Magda, asystentka. Ta ostatnia podała Kamili plik korespondencji i dwa segregatory z kalkulacjami remontów dwóch kamienic, które tuż przed wypadkiem kupił Łukasz. Właśnie ruszali z pracami, uzyskawszy wszelkie potrzebne zezwolenia.

Dziewczyna podziękowała i z dokumentami pod pachą zaszyła się w swoim, to jest Łukasza, gabinecie. Otworzyła służbowy komputer, rzuciła okiem na pocztę i... oniemiała, ujrzawszy dwa pierwsze maile, a raczej ich treść.

Jeden był adresowany do niej, do Łukasza – do Łukasza?! – i do Jakuba – do Jakuba?! – i zawierał ekspertyzę prawną pałacu, który w najbliższą sobotę zamierzała obejrzeć, a potem kupić. Nie zlecała tej ekspertyzy. Któryś z dyrektorów wykonał ją za plecami Kamili i wysłał opinię nie tylko do Łukasza (który niby jak miał ją przeczytać?), ale też do Jakuba.

Dziewczyna aż zgrzytnęła zębami, czytając, że stan prawny nieruchomości jest niepewny, że swoje roszczenia zgłaszają spadkobiercy prawowitych właścicieli i cena dlatego właśnie jest zaniżona: obecny chce sprzedać pałac jak najszybciej. Nim utraci do niego prawa. W związku z tym autor tej ekspertyzy odradza zakup. Podpisano...

Drugi mail, dosłownie sprzed paru minut, od Jakuba do Kamili był krótki i treściwy: „Nie kupuj tego pałacu". Dziewczyna poderwała się na równe nogi, wypadła z gabinetu i ruszyła na poszukiwanie Andrzeja Zamorskiego, radcy prawnego Armiki. Dopadła go w jednym z boksów, jak z dwoma pracownikami dyskutował nad jakimś dokumentem.

– Co pan sobie wyobraża?! – krzyknęła wściekła. Głosy w biurze umilkły. Trzej mężczyźni przerwali dyskusję i patrzyli na Kamilę ze zdumieniem. – Dlaczego za moimi plecami dokonuje pan jakichś odkrywczych analiz i wysyła pan ich wyniki mojemu ojcu?!

– Próbowałem zasugerować wykonanie tej ekspertyzy zaraz po spotkaniu z właścicielem nieruchomości, ale mnie pani zbyła, więc...

– Więc wykonał ją pan bez mojej wiedzy i zgody, po czym skompromitował w oczach ojca, tak? Wyszłam na niekompetentną kretynkę, która chce za cztery miliony kupić niepewną nieruchomość?!

– Od tego właśnie jestem – zauważył spokojnie, choć awantura, urządzana mu przez młodszą od niego o jakieś dziesięć lat, rozwydrzoną smarkulę, i to awantura przy kolegach, nie była mu miła.

– Od czego? Od podważania mojego zdania?!

– Od doradztwa prawnego – wyjaśnił, pilnując, by w głosie nie wyczuła politowania, czy protekcjonalizmu. Lubił to miejsce, lubił swoją pracę i kolegów, których dobrał poprzedni prezes, odpowiadała mu również pensja i nie chciał tego wszystkiego stracić przez – jak się okazuje – dobre chęci i nadgorliwość. – Gdybym nie sprawdził dokumentów nieruchomości, którą chce zakupić firma, mogłaby mnie pani zwolnić dyscyplinarnie i...

– I może to właśnie zrobię – ucięła Kamila.

Tego było Zamorskiemu za wiele. Pobladł, jego szare oczy rozbłysły wściekłością i już chciał się odgryźć, ale zacisnął tylko szczęki, chwycił marynarkę i wyszedł z biura, trzasnąwszy drzwiami.

– Panowie też macie ochotę na samowolkę? – wycedziła Kamila jadowicie. – Proszę bardzo, droga wolna.

Pokręcili głowami, spuścili oczy i zajęli się przekładaniem papierów z miejsca na miejsce.

Kamila wróciła do swojego gabinetu, mijając bez słowa przestraszoną Magdę, zamknęła za sobą drzwi, opadła na fotel i... ukryła twarz w dłoniach.

Nie, nie chciało jej się płakać, przynajmniej nie z żalu. Nadal była wściekła, ale dlaczego?! Może to imię Łukasza w nagłówku maila tak nią wstrząsnęło? Jak można pisać wiadomość do kogoś, kto nie widzi? I kogo, prawdę mówiąc, już nic to nie obchodzi? Bo Łukasz ani razu nie zadzwonił z pytaniem o firmę. Ani razu nie zadzwonił z jakimkolwiek pytaniem, tak Bogiem a prawdą. Nie interesowała go już ani Armika, ani... Kamila.

Wcisnęła „odpowiedz" i napisała, nie do Łukasza, ale do ojca: „Dałeś mi wolną rękę, a teraz »Nie kupuj tego pałacu«? Zdecyduj się, czy mi ufasz, czy nie, i nie podważaj mojego autorytetu, do cholery!". Wysłała wiadomość i obróciła się razem z fotelem w stronę okna. Ze zbuntowaną miną i splecionymi na piersiach rękami wyglądała jak dziecko, któremu odebrano ulubioną zabawkę.

Telefon zadzwonił tak nagle, że aż drgnęła.

Jakub.

Czy ona, Kamila, chce z nim rozmawiać?

Czy chciała, czy nie, musiała odebrać.

– Słuchaj, dziecko drogie – zaczął na wpół żartobliwym, na wpół protekcjonalnym tonem, który wkurzył Kamilę jeszcze bardziej – to dobra, rzetelna ekspertyza i skoro Andrzej wyraźnie odradza zakup tego pałacu...

– To może Andrzeja mianuj prezesem? – wpadła mu w słowo.

– A ciebie co ugryzło? – zdziwił się. – Facet wypełnia swoje obowiązki, za to mu przecież płacimy...

– Wpakowałeś mnie w fotel prezesa, choć o to nie prosiłam, powierzyłeś firmę i nie możesz się, ot tak, wtrącać na każdym kroku! – wybuchnęła.

– Owszem, mogę, bo to moje cztery miliony zamierzałaś wydać – odrzekł już zupełnie innym tonem. Tonem, w którym nie było za grosz ciepła.

– Więc to teraz twoje cztery miliony?! Już nie Armiki?! Nie mogę dysponować nimi według własnego uznania?!

Po drugiej stronie panowała cisza, która przedłużała się niepokojąco.

– Jesteś tam?

– Jestem, droga córeczko, i coś ci powiem... – zaczął powoli i bardzo spokojnie. – Gdybyś zamierzała te pieniądze przehulać, rozpieprzyć na ciuchy czy władować w remont swojej rudery, nie mrugnąłbym okiem. Stać mnie na kaprysy jedynaczki. Ale ty chciałaś nabić kabzę bezczelnemu złodziejowi, przed czym uchronił cię radca prawny, i chwała mu za to. Szukaj nowej inwestycji, a tę sobie daruj, w przeciwnym razie cofnę ci pełnomocnictwa.

Oniemiała.

Po prostu ją zamurowało.

To tak pogrywasz z jedynaczką i każdym, kto wpadnie w twoje łapy, tatusiu?

A potem rozłączyła się bez słowa i nie odebrała żadnego z jedenastu przychodzących połączeń.

Gdy telefon w końcu umilkł, wstała, ponownie odnalazła Andrzeja Zamorskiego, odprowadzana spojrzeniami wszystkich współpracowników, a gdy mężczyzna uniósł głowę i spojrzał na nią, rzekła głośno, tak by słyszeli ją wszyscy:

– Przepraszam pana za mój bezsensowny i niegrzeczny wybuch. Rzeczywiście, jestem młoda i niedoświadczona i dziękuję, że uchronił mnie pan przed nietrafioną inwestycją.

Jeżeli szukał fałszu w jej słowach, to go nie znalazł. Wprawdzie pokory też w nich nie było, ale publiczne przyznanie się do błędu mu wystarczyło. Skinął głową i odpowiedział:

– Ja też przepraszam, może powinienem skonsultować się z panią przed podjęciem działań, ale Łukasz dawał nam wolną rękę. On wskazywał interesującą nieruchomość, do nas należała reszta. Myślałem... – urwał, widząc zmianę na twarzy dziewczyny. Wyglądała, jakby zaraz miała się rozpłakać.

– Łukasz wiedział, co robi. To dobre rozwiązanie – wykrztusiła. – Ja będę szukała tych wszystkich pałaców i dworków, panowie zajmiecie się całą resztą. – I umknęła do gabinetu.

Nie nadawała się na prezesa. Coraz bardziej była tego pewna.

Łukasz, błagam, wyzdrowiej i wróć, nim jeszcze bardziej się skompromituję... – pomyślała z rozpaczą. A potem usiadła do komputera i niechętnie, bardzo niechętnie, napisała do Jakuba: „Przepraszam, miałeś świętą rację, tylko nie mów do mnie więcej tym wstrętnym, pełnym politowania tonem...".

Rozdział XIV

Groszek pachnący – jest śliczny. Od giętkiej łodyżki,
szukającej delikatnymi wąsikami czegoś, po czym
mogłaby się wspiąć, przez drobne jasnozielone listki,
aż po kwiatek, czerwony, różowy, biały... którego kształt
przypomina głęboko skrywaną tajemnicę. Jest nią
bez wątpienia zapach, który zapamiętamy na całe życie...

Późną nocą, w zaciszu swojej sypialni, siedziała otulona kołdrą i patrzyła w okno, na ogród pogrążony w ciemnościach, na gwiazdy rozświetlające wrześniowe niebo, na wierzchołki świerków, uginające się lekko od nocnego wiatru...

Czuła tak przejmującą tęsknotę, że po prostu pękało jej serce. Chciała zobaczyć Łukasza. Musiała go zobaczyć! Choć na parę chwil... Poczuć jego ciepło, dotyk kochanej dłoni, muśnięcie ust... Czy pragnie zbyt wiele?

Kochała go, ale czy on jeszcze kochał ją? Jak długo trwało to milczenie? Od jak dawna nie dzwonił? Dlaczego, ilekroć ona próbowała zadzwonić, telefon miał zawsze wyłączony?

Tak, owszem, Jakub wyjaśnił niemal wszystko: terapia, odosobnienie, wstrząs psychiczny, blokada... To było jasne i zrozumiałe, Kamila nie rozumiała jednak, jak Łukasz, ten Łukasz, którego poznała i pokochała i który kiedyś kochał ją, z własnej nieprzymuszonej woli może z niej, ot tak, zrezygnować. Odciąć się. Wyrzucić ją z pamięci i z serca. Przecież gdyby nadal Kamilę kochał, zatęskniłby za jej głosem, jej dotykiem, jej bliskością, prawda?

Ale on się jej pozbył, tak jak Tymoteusz Stern pozbył się Julii.

Czy Kamila powinna zawalczyć o Łukasza, tak jak obie z Gosią radziły to sąsiadce? Może jutro rano wsiądzie w samolot i poleci do Szwajcarii, żeby choć przez chwilę... chociaż na krótko... zobaczyć go, przytulić?

Nawet o tym nie myśl. Jemu na tobie przestało zależeć. Gdyby nadal cię kochał, to pal licho terapię, przynajmniej by zadzwonił. Taka właśnie była prawda. Kamili pozostało się z nią pogodzić i jakoś żyć dalej. Po raz kolejny została porzucona bez słowa. Znów czuła, że jej świat się rozpada.

– Ciociu... – wyszeptała z głębi łamiącego się serca.

Po południu następnego dnia była w Krakowie.

– Wszelki duch Pana Boga chwali! – wykrzyknęła Łucja, chwytając siostrzenicę w ramiona. – Już myślałam, że całkiem o mnie zapomniałaś!

Bo tak było – pomyślała ze skruchą dziewczyna, wchodząc do mieszkania. Poczuła się, jakby wracała do przeszłości. Do tych lat, które spędziła w tym domu, pod skrzydłami kochającej cioci, nie mając pojęcia, jakie niespodzianki szykuje dla niej los. Nie wiedząc, że niedługo w jej życiu z powrotem pojawi się Jakub Kiliński, tym razem w roli nie ukochanego, ale ojca. Że dostanie od niego piękny dom z jeszcze piękniejszym ogrodem, który stanie się jej całym światem, ale cena za ów kawałek raju okaże się wysoka. Tak, tak, być może skazana została jakoś tam, odgórnie, na samotność, jak Gosia?

– Czemu płaczesz, dziecino? – zmartwiła się Łucja, nadal tuląc Kamilę do siebie.

Ona również czuła przemożną pustkę po odejściu swojej przybranej córki, ale to była normalna kolej rzeczy: dzieci wyfruwały z gniazd, a rodzice mogli się jedynie z tym pogodzić, wspierać je i czekać, czekać każdego dnia, każdej godziny na ich powrót.

Łucja tę pustkę wypełniała pracą i nowym hobby, jakim był Dyskusyjny Klub Książki, gdzie poznała ciekawych ludzi i zawarła parę przyjaźni. Miała nadzieję, że Kamila radzi sobie równie dobrze albo i lepiej – przynajmniej przez telefon wydawała się szczęśliwa i spełniona – tymczasem płakała teraz w ramionach opiekunki, a ta, głaszcząc dziewczynę po drżących plecach, zastanawiała się, kogo ma zamordować: Jakuba czy Łukasza.

To pytanie zadała na głos:

– Jakub czy Łukasz? Który okazał się większym draniem?

– Obydwaj – wykrztusiła Kamila. – Jakub nadal mną manipuluje, a Łukasz... on w ogóle przestał się odzywać. Czuję się, jakby to była jakaś cholerna powtórka z rozrywki. Znów facet zrywa ze mną bez słowa. Znów piszę do niego, nie otrzymując odpowiedzi. Czy ja jestem jakaś przeklęta, ciociu? – Podniosła na Łucję błyszczące od łez oczy.

– To nie ty. To ci przeklęci dranie – syknęła Łucja.

W tym momencie nienawidziła wszystkich mężczyzn, jak leci. Już raz odchodziła od zmysłów, widząc cierpienie Kamili. Teraz znów czuła tamtą bezsilność. I wściekłość.

– Pojedź do Łukasza i porozmawiaj z nim. Wyjaśnijcie sobie wszystko. Przynajmniej to jest ci winien. Sprawiał wrażenie tak przyzwoitego człowieka...

– On nadal taki jest... – Kamila poczuła się w obowiązku bronić Łukasza. – Tylko ten wypadek... i utrata wzroku.

– Wzroku, nie głosu. I wzroku, nie mózgu – odrzekła stanowczo Łucja. – Nie musi cię widzieć, żeby z tobą poważnie porozmawiać.

– Przechodzi psychoterapię i jest odcięty od świata, tak mi powiedział Jakub.

– A ty temu kłamcy uwierzyłaś...

Bo chciałam wierzyć – odparła w myślach Kamila. – I nadal chcę!

– Jeżeli ze swoją rodziną również nie utrzymuje kontaktu, jestem skłonna go zrozumieć – odezwała się Łucja stanowczo.

– Mam pojechać do Otwocka? – wyjąkała dziewczyna.

– Albo do Otwocka, albo do Szwajcarii. Gdzie ci pasuje. – Łucja wzruszyła ramionami. – I tu, i tam otrzymasz odpowiedź.

Kamila przyjrzała się cioci uważnie. Podpuszcza ją czy mówi serio? Wyglądało na to, że Łucja powiedziała to poważnie.

– Kamisiu, jeżeli Łukasz odciął się także od rodziców i oni również nie mają z nim kontaktu, to znaczy, że rzeczywiście takie są wymogi jego terapii i nie wolno ci w nią ingerować. Trudno, będziesz musiała się z tym pogodzić i dać Łukaszowi spokój do czasu, aż wróci do Polski. Jeśli zaś nie... po prostu obaj z Jakubem łżą w żywe oczy, bo są tchórzami – co do Jakuba mam tę pewność – i nie stać ich na wyznanie prawdy. Proste.

– Nie lubisz go – mruknęła Kamila. – Jakuba.

– Nie. I nie polubię. Choćby obsypał cię płatkami róż i stuzłotowymi banknotami, nadal pozostanie w moich oczach draniem bez sumienia, który najpierw uwiódł szesnastolatkę, potem przyczynił się do śmierci twojej mamy, a na koniec porzucił i milczał przez całe osiem lat, rozczulając się nad samym sobą i pławiąc w poczuciu winy. Tak nie postępuje człowiek honoru, drogie dziecko, oj nie.

Surowe to były słowa, ale prawdziwe.

– Ja mu wybaczyłam – odezwała się cicho Kamila.

– To dobrze. Potrzebowałaś tego. I potrzebujesz Jakuba. Ale na moje wybaczenie raczej niech nie liczy.

Dziewczyna mogła tylko skinąć głową. Ona przez osiem lat pogrążona była w depresji. Ciocia dodatkowo się o nią bała. Śmiertelnie bała.

– Chodź, wyskoczymy na coś słodkiego. Opowiesz mi o Sasance, tym małym śmiesznym psiaku, Gosi Bielskiej i wszystkim, o czym zechcesz opowiedzieć...

Kamila została do następnego ranka. Nieco ukojoną, Łucja odprowadziła do pociągu. Stały obok siebie, jeszcze blisko, a już za sobą tęskniąc.

– Przyjeżdżaj, ciociu, częściej – poprosiła Kamila. – Może w weekendy?

– Może w weekendy... – zgodziła się Łucja niezobowiązująco. – Tylko skończ wreszcie remont tego domu, żeby dla starej ciotki jakiś kąt się znalazł.

– Nie wiem, kogo masz na myśli, mówiąc „stara ciotka", ale tobie odstąpię własną sypialnię.

– A sama będziesz nocować w komórce pod schodami?

– Nic z tego. Komórka nadal w remoncie. Przytulę się do Gosi – zaśmiała się Kamila.

– Gdy sprowadzi się Łukasz, będzie wam trochę ciasno...

– Zmieścimy się. Chociaż... Gosia jest tak śliczna, że będę zazdrosna.

– Zmieniłaś się, Kamisiu. – Łucja przyglądała się dziewczynie przez chwilę. – Mimo tych wszystkich zmartwień, a może właśnie dzięki nim, jesteś silniejsza i bardziej pewna siebie. I chyba mimo wszystko szczęśliwsza...

– Bo znów porzucona – wpadła jej w słowo Kamila.

– On wróci do ciebie, zobaczysz. Byłby kompletnym głupkiem, gdyby tego nie zrobił, a nie wyglądał na głupiego.

Dziewczyna w odpowiedzi cmoknęła Łucję w policzek.

O wiele spokojniejsza wsiadała do pociągu powrotnego. W Warszawie zaś skierowała się nie na dworzec WKD, skąd mogła wrócić do Milanówka, ale do kolejki podmiejskiej, która zawiozła Kamilę prosto do Otwocka. Niektóre pytania domagały się bowiem natychmiastowej odpowiedzi. Nie mogła czekać...

Widok Julity Hardej przyprawił Kamilę o szok. W pierwszym momencie nie poznała kobiety, która otworzyła jej drzwi, a którą widziała przecież nie dawniej niż kilka tygodni temu. To nawet nie był cień dawnej Julity, ale jej szkielet...

Kamila wpatrywała się przez kilka chwil w wychudzoną do granic istotę, której oczy błyszczały chorobliwie w twarzy obciągniętej pergaminową skórą, tak napiętą na kościach policzkowych, że za chwilę mogła popękać i obnażyć nagą tkankę.

– Dz-dzień dobry – wyjąkała wreszcie, gdy jej przedłużające się milczenie i wgapianie w kobietę mogło być poczytane za niegrzeczność.

– Dzień dobry, cieszę się, że panią widzę – odpowiedziała tamta przyciszonym, nieswoim głosem. Kiedyś brzmiał on mocno, jednak miło dla ucha, dziś był niczym szelest liści na wietrze. – Proszę wejść, zapraszam... – Julita gestem dłoni podkreśliła słowa, których Kamila zupełnie się nie spodziewała. Nigdy nie była mile widziana przez matkę Łukasza. Nie spodziewała się ciepłego przyjęcia. Tymczasem...

– Może przychodzę nie w porę? – Nadal stała na progu, czując całą sobą, że powinna pożegnać się i odejść, bo Julita nie wyglądała na taką, co ma siłę przyjmować gości.

– Proszę wejść – powtórzyła tamta i dziewczyna, chcąc nie chcąc, ruszyła za nią.

Dom był pusty, grało tylko cichutko radio nastawione na muzykę poważną. Pasowała do tego wnętrza, ciszy opuszczonych pokojów i samej Julity, która nie była w najradośniejszym nastroju. Wskazała Kamili wygodny fotel przy stoliku kawowym i mimo jej protestów zaparzyła w imbryczku herbatę, po czym przyniosła ciasteczka i usiadła obok. Przez chwilę mieszały w filiżankach cukier. Ciszę przerywało jedynie delikatne dzwonienie łyżeczek.

– Przyszłam porozmawiać o... – zaczęła Kamila, ale urwała. Jechała tu z mocnym postanowieniem, że wyrwie z Julity wszelkie informacje, że będzie ją nękać dotąd, aż kobieta zadzwoni do Łukasza ze swego telefonu – od matki na pewno połączenie odbierze. Ale cała determinacja, z jaką tu przybyła, czy nawet agresja, znikła.

– O Łukaszu – dokończyła za nią Julita, a zabrzmiało to jak bolesne westchnienie. – Wiem tylko tyle, co łaskawie przekazał mi Jakub: mój syn jest poddawany terapii na oddziale zamkniętym, jakkolwiek źle by to zabrzmiało, i wszelki kontakt z nim jest zabroniony. To właśnie powiedział mi, jego matce. Nie wolno do niego dzwonić, nie przekażą mu listów, że o przyjeździe i zobaczeniu go nie wspomnę. – Jej oczy zaszkliły się mimowolnie, ale opanowała łzy.

– Nie rozmawiała pani z Łukaszem, od kiedy wyjechał? – Kamila w pierwszej chwili nie mogła w to uwierzyć.

A gdy Julita przytaknęła z bolesnym grymasem na twarzy, zapadła się w fotel i pokręciła głową. Teraz już wiedziała, co było powodem strasznego wyglądu tej kobiety: nie mogła znieść odseparowania od chorego syna. Syna, którego przez całe tygodnie nie opuszczała niemal na krok. Czuwała przy nim, gdy po wypadku leżał nieprzytomny w grodziskim szpitalu, pilnowała go niczym kwoka pisklę w Aninie, gdzie spędził kolejne tygodnie, niewidomy, załamany, bezradny...

Za to wszystko, za całą miłość i poświęcenie matki, otrzymała zakaz kontaktu z synem, przekazany jej na dodatek nie przez samego Łukasza, ale przez pośrednika.

Co za cholerne okrucieństwo! – nawet Kamila, która nie darzyła Julity sympatią, musiała to przyznać.

– Trudno mi to wszystko znieść – szepnęła Julita, jednak tym razem jej oczy pozostały suche, jakby wypłakała już wszystkie łzy.

– Widzę... przepraszam, że będę tak szczera... ale rzeczywiście widać, że pani cierpi...

– Nie mogę spać, nie mogę jeść, tylko snuję się po tym wielkim, pustym domu i myślę... – Julita utkwiła spojrzenie w swych chudych, niemal przezroczystych dłoniach.

– Musi pani jakoś się przezwyciężyć – odparła Kamila łagodnie. – Gdy Łukasz wróci, nie może zobaczyć pani w takim stanie...

Bo przerazi się śmiertelnie – dokończyła w myślach. – Ja się przeraziłam.

– Spróbuję. Naprawdę postaram się. Opowie mi pani, jak on się czuje? Jak sobie radzi? – zapytała błagalnie, a Kamilę zatkało, po prostu zatkało. Matka Łukasza myślała przez cały ten czas, że tylko ją od siebie odseparował, a z całą resztą świata normalnie utrzymywał kontakt! Jakież musiało być to dla niej bolesne...

– Ależ ja właśnie dlatego tu przyjechałam! – wykrzyknęła dziewczyna. – Bo myślałam, że od pani dowiem się czegokolwiek, że to z panią Łukasz rozmawia, a ze mną nie chce!

Obie nagle poczuły ulgę. I łzy w oczach. Łzy smutku, ale i wdzięczności. Nie zbliżyło ich to na tyle, by zostać przyjaciółkami, ale przynajmniej Julita nie była już wrogiem Kamili, a Kamila – Julity.

– Wrócił Jakub – odezwała się dziewczyna po dłużej chwili zgodnego milczenia, podczas której obie popijały aromatyczną, nie za mocną herbatę.

– Wiem, dzwonił do mnie. Z tym samym: Łukasz przechodzi terapię, nie wolno mu się z nikim kontaktować, dla własnego dobra jest odcięty od świata.

Kamila skinęła głową. Bardzo chciałaby do tej krótkiej suchej relacji dorzucić: „jego stan się poprawia, wróci zdrowy i szczęśliwy", ale nie mogła. Nic takiego Jakub jej nie powiedział, a jego wątpliwościami z Julitą nie miała serca się dzielić.

Uśmiechnęła się tylko, podziękowała za poczęstunek i miłe przyjęcie, wstała i już miała się pożegnać, gdy wyciągnięta do Julity ręka opadła bezwładnie. W momencie gdy kobieta podała jej swoją, kołnierzyk jej bluzki rozchylił się nieco, odsłaniając wbity w żyłę obok obojczyka wenflon.

Matka Łukasza nie chudła z tęsknoty i rozpaczy, była ciężko chora.

Stały naprzeciw siebie w milczeniu.

Kamila nie wiedziała, co powiedzieć, jak pytać, by usłyszeć prawdę. Wreszcie Julita rzekła cicho i spokojnie:

– Czekam na niego. Czekam na mojego syna.

I to było ich pożegnanie.

Wyszła wstrząśnięta.

Nie wiedząc kiedy i jak, dotarła do stacji SKM i wróciła do Warszawy. Również nie za bardzo zdając sobie sprawę z tego, co robi, kupiła bilet do Wrocławia i kwadrans później siedziała w pociągu, patrząc bezmyślnie w okno.

Chwilę wcześniej zadzwoniła do Julii – do własnego domu nawet nie próbowała, bo Gosia na pewno nie odebrałaby telefonu – by przekazała właśnie Małgosi, że Kamila nie wróci na noc, żeby zajęła się Kulką. Gdy wczoraj wychodziła z domu – czy rzeczywiście poprzedniego dnia była w Krakowie, a dziś pędzi do Wrocławia? – suczka odprowadziła ją do drzwi i wyglądała całkiem dobrze, zabiegi i starania Izy Zadrożnej dały efekt, mimo to Kamila martwiła się o pieska.

– Zadzwoń do lecznicy, Juleczko, i poproś Izę, by wpadła rzucić raz jeszcze okiem na Kulkę, dobrze? Ja muszę, naprawdę muszę, zobaczyć się z ojcem. Jutro będę z powrotem.

– O nic się nie martw. Poradzimy sobie. Ja, Gosia, Iza i nawet Kulka – pospieszyła z uspokojeniem jej sąsiadka. – Tak na marginesie: dziś rano, gdy wpadłam do was po przysłowiowy cukier, Małgosia niosła dzbanek kawy dla robotników.

– Małgosia?! Mówisz o Gosi Bielskiej?! Tej samej, która zwiewała do mojej sypialni na dźwięk obcego głosu?

– Dokładnie. Widać z ekipą zdążyła się oswoić. Choć przyznam, że postawiła ten dzbanek na tarasie i uciekła.

– Ale to już jakiś postęp.

Obie co do tego się zgodziły.

Kamila dużo spokojniejsza jechała więc do Jakuba, by prosić go, błagać, a jeżeli trzeba będzie, zmusić szantażem, płaczem czy czymkolwiek innym, żeby ściągnął Łukasza choć na kilka dni do domu. Rodzinnego domu. Ona sama może się z ukochanym nie widzieć, jeśli miałoby to zagrozić jego terapii, ale z matką Łukasz musi się spotkać. I to jak najszybciej.

Adres firmy Jakuba znalazła w internecie i miała nadzieję, że tam go właśnie zastanie, w przeciwnym razie musiałaby do niego dzwonić, a nie była to rozmowa na telefon. Była pewna, że słysząc jej prośby, groźby czy szantaże, powiedziałby krótko: nie.

Wrześniowy chłodny dzień dobiegał końca, gdy Kamila, wyczerpana psychicznie i fizycznie, dotarła w końcu na wrocławski

Rynek, a tam bez trudu odnalazła piękną, zabytkową kamienicę, z mosiężną tablicą Farmica Ltd na frontowej ścianie. W środku było jeszcze bardziej elegancko. Kamila nie miała pojęcia, kogo Jakub zatrudnił do zaprojektowania i urządzenia biura – wcale by się nie zdziwiła, jeśli byłoby to jego dzieło – ale efekt olśniewał: ściany pomalowano na kolor kawy z odrobiną mleka, kanapy dla oczekujących w holu miały barwę ciemnej śliwki, a dodatki starego złota. Wszystko razem przypominało szwajcarską bombonierkę pełną czekoladek.

Elegancka recepcjonistka poprosiła Kamilę grzecznie, by ta spoczęła na wygodnej kanapie, a sama zniknęła za drzwiami prowadzącymi do części biurowej. Po chwili, nim dziewczyna zdążyła nacieszyć wzrok obrazami olejnymi zdobiącymi ściany, powróciła, by rzec miłym głosem:

– Pan prezes zaprasza.

Jakub, rozmawiający przez telefon, posłał wchodzącej do gabinetu Kamili zdawkowy uśmiech, machnął ręką w niesprecyzowanym kierunku, by się rozgościła, przez kilka chwil słuchał uważnie rozmówcy, po czym rozłączył się, spojrzał na córkę i zapytał:

– Inspekcja, przyjacielska wizyta czy interesy?

– Ja też się cieszę, tatusiu, że cię widzę – odpowiedziała Kamila, siadając naprzeciw niego przy dużym dębowym biurku.

– Jestem zaskoczony. Mile zaskoczony...

– Po minie, jaką zrobiłeś na mój widok, odniosłam nieco inne wrażenie.

– Myliłaś się. A więc...?

– Powiedzmy, że się stęskniłam.

– Błagam, tylko nie wciskaj mi takich kitów, dziewczyno. Prędzej zatęskniłabyś do swojego kundla niż do mnie.

– A czy ja powiedziałam, że stęskniłam się za tobą? – rzuciła przekornie Kamila.

Jakub roześmiał się.

– Jak zwykle szczera do bólu. No dobrze, wracajmy do konkretów – spoważniał. – Co się dzieje?

Wstał, obszedł biurko i usiadł na fotelu stojącym w rogu pokoju, wskazując drugi Kamili.

– Byłam w Otwocku – zaczęła, uważnie dobierając słowa. – Rozmawiałam z mamą Łukasza.

Jakub od razu wychwycił miękkie tony w głosie dziewczyny i zdumiało go to, ale słuchał dalej w milczeniu, nie okazując żadnych uczuć. Zaczął się domyślać, do czego ona zmierza, i wcale mu się to nie podobało...

– Jakub, ona wygląda po prostu strasznie – dokończyła Kamila, patrząc na ojca błagalnie. – Tęskni za Łukaszem i pragnie go zobaczyć. M u s i go zobaczyć!

– Nawet kosztem jego zdrowia? – zapytał cicho. – Rozmawiałem z Julitą kilka dni temu, prosiła o to samo co ty, ale wytłumaczyłem jej, tak samo jak tobie, że przyjazd Łukasza na kilka dni nie jest możliwy. Ona zrozumiała, ty widać nie.

– Nie chodzi o mnie! – Kamila poderwała się na równe nogi, bo nie mogła usiedzieć w miękkim fotelu ani chwili dłużej. – Nie skamlę o spotkanie z narzeczonym, bo tęsknota na mózg mi padła! Proszę o to dla Julity, dla matki Łukasza, nie dla siebie! Gdybyś ją widział... gdybyś zamiast telefonu pojechał do Otwocka i ją zobaczył... – Głos się jej załamał, ale nie miała zamiaru zrezygnować. Zmusi ojca do ściągnięcia Łukasza ze Szwajcarii. Po to tu przyjechała.

– Nie wiesz, o co prosisz – odrzekł cicho, stając naprzeciw niej. – Julita pogodziła się z sytuacją. Żadna matka nie zaryzykuje dla własnego widzimisię zdrowia dziecka. Łukasz tam, w Szwajcarii, ma ostatnią szansę na odzyskanie wzroku. Myślisz, że Julita zaprzepaści tę szansę, bo się za nim stęskniła? Nawet gdyby stała nad grobem, wolałaby...

– Ona stoi nad grobem – przerwała mu z naciskiem. – Matka Łukasza jest umierająca.

– Jest tylko przemęczona. Ma dość...

– Ty mnie chyba nie słuchasz: Julita jest ciężko chora, śmiertelnie chora – powtórzyła. – I czeka tylko na niego. Na Łukasza. Jeżeli on nie zdąży się z matką zobaczyć, nigdy ci tego nie daruje, czy będzie widział, czy nie.

Jej słowa przebrzmiały w ciszy.

Jakub patrzył na dziewczynę z twarzą zupełnie nieruchomą. Bez żadnych uczuć. Kamila nie mogła poznać, o czym myśli, więc po przedłużającym się milczeniu ponagliła go:

– Przywieziesz Łukasza?

– Nawet jeśli ryzykowałbym skutecznością tej cholernie kosztownej terapii?

– Tak.

Zacisnął szczęki z bezsilnej frustracji.

– To nie jest takie proste – wycedził w następnej chwili. – Trzeba zamówić śmigłowiec i to nie stąd, z Polski, ale stamtąd. Jak się domyślasz, Szwajcarzy cenią się o wiele wyżej niż my. Prawdopodobnie uznają też, że kuracja miałaby szansę się powieść, gdyby Łukasz jej nie przerywał, i obciążą mnie pełnymi kosztami, mimo że zupełnie nie przyniosła efektów. Do tego pobyt w klinice...

– I to jest twoja odpowiedź na prośbę umierającej matki? Forsa? – W głosie dziewczyny zabrzmiało coś, co bardzo się Jakubowi nie spodobało: pogarda.

– Którą ty, ot tak, szastasz, bo nie jest twoja – odparł zimno. – Gdybyś przepracowała uczciwie choć jeden miesiąc, byłabyś mniej rozrzutna. Ale ty potrafisz wydawać lekką ręką jedynie cudze pieniądze, moja kochana, rozwydrzona córeczko.

Twarz dziewczyny pociemniała z gniewu. Miała ochotę go uderzyć, skoczyć nań z pazurami i wydrapać mu oczy, zacisnęła pięść, ale nim uniosła rękę, on rzekł uprzejmie i lodowato zarazem:

– Uprzedzam, że tym razem oddam. Nie dostaniesz w twarz, bo nie biję kobiet po twarzy, ale z racji tego, że jestem twoim ojcem, przełożę cię przez kolano i wpieprzę ci na gołą dupę. Opuść więc tę rękę, bo zaboli.

Opuściła. Ale nie powstrzymała się od następnych słów, wypowiedzianych takim samym tonem co jego:

– Twoja forsa, twoja firma, twoja łaskawość, twoja krucjata o twojego przyjaciela. W tym, co robisz, nie ma za grosz altruizmu. Nie dajesz z siebie nic bezinteresownie. Wszystko to ma podbudować twoje pieprzone ego, rozbuchane do granic przyzwoitości! Normalnie zbiera mi się na wymioty, gdy to słyszę, i muszę patrzeć na twoją zadowoloną z siebie gębę!

– To nie patrz – uciął, chwycił ją za ramię i po prostu wypchnął z gabinetu.

Stała przed drzwiami, z trudem łapiąc oddech.

Przyjechała tu w dobrej wierze, w dobrych intencjach. Chciała tylko pomóc Julicie. Nic więcej. A wyszło, jak wyszło... Poczuła łzy napływające do oczu, ale nie mogła się przecież rozpłakać przy podwładnych Jakuba, którzy przyglądali się krótką chwilę stojącej pod drzwiami szefa dziewczynie, po czym powrócili obojętnie do pracy.

Drzwi za jej plecami otworzyły się nagle.

Jakub, z narzuconym na ramiona długim czarnym płaszczem, minął ją i rzucił sucho:

– Chodź.

Bez słowa ruszyła za nim.

Rozdział XV

Wrzos zwyczajny – czyż można wyobrazić sobie las
bez polan porośniętych wrzosem? Ta krzewinka cieszy
swą urodą, zwykłą, nie tak spektakularną jak choćby konwalia,
przez cały rok: wiosną okryta jasnozielonymi pączkami,
latem ciemnozielona, wpadająca w srebro, jesienią
obsypana drobnym fioletowym kwieciem, zaś zimą
oszroniona igiełkami lodu. Wrzos i brzoza – lubią nawzajem
swoje towarzystwo, a my lubimy podziwiać ich proste,
a przez to tak niezwykłe piękno.

*P*oprowadził Kamilę na drugą stronę Rynku, do bliźniaczej niemal kamieniczki, nieopatrzonej jednak żadną tabliczką, a tam z holu do windy, która zawiozła ich na ostatnie piętro, wprost do jego apartamentu.

Ponownie, jak parę minut wcześniej, machnął ręką, co miało zapewne znaczyć: „rozgość się", a sam rzucił płaszcz na oparcie krzesła, przeszedł do niewielkiego salonu i z butelki, stojącej na tacy pośrodku stolika, nalał sobie pół szklaneczki złocistego trunku. Wychylił jednym tchem do dna.

Obracał przez chwilę pustą szklankę w palcach, patrząc niewidzącym wzrokiem przed siebie, a potem odezwał się tonem spokojnym, choć bardzo chłodnym:

– Okej. W przyszłym tygodniu Łukasz wraca do Polski. Pieprzyć jego oczy, na które już pewnie nigdy nie będzie widział. Masz telefon, dzwoń do Julity i przekaż jej tę radosną wiadomość. O powrocie syna, nie o jego oczach, rzecz jasna.

Podał Kamili swoją komórkę. Na wyświetlaczu widniał numer matki Łukasza.

– Dzwoń, dzwoń. Następny telefon wykonasz do niego – ponaglił córkę, gdy ta, nagle niepewna tego, po co tu przyjechała, zamiast nacisnąć zieloną słuchaweczkę, zaczęła obracać komórkę w palcach, jak przed chwilą Jakub czynił to ze szklanką whisky.

Zaśmiał się krótko.

– Nie jest to takie łatwe, co? Decydować o czyimś życiu czy chociaż zdrowiu. Ale skoro masz przez resztę życia rzygać na mój widok, proszę, decyzja jest w twoich rękach. Ja zrobię wszystko, czego sobie życzysz.

Jego głos nie ociekał ironią. No, wcale.

Mimo to Kamila nie zareagowała złością, jak uczyniłaby to jeszcze parę minut temu. Nie zripostowała w podobny sposób. Nie odcięła się bolesnym słowem. Po prostu milczała jeszcze chwilę, po czym odrzekła powoli:

– Wybacz, Jakub, ale uważam, że tak trzeba.

Spojrzała na jego telefon, odnalazła numer do Łukasza i już czekała na połączenie.

Twarz Jakuba stężała. Ale nie z gniewu na córkę, że właśnie rujnuje wszystko, o co on w ostatnich tygodniach walczył. Nie. W tej chwili, po jej słowach, zrozumiał, że mówiła prawdę. Że z Julitą jest naprawdę źle, a może nawet gorzej niż źle.

– Poczekaj. – Wyciągnął Kamili telefon z ręki i przerwał połączenie. Uniosła na niego poważny, pytający wzrok. – Szkoda, że piłem – dodał pozornie bez związku, po czym zadzwonił do firmy i rzucił głosem nieznoszącym sprzeciwu, znów władczy i pewny siebie:

– Pani Anno, samochód z kierowcą. Za dziesięć minut. Tak. Dziękuję. – Po czym zwrócił się do Kamili: – Odwiozę cię do Milanówka, a sam jutro rano odwiedzę Julitę, potem... zacznę działać. Nie, nie będę od razu ściągał do Polski Łukasza – dodał, widząc nadzieję w oczach córki. – Najpierw zorientuję się, na ile poważny jest stan jego matki i co mogę dla niej uczynić.

Brzmiało to rozsądnie.

Kamila skinęła głową.

Nie pozostało już chyba nic do dodania oprócz...

– Ja z tym wymiotowaniem nie mówiłam serio – odezwała się zawstydzona tamtym wybuchem i tamtymi słowami.

– Mam taką nadzieję – odparł, ale bez uśmiechu, a Kamila poczuła ukłucie strachu. Jeżeli straci resztki ciepłych uczuć, jakie Jakub po wszystkich jej wyskokach do niej żywił, jeżeli on się od niej odwróci, świat stanie się nie do zniesienia. Ponownie.

– Przepraszam, tato – szepnęła błagalnie.

Machnął ręką, tak jakby Kamila nie miała już dlań żadnego znaczenia.

A jej ścisnęło się serce.

Późną nocą dotarli do Milanówka. Samochód zatrzymał się na podjeździe, Jakub, gentleman w każdym calu, podał rękę wysiadającej Kamili i odprowadził córkę pod same drzwi.

– Przepraszam – powtórzyła, bo podczas czterogodzinnej podróży nie zamienili ze sobą ani słowa.

Przyglądał się córce przez chwilę.

– Może to ja powinienem ciebie przeprosić? Jeżeli stan Julity jest tak poważny, jak mówiłaś, Łukasz musi wrócić jak najszybciej.

Kiwnęła głową, choć sama nie miała już pewności, czy rzeczywiście postąpiła słusznie, czy też kiedyś Łukasz z Julitą będą ją przeklinać za przerwanie terapii. W tym momencie za jej plecami skrzypnęły cicho drzwi i ukazała się w nich Małgosia.

Jakub, który do tej chwili poświęcał całą uwagę córce, teraz patrzył na Gosię, i tylko na nią. W smudze światła, smukła i krucha, z aureolą włosów dookoła głowy, wyglądała zjawiskowo. Uśmiechnęła się nieśmiało na jego widok, a on jak zwykle ujął jej dłoń i ucałował, przytrzymując tę dłoń nieco dłużej niż zwykle.

Są w sobie zakochani – przemknęło Kamili przez myśl i nie wiedziała, czy to dobrze, czy źle.

Jakub potrafiłby zaopiekować się Małgosią. Wyremontowałby jej dom, zafundował terapię w Szwajcarii, całą willę otoczyłby kordonem ochroniarzy, a kamer byłoby więcej niż drzew w ogrodzie. Tylko czy to Małgosi by wystarczyło? Ona pragnęła miłości, a nie opieki. Tego Kamila była pewna. Czy jednak wiedział o tym Jakub? Teraz wydawało mu się, że Gosię kocha, ale tak samo kochał Anielę Jadwisińską, a potem Kamilę Nowodworską. Do śmierci pierwszej się przyczynił, drugą nieomal zabiła depresja, co czeka następną kobietę jego życia?

Gdy pożegnał się i zbiegał po schodach, obie odprowadzały wzrokiem niknącą w mroku sylwetkę.

Małgosiu, daruj go sobie – chciała powiedzieć Kamila, ale... w ostatniej chwili ugryzła się w język. To dopiero byłoby podłe z jej strony...

Kilka następnych dni minęło w nerwowym oczekiwaniu. Kamila parę razy dzwoniła do ojca, chcąc wyciągnąć z niego jakiekolwiek wiadomości o Julicie czy Łukaszu, ale zbywał ją, a w końcu zagroził, że zmieni numer telefonu.

Zajęła się więc pracą, by nikt jej więcej nie zarzucił, że się obija i żyje na czyjś koszt. Przesiadując całymi dniami w Warszawie nad kosztorysami remontu kamienic, który to remont niebezpiecznie się przedłużał, straciła z oczu Małgosię, Sasankę, Julię i nawet Kulkę.

Sasance nic się nie stało – ekipa z Wrocławia pracowała bez wytchnienia, czy ktoś ją poganiał, czy nie. Kulka, pod czułym okiem Małgorzaty i Julii, doszła całkiem do siebie. One dwie zaś... jakoś tak, całkiem spontanicznie, zajęły się willą, nazwaną przez pierwszych właścicieli Zaciszem.

Zaciszem Gosi.

To dzięki Julii Małgosia znów była w stanie przestąpić próg swego własnego domu. Pewnego dnia, gdy po pokojach przestały straszyć duchy przeszłości i w żadnym kącie nie mógł się ukryć Wielicki, obie kobiety ramię w ramię weszły do środka i rozejrzały się nerwowo. Duży, ponury dom stał w całkowitej ciszy, samotny i opuszczony.

– Całkiem tu ładnie – odezwała się Julia przyciszonym głosem, jakby głośniejszy dźwięk mógł obudzić złe moce. – Ten świetlik jest niesamowity – dodała, patrząc w górę. – Gdybyś trochę tu wszystko ogarnęła, zdarła stare tapety, pomalowała ściany, odkurzyła, pomyła i tak dalej, miałabyś kawałek ładnej chałupki. Mogłabyś ją wynająć albo sprzedać i wyjechać za te pieniądze w podróż dookoła świata.

– Taak – zgodziła się Gosia. – Z moją fobią i sztuczną nogą dotarłabym wprawdzie do pierwszej przecznicy albo i to nie, ale podobają mi się twoje plany. Od czego zaczniemy? Od tapet czy malowania?

I tak oto, bez dłuższego namysłu, podjęły walkę o stary, piękny dom. Ale nie tylko o dom, tego Julia była pewna od pierwszych chwil tej wcale wdzięcznej krucjaty. Praca leczy. A praca w rodzinnym domu, który się kiedyś kochało, w miłym towarzystwie przyjaciółki, z którą się równie dobrze rozmawia, jak milczy, leczy po stokroć. Zgodnie, ramię w ramię, walczyły ze starymi, zwisającymi za ścian tapetami. Zmywały resztki kleju, zeskrobywały odpadający tynk, a ubytki wypełniały gipsem, który podkradały po cichu ekipie pana Wojtka. Oczywiście, gdy tylko Julia oderwała się od prac i podjechała do marketu budowlanego, odkupiła wszystko, co podwędziły.

Co parę godzin, gdy ramiona zaczynały naprawdę boleć, zasiadały na schodach tarasu z kubkiem kawy albo herbaty i domowym ciastem przyniesionym przez Julię i patrzyły w milczeniu na ogród albo gawędziły o tym i o owym.

– Słyszałaś najnowsze plotki? Iza Zadrożna zniknęła. Lecznica jest od jakiegoś czasu zamknięta i ludzie sarkają, że muszą na drugą stronę torów do weterynarza jeździć – powiedziała któregoś dnia Julia, wystawiając twarz ku ostatnim ciepłym promieniom późnowrześniowego słońca.

– Jak to zniknęła? – zaniepokoiła się Gosia. – Wyjechała?

– Nie wiem, ale się dowiem, bo przecież jest z nami zaprzyjaźniona. Ostatni raz widziałam ją podczas pamiętnej burzy.

– Potem była jeszcze dwa razy u Kulki, ale nie wyglądała na taką, co ma zamiar zniknąć. Może coś jej się przytrafiło? Może ktoś zrobił jej krzywdę? – Gosia naprawdę wyglądała na zmartwioną. Julia przez chwilę miała nadzieję, że zaproponuje, by razem pojechały do domu Izy i zbadały sprawę, ale tyle śmiałości Małgorzata jeszcze nie miała. – Może doktor Staśko będzie coś wiedział? To przecież jego żona...

– Zapytam go przy najbliższej okazji, choć na oczy człowieka nie widziałam i nie wiem, czy zechce mi się zwierzyć. Jeżeli od niego odeszła, będzie mu trudno o tym mówić.

– Wyślemy do niego Kamilę. Ją zna lepiej niż ciebie – postanowiła Małgosia.

Julia nie po raz pierwszy, od kiedy poznała tę cichą, do niedawna przepraszającą za to, że żyje, kobietę, zdziwiła się jej przemianą. Bo Gosia Bielska, której do tej pory całym światem była willa Zacisze, teraz bez żadnych wewnętrznych oporów potrafiła przyjść i posiedzieć przy herbacie u Julii, w Sasance mieszkała, uczestnicząc w jej życiu codziennym na prawach domownika, co przejawiało się choćby tym, że zamieniała kilka nieśmiałych słów z robotnikami, przynosiła im kawę czy herbatę, a czasem częstowała ich nawet kanapkami! A teraz oto znów oswajała swój własny dom.

Jej świat więc powiększył się trzykrotnie, czym Kamila – gdyby zwracała większą uwagę na otoczenie i przyjaciół – byłaby zachwycona. Lecz Kamilę bez końca pochłonęła Armika i zdaje się, że miała z tą firmą jakieś kłopoty, bo wracała do domu coraz bardziej zachmurzona.

O tym też obie konspiratorki – odnowione Zacisze miało być dla Kamili niespodzianką – rozmawiały. Ale i tym razem postanowiły dziewczyny nie wypytywać. Jeśli będzie chciała, sama im wszystko opowie. O ile znajdzie na to czas...

– No dobrze – odezwała się Julia, gdy właśnie mieszały białą farbę emulsyjną z delikatnym kremowym barwnikiem. Taki kolor wybrała Małgosia dla ścian na parterze, po tygodniu zdzierania tapet i gipsowania ubytków tynku. Po solidnym odmalowaniu holu, a potem jadalni zabierały się teraz do salonu. – Odnowisz ten dom, który na szczęście jest w dużo lepszym stanie niż Sasanka, tam końca remontu nie widać, i... co dalej? Będziesz sama snuła się po wielkim, pustym, odnowionym domu?

– Mam pewien pomysł – odparła powoli, z namysłem Małgosia.

Julia zamarła z wałkiem ociekającym farbą bardzo ciekawa tego pomysłu.

– Galeria. Otworzysz galerię – wypaliła, znając talent artystyczny Gosi Bielskiej.

Ta pokręciła ze śmiechem głową.

– Zimno, zimno...

– Minioddział leczenia nerwic, fobii i depresji?

Gosia zaśmiała się głośniej.

– Nie wystarczy ci w sąsiedztwie jedna wariatka?

– No to nie mam pojęcia, co wymyśliłaś.

I na razie nie miała się tego dowiedzieć, bo rozległ się dzwonek u bramy. Małgosia, która swego czasu umknęłaby do swojego pokoiku, udając, że jej nie ma, teraz wyjrzała przez okno wychodzące na front domu i jej twarz rozjaśnił uśmiech, zupełnie inny, niż miała dla Julii czy nawet Kamili.

– Jakub – szepnęła i obejrzała się na Julię, jakby pytała, czy ma otworzyć, czy nie.

– To ja zmykam zająć się swoimi sprawami – sąsiadka już szła w kierunku bocznych drzwi, prowadzących do ogrodu, a stamtąd przez ogród Kamili do jej własnego domu.

– Ale... – próbowała ją zatrzymać Gosia, po czym narzuciła na ramiona kurtkę, bo październikowe dni bywały chłodne, i pobiegła tak szybko, na ile pozwoliła jej niesprawna noga, by wpuścić gościa.

Jakub powitał ją jak zwykle pocałunkiem w rękę i pozwolił zaprosić się na herbatę i kawałek ciasta, który pozostał po wspólnym podwieczorku obu kobiet. W holu zatrzymał się i rozejrzał z podziwem. To miejsce, jasne i świeże, dokąd z góry wpadało słoneczne światło, zmieniło się nie do poznania.

– Czy ja na pewno trafiłem do domu Małgorzaty Bielskiej? – zapytał, patrząc na stojącą obok kobietę. Ta odpowiedziała uśmiechem, w którym była zasłużona duma. – Sama pani tego dokonała czy z pomocą ekipy Wojtka?

– Z Julią Stern.

– Ach, to ona umykała przez furtkę... A myślałem, że tajemniczy wielbiciel.

Gosia uśmiechnęła się i pokręciła głową.

– Nie mam wielbicieli. A na pewno nie tajemniczych.

– Wielicki nie wrócił? – Twarz Jakuba, do tej pory pogodna, teraz stężała, gdy zadawał to pytanie.

Małgorzata spoważniała również.

– Próbował dobijać się do furtki, ale wezwałam policję.

– Zadzwoniła pani na policję? Osobiście czy z pomocą sąsiadek?

– Własnoręcznie wybrałam numer i zgłosiłam próbę włamania – odparła z dumą. – Powoli zaczynam przełamywać wszystkie te moje głupie strachy i fobie – dodała, a potem dokończyła cicho, prawie szeptem: – Dzięki tobie.

Uniosła na Jakuba swe piękne niebieskie, teraz tak ciemne, że niemal granatowe, oczy. Zatracił się w nich, zapomniał o całym świecie. Istniała teraz tylko głębia jej źrenic i karminowe, lekko, jakby pytająco rozchylone usta. Ujął twarz kobiety w dłonie i zaczął delikatnie całować. A ona nie cofnęła się, nie odtrąciła go, lecz wtuliła się weń, przygarnęła go i odpowiedziała pocałunkiem...

Kochał ją czule i z nieskończoną delikatnością, jakby trzymał w ramionach ulotne marzenie, a nie kobietę spragnioną jego miłości. Każdy dotyk był pytaniem, każdy jej pocałunek odpowiedzią. Wszedł w jej ciepłe, gotowe na jego przyjęcie wnętrze dopiero, gdy poprosiła szeptem, by to zrobił. Zagłębił się więc i zatrzymał, bojąc się, że sprawi jej ból, nie fizyczny, ale psychiczny – przez cały ten czas ona tak bardzo wstydziła się swego kalectwa – scałował dwie łzy płynące po jej policzkach i dopiero czując jej dłonie na plecach, przyciągające go jeszcze silniej, zaczął się poruszać. Na początku łagodnie, niczym fale przypływu, potem coraz silniej i głębiej, jak nadciągający sztorm.

Szeptała jego imię, błagała, by nie przestawał, pojękiwała cichutko, coraz bliżej spełnienia. Gdy wreszcie przeszył ją spazm rozkoszy, przyciągnęła go z całych sił, krzyknęła i omdlała mu w ramionach, co było dla tego mężczyzny najpiękniejszym wyznaniem.

– Nie chcę cię zostawiać – mówił, gdy leżeli mocno w siebie wtuleni na łóżku pachnącym miłością.

– A ja nie chcę, żebyś odchodził – odpowiadała, jak chyba nigdy dotychczas, przynajmniej nie od czasu strasznego dnia w londyńskim metrze, spokojna i bezpieczna.

– Pomyślałem... właściwie po to tu dziś przyjechałem... – zaczął, a ona przerwała mu pocałunkiem prosto w usta i zalotnym pytaniem:

– Nie po to by mnie uwieść?

– Nie śmiałbym nawet o tym marzyć – odparł zupełnie poważnie.

On, wytrawny znawca kobiecych dusz, nadal nie wierzył, że trzyma w ramionach kobietę, która wydawała mu się nie do zdobycia. A jeżeli już kiedyś by na nią zasłużył, to po wielu, wielu staraniach. Nagle zapragnął jej wyznać to, co czuł od lat:

– Może wydam ci się sentymentalnym głupcem, ale zakochałem się w tobie od pierwszego wejrzenia, wtedy, w metrze, tuż przed wybuchem. Wydałaś mi się najcudowniejszą istotą na ziemi, taka spokojna, zasłuchana w siebie, promieniejąca pięknem młodej mamy. Zazdrościłem w tym momencie facetowi, do którego należałaś. Pamiętam sukienkę, którą miałaś wtedy na sobie. Uśmiech, którym mnie obdarzyłaś. Ruch dłoni, gdy odgarnęłaś z oczu kosmyk włosów... Potem, gdy odnalazłem cię w tunelu, oddałbym własne życie, by cię uratować. A gdy odciągnęli mnie od ciebie i dowiedziałem się, że nie żyjesz... Poczułem, jakby świat się skończył, bo co to za świat, w którym giną tak zjawiskowe istoty jak ty? Szukałem cię w każdej następnej, ale to były jedynie namiastki. Owszem, śliczne, miłe i urocze kobiety, ale namiastki marzenia, które nosiłem w sercu i które umarło w tunelu londyńskiego metra. I oto mam cię z powrotem... – Przytulił ją z całych sił i ucałował.

Gosia słuchała jego słów ze ściśniętym wzruszeniem gardłem. Jej nieufna zraniona połowa duszy szeptała, żeby nie wierzyć, że każdy na początku tak mówi, a potem krzywdzi tym boleśniej, im bardziej zaufało się pięknym słówkom, ale druga połowa podpowiadała, że ten mężczyzna, który trzymał ją za rękę nieskończenie długie godziny, zamiast ratować samego siebie, i którego śmierć ona sama opłakała, mówi z serca. Całą prawdę. Że jemu, Jakubowi, może zaufać. Z początku nieśmiało i ostrożnie, ale z czasem...

– Nie wiem, czy potrafię kochać cię tak, jakbyś tego pragnął – odezwała się cicho, gładząc go po policzku, szyi, piersi... Poddawał się tej pieszczocie z przymkniętymi powiekami, całując opuszki jej palców. – Boję się. Jestem jednym wielkim kłębkiem strachu, nad którym nie potrafię zapanować. Chciałabym zaufać: tobie, światu, ludziom, ale... po prostu... Nie wiem, Jakubie. Lepiej byłoby dla ciebie, gdybyś zapomniał. Poszukał normalnej kobiety, która da ci spokojny dom, gromadkę dzieci. Ja... nie potrafię.

– Pozwól sobie pomóc – poprosił. – Proszę tylko o tyle. Nic więcej. Pozwól sobie pomóc.

Uniósł się nad nią, wsparł na łokciach i całując raz po raz, znów w nią wszedł. A potem kochał ją dotąd, aż przyrzekła, umierając z rozkoszy:

– Zrobię dla ciebie wszystko. Wszystko...

A potem, przyglądając się, jak on śpi, zmęczony miłością, wyszeptała:

– Kocham cię, Jakub. Od tamtej chwili, w której ty pokochałeś mnie.

Rozdział XVI

Pierwiosnek – z jakim utęsknieniem czekamy na te subtelne,
skromne rośliny, których pojawienie się zwiastuje wiosnę...
Gdy marcowe słońce poświeci mocniej, już pojawiają się
na krótkich łodyżkach pączki i nim się obejrzymy, rozwijają
w śliczne kwiatki o pięciu płatkach w kształcie serca.

*O*statnie jesienne róże rozwijały płatki w październikowym słońcu. Kamila pochylała ku nim twarz, chłonąc aromat kwiatów tak, by zapamiętać go aż do wiosny. Ten ogród i nadal kwitnące w nim róże były w ostatnich czasach jej jedyną pociechą, bo wszystko inne zdawało się kruszeć i rozsypywać na oczach zrozpaczonej dziewczyny.

Pierwszym zmartwieniem był Łukasz czy raczej jego nieobecność. Mimo obietnicy Jakuba, że sprowadzi go do umierającej matki, Kamila nie była pewna, czy rzeczywiście będzie mogła wkrótce zobaczyć ukochanego. Brak wiadomości o stanie Julity również martwił dziewczynę.

Jakub, za każdym razem gdy molestowała go telefonicznie, powtarzał, że matka Łukasza jest w szpitalu i przechodzi kompleksowe badania. To trwało od ponad tygodnia. Ileż można kogoś badać bez wstępnej choćby diagnozy? Rak to rak. Chyba widać go na zdjęciu rtg czy tomografii komputerowej?

Problem numer trzy stanowiła firma, której Kamila miała nieszczęście prezesować. Niby nic się nie zmieniło od czasu nietrafionego pomysłu z kupnem pałacu i awantury urządzonej przy innych pracownikach radcy prawnemu, ale Kamila czuła, że współpracownicy trzymają ją teraz na dystans, może nawet stracili do niej zaufanie i sympatię, którą na początku zdawali się dziewczynę darzyć.

Nie przywykła do pracy w miejscu, gdzie jej nie lubią – choć prawdę mówiąc, czego nie omieszkał wytknąć jej całkiem niedawno Jakub, nie przywykła do żadnej pracy – i nie bardzo wiedziała, jak na powrót zaskarbić sobie sympatię podwładnych.

Ale nie tylko to spędzało jej sen z powiek. Podczas ślęczenia nad kosztorysami natknęła się na parę pozycji, które... wzbudzały pewien niepokój. Nie znała się na remontach tak dużych obiektów jak czteropiętrowe kamienice w centrum miasta. Czy to możliwe jednak, żeby do jednej z nich potrzebowano piętnastu kilometrów kabli? Taką właśnie ilość przewodów elektrycznych wykazano w jednej z tabel, którą przedłożono Kamili do akceptacji i podpisu. Pozycji było ponad dwieście i łatwo mogła przeoczyć tę właśnie, ale dziewczyna bardzo poważnie podchodziła do swoich obowiązków i przyglądała się każdej z tabel. Piętnaście tysięcy metrów kabla trójżyłowego. Kurczę, przecież można go było przeciągnąć niemal do Milanówka! Czy rzeczywiście jeden dom, choćby największy, tyle go potrzebował?

To nie jedyne, co wzbudzało wątpliwości. Ilość cegieł również. Kamila przeliczyła, ile mniej więcej metrów kwadratowych muru można by z nich postawić, i skonstatowała, że spokojnie wyszłaby z tego trzecia kamienica. A przecież tamte dwie już stały!

Zupełnie zagubiona, nie wierząc we własny zdrowy rozsądek i obliczenia, ale też nie śmiąc zarzucać współpracownikom próby oszustwa – nie po tym jak bezpodstawnie nawymyślała Andrzejowi Zamorskiemu – zadzwoniła do ojca.

– Jakub, mam problem z kosztorysem... – zaczęła.

– To go rozwiąż – uciął.

I było po rozmowie.

A Kamila nie po raz pierwszy błagała w myślach Łukasza, by wrócił i przejął tę nieszczęsną firmę. Nie, już mniejsza o firmę. By to do niej, Kamili, wreszcie wrócił...

Jeremiasz, dyrektor finansowy, przyniósł jej kolejne sprawozdanie z dotychczasowych prac, które dzięki Bogu dobiegały końca, fakturę do podpisu i ostatni na szczęście kosztorys na roboty wykończeniowe – jeszcze chwila moment i dwie pierwsze kamienice, zakupione przez Łukasza dla Armiki Co, będą gotowe na sprzedaż albo wynajem. Kamila dotychczas nie postanowiła, co z nimi zrobi, a Jakuba to nie interesowało: „Firma jest twoja, rób, co uważasz za stosowne". Teraz jak zwykle rzuciła okiem na dokumenty i już miała podziękować mężczyźnie, a potem zająć się tym, co lubiła najbardziej, czyli szukaniem następnych nieruchomości, które będzie mogła kupić i przywrócić dawnej świetności, gdy...

– Panie Jeremiaszu... – zatrzymała mężczyznę w drodze do drzwi. – Proszę mi wyjaśnić, co zamierza pan zrobić z trzystoma metrami bieżącymi chodnika ze strzyżonej wełny, za – bagatela – trzydzieści tysięcy złotych.

– Wyłożone zostaną nim schody w kamienicy przy Pięknej.

– A w tej drugiej?

– W tamtej przewidzieliśmy stopnie marmurowe.

– A widzę, za dwieście dwadzieścia tysięcy.

– Nie pamiętam poszczególnych pozycji, ale skoro pani prezes tak mówi...

Patrzył jej prosto w twarz, niby szczerze i uczciwie, ale ledwo dostrzegalny błysk w jego oczach upewnił dziewczynę, że albo ją sprawdza, albo... okrada.

– Pofatygowałam się dziś rano i na Piękną, i na Spokojną. W obu kamienicach schody mają stopnie dębowe, co zresztą prezes Hardy zaaprobował jakiś czas temu, a pan uwzględnił w którymś z poprzednich kosztorysów...

Mężczyzna poczerwieniał na twarzy. Ona podniosła się powoli zza biurka.

– W co pan ze mną pogrywa? – zapytała po prostu.

– Ma pani coś do zarzucenia tym kosztorysom?! – zaatakował z furią.

– Owszem.

– Sugeruje pani...

– Ja nie sugeruję, ja stwierdzam fakty – wpadła mu w słowo. – Zawyża pan ilości materiałów, dolicza te, które nigdy nie zostały zakupione. Okrada pan firmę, a więc również mnie.

Jeremiasz Markut oniemiał. Zbladł, po czym poczerwieniał ponownie. I wreszcie wybuchnął:

– Jak pani śmie! Jak śmiesz oskarżać mnie, gówniaro, o kradzież! To pomówienie, oszczerstwo! Ja żądam przeprosin, albo będę cię do końca życia ciągał po sądach!

Słuchała tego na pozór spokojna, ale wewnątrz umierała ze strachu i zażenowania jednocześnie. Ze strachu, bo przecież to ona mogła się mylić, a z zażenowania, bo drzwi z matowego szkła przepuszczały każde słowo i wszyscy w biurze musieli słyszeć, że ona, Kamila, podważa kompetencje kolejnego starszego i bardziej doświadczonego pracownika.

– Mam dosyć pracy w tej firemce! Pani mogłaby co najwyżej kurze ścierać, a nie zarządzać takim biznesem!

Kamila przełknęła i tę obelgę. Nie wiedziała, co odpowiedzieć. Czy przepraszać go i prosić, by został, czy wskazać drzwi? Powinna uczynić to drugie, bo policzyła niemal co do metra, z miarką w dłoni, że kabli elektrycznych, których ilość wzbudziła jej podejrzenia, potrzeba było dziesięć razy mniej, ale...

Ale wybawiła ją Magda. Lojalna, uczciwa do granic, Magda, która zapukała do drzwi i nie czekając na pozwolenie, weszła, a potem walnęła prosto z mostu:

– Czego się, Jeremi, tak ciskasz? Na twoim miejscu siedziałabym cicho i oddała wszystko, co ukręciłeś na boku, bo to firma ciebie, a nie ty firmę, za chwilę pozwie. Na początek zwróć pieniądze za paliwo, bo wygląda na to, że objechałeś ziemię ze trzy razy dookoła. Tutaj, pani prezes, są kopie wszystkich jego rachunków za benzynę. Chyba cała rodzina i wszyscy jego przyjaciele i znajomi jeździli na nasz koszt.

Kobieta podała Kamili plik wydruków.

Ta przeniosła spojrzenie z dokumentów na nagle umilkłego Markuta.

– No i? – zapytała. – Kto z kim będzie się procesował?

– Razem ze mną odejdzie cała reszta – wysyczał. – Nikt nie będzie pracował z kimś tak niewydarzonym. Jeszcze dziś złożę rezygnację...

– Jeszcze dziś to dostaniesz zwolnienie dyscyplinarne – odrzekła ostro Magda. – Radzę ci oddać pieniądze i przeprosić panią prezes, bo dyscyplinarka z wpisem do akt nie poprawi twojego CV.

Wypadł z pokoju, mamrocząc coś o wrednych, zdradliwych sukach.

Kamila opadła z powrotem na fotel prezesa.

Przez chwilę milczała, próbując odzyskać panowanie nad sobą i opanować drżenie rąk, a potem odezwała się do Magdy z wdzięcznością:

– Dziękuję, że przybyłaś mi na odsiecz. Gdyby nie ty, skłonna byłam go przepraszać.

Kobieta uśmiechnęła się.

– Dopiero dziś podsunął mi rachunki za benzynę, ale nie miałam czasu na nie zerknąć. Przypomniałam sobie o nich w chwili, gdy zaczął się tutaj wydzierać. Cieszę się, że mogłam pomóc, chociaż szkoda pod sam koniec pierwszej inwestycji tracić dyrektora finansowego.

– Tak strasznie brakuje mi Łukasza... – szepnęła Kamila, bliska łez.

– Nie wiadomo, kiedy wraca?

Pokręciła głową.

Nagle usłyszały trzaśnięcie drzwi wyjściowych. Wybiegły przed gabinet. Biuro było puste. Przy stanowiskach pracy nie pozostał nikt.

– O kurde – wyszeptała Kamila – właśnie rozchrzaniłam firmę Jakuba. I Łukasza.

– Niech się pani nie przejmuje, pani prezes...

– Przynajmniej ty mów mi po imieniu, jak dotychczas.

– Nie łam się więc, Kamila. Tego kwiatu pół światu. Zaraz siądę do komputera, gdzie mam niezłą bazę pracowników z poprzedniej rekrutacji, i kogoś ci znajdę.

Kamila podziękowała asystentce spojrzeniem pełnym wdzięczności, ale wewnątrz była załamana. Naprawdę załamana. Wystarczyło kilka tygodni jej żałosnego prezesowania i Armika przestała istnieć. Pod koniec remontu, który musiał być ukończony przed zimą!

Czy ona jest jakaś przeklęta, że czegokolwiek się dotknie, to spieprzy? – tak myślała, wracając do domu. Domu, którego remont także zdawał się nie mieć końca, zwłaszcza teraz, gdy ubłagała pana Wojtka, by razem z ekipą zajął się kończeniem prac w kamienicach, zamiast w Sasance.

Gosia odprowadziła Jakuba do furtki, łączącej jej ogród z ogrodem sąsiednim. Nim przeszedł na drugą stronę, wziął kobietę w ramiona, nie mogąc się oprzeć pragnieniu jej bliskości. Całowali się długo, namiętnie, oboje nie chcąc kończyć tego spotkania, które zmieni w ich życiu wszystko.

– Przemyślisz to, o co cię prosiłem? – zapytał niskim, nabrzmiałym pożądaniem głosem, gładząc ją po plecach.

– Nie muszę nad niczym myśleć – odparła, patrząc mu w oczy z takim samym pragnieniem, jakie czuł on sam. – Powiedziałam, że zrobię dla ciebie wszystko, i tak właśnie będzie. Jest takie chińskie powiedzenie: jeśli uratowałeś komuś życie, jesteś za niego odpowiedzialny. Mam nadzieję, że wiesz, co chcesz uczynić, i... nie skrzywdzisz mnie tak jak... – Urwała. Przez jej twarz przemknął cień.

Pogładził ją po policzku gestem nieskończenie czułym.

– Nie skrzywdzę. A ty, gdy tylko poczujesz, że moja obecność staje się ciężarem, powiesz mi o tym.

Skinęła głową.

Przed paroma kwadransami, gdy opuścili miękkie łóżko i delektując się kawą i ciastem od Julii, rozmawiali niespiesznie o planach na przyszłość, Jakub zaproponował ostrożnie, nie wiedząc, jak zareaguje na taką ingerencję płochliwa Gosia, wynajem połowy jej domu, by w nim zamieszkać.

– Ostatnio częściej bywam tutaj niż we Wrocławiu i nie dość, że dojazdy stają się męczące i tracę na nie bezcenny czas, to firma naprawdę zaczyna cierpieć na mojej nieobecności, a nikomu nie mogę jej powierzyć, odkąd utraciłem Łukasza – mówił, a Małgosia słuchała uważnie. – Przeniosę więc Farmicę do Warszawy. Poza tym... chcę też być bliżej Kamili, żeby ją wspierać...

– I wkurzać – wtrąciła żartobliwie.

Roześmiał się, a Małgosia zauważyła, że na ustach tego mężczyzny coraz częściej gości uśmiech, co czyni go jeszcze bardziej przystojnym i pociągającym.

– Za pieniądze z wynajmu... – zaczął ponownie, ale znów mu przerwała:

– Nie chcę od ciebie pieniędzy! Możesz tu zamieszkać jako przyjaciel. Sama potrafię zarobić na ten dom.

– Ciii, daj mi dokończyć, kochana. – Ujął jej dłoń i ucałował koniuszki palców, przez co Gosię przeszedł rozkoszny dreszcz. – Za te pieniądze opłacisz dobrego psychoterapeutę, a znam jednego jedynego, o którym mogę to powiedzieć, i może nie jutro i nie pojutrze, ale za miesiąc, dwa czy nawet rok poradzisz sobie przy jego pomocy ze wszystkimi demonami, które nie dawały ci żyć.

– Brzmi to kusząco – odparła po chwili milczenia. – Chciałabym funkcjonować jak normalny człowiek. Chodzić co rano po bułki do sklepu, wpuszczać do domu listonosza albo hydraulika i bez pośrednictwa sąsiadów załatwiać głupią sprawę w ZUS-ie.

Nie chciała przyznać – nawet mężczyźnie, z którym nie dalej jak godzinę temu się kochała – że ma też inne marzenia, które (zwyczajne dla Kamili czy Julii) dla niej, Gosi, na zawsze pozostaną niespełnione...

– Dom ma dwa osobne wejścia. Z jednego możesz korzystać, zupełnie się nie krępując. Prowadzi osobną klatką schodową na piętro, które możesz zająć i tam...

– Małgosiu – przerwał jej łagodnie – gdy tu zamieszkam, nie chcę cię unikać, korzystając z osobnych schodów i drugiego wejścia. Wprost przeciwnie: chcę natykać się na ciebie w holu, kuchni czy salonie, mówić ci „dzień dobry, moja kochana", a jeżeli wpuścisz mnie wieczorem do swojej sypialni... – Urwał z rozbrajającym uśmiechem. W tej chwili wyglądał jak mały chłopiec, który próbuje wyznać swej pierwszej miłości, że ją kocha, ale brakuje mu słów.

Gosia poczuła, jak serce ściska się jej w niewysłowionym wzruszeniu. Przez zdławione gardło nie potrafiła wypowiedzieć, jak bardzo i ona tego chce, więc kiwnęła tylko głową.

– Ta przeprowadzka będzie dosyć skomplikowana logistycznie, bo muszę znaleźć jeszcze lokum dla mojej firmy, nowych pracowników, jeśli dotychczasowi nie zechcą się do Warszawy przenieść. Dopiero wtedy sprowadzę się tu z całym swoim dobytkiem, ale umowę najmu chcę podpisać jak najszybciej, byś od razu dostała całą kwotę, a ja żebym mógł jak najczęściej tutaj przyjeżdżać i bezkarnie... – Pochylił się i pocałował ją w usta.

Całował tak, jakby chciał nadrobić cały stracony czas. Te osiem lat, kiedy ją wspominał. Ona zaś oddawała pocałunki z takim żarem, jakby tego czasu było przed nimi coraz mniej. Bo choć serce wyrywało się do tego mężczyzny, coś, jakieś złe licho szeptało, że równie szybko go straci...

Znów minęło trochę czasu, nim oderwali się od siebie.

– Muszę już iść – odezwał się z żalem.

– Ale wrócisz?

– Jak najszybciej. Kiedy w końcu cię odnalazłem, każda chwila z tobą jest bezcenna.

Do domu córki miał niedaleko. Po prostu przeszedł przez furtkę, którą otworzyła mu Małgosia, i już był w królestwie róż, które mimo jesiennych chłodów, krótkich dni i słońca, co nie rozpieszczało ich ciepłem swych promieni tak jak w lecie, nadal kwitły! To nie do wiary, ale ogród wcale nie stracił na urodzie, bo po murach pięły się obsypane czerwonymi kwiatami Sympathie, a rabaty nadal zdobiły prześliczne, delikatne Aquarelle i inne odmiany róż, których nazw Jakub nie znał. Aż się chciało zasiąść w ulubionym miejscu właścicielki i opiekunki Tajemniczego Ogrodu i – podziwiając piękno i ciszę otoczenia – zapomnieć o wszystkich troskach i zmartwieniach dnia codziennego.

Jednak Jakub już wcześniej dojrzał na podjeździe srebrną astrę Kamili, ruszył więc prosto do domu, nie tracąc czasu na podziwianie kwiatów. Dziewczyna wyszła na taras, zauważywszy widać gościa, z dość niepewnym uśmiechem.

– Cześć, tato – powitała go tonem równie niepewnym co ten uśmiech.

Przyjrzał się córce, od razu uważny i skupiony.

– Co znowu zmalowałaś, że nie rzucasz mi się do gardła, tylko częstujesz pokornym „cześć, tato"? – zapytał prosto z mostu.

Kamila westchnęła. Czy choć raz mógł nie być taki spostrzegawczy?

– Chyba nie masz już firmy...

– Sprzeniewierzyłaś pieniądze Armiki na ten nieszczęsny pałac, mimo moich ostrzeżeń? – Nie wydał się poruszony, gdy zadawał to pytanie, zupełnie jakby się tego po Kamili spodziewał.

– Przeciwnie. Próbowałam ratować fundusze, bo ktoś kręcił własne lody, dopisując przy zamówieniach absurdalne kwoty, ale gdy zażądałam wyjaśnień od dyrektora finansowego, ten mnie zwymyślał i odszedł. Razem z resztą załogi. Zostałyśmy tylko we dwie: ja i Magda.

– To bierzcie się za młotki, kielnie i kończcie remont zgodnie z harmonogramem – odparł, nadal zupełnie obojętny na problemy córki, myślami bowiem był zupełnie gdzie indziej. – Wpuścisz mnie do domu czy będziemy marznąć na tym tarasie?

Przeszli do środka, gdzie Kamila wstawiła wodę na herbatę, popatrując co i rusz na milczącego ojca.

– Czy wiadomo już, co z Julitą? – zapytała, stawiając przed nim filiżankę z napojem pachnącym owocami lata.

Upił łyk, zwlekając z odpowiedzią.

– Miałaś rację, podnosząc alarm, i zarazem jej nie miałaś – odparł wreszcie.

Zmarszczyła brwi, niczego nie zrozumiawszy z jego enigmatycznej odpowiedzi.

– Julita nie ma raka trzustki, jak wydawałoby się to na pierwszy rzut oka. Jest skrajnie wycieńczona, cierpi na bezsenność i anoreksję, ale nie jest to rak.

Kamila, do tej pory wstrzymująca z napięcia oddech, wypuściła z płuc powietrze.

– To chyba dobrze? – zapytała ostrożnie.

– Nie wiem, co o tym myśleć – odparł po prostu. – Przeraził mnie jej widok tak jak ciebie, chciałem natychmiast lecieć po Łukasza, ale ona zaprotestowała ostro... Zgodziliśmy się we troje, bo w rozmowie uczestniczył także Leon, że Julita podda się powtórnie badaniom i zacznie – na miłość boską! – jeść. Pierwszy warunek spełniła. Leon dostarczył mi wczoraj komplet badań, które skonsultowałem ze znajomym lekarzem, bo na wszystkim nie mogę się znać. Co do drugiego... Jeśli jest to w ogóle możliwe, jeszcze bardziej schudła, gdy ją dziś rano widziałem.

– Może w ten sposób chce zmusić Łukasza do powrotu? Wbrew temu, co mówi? – zauważyła Kamila.

– Nie wiem, Kamila, i tak jak ty próbuję to zrozumieć. Jakoś sobie jej stan wytłumaczyć. Musisz wiedzieć, że Julita była cieplarnianym kwiatem, chronionym najpierw przez rodziców, potem przez uwielbiającego ją męża i synów. Stworzyła sobie arkadię, nie mając pojęcia, że tuż za progiem tego raju na ziemi może czyhać śmierć, choroba i nieszczęście, a raj w jednej chwili zmienia się w piekło. To ją złamało. Nagle się okazało, że nie ona jest najważniejsza, że nie wokół niej kręci się cały świat. Że może utracić wszystkich, których kocha – syna, który ledwo uszedł z życiem z wypadku, spowodowanego przez jakiegoś szaleńca, męża, który ma dosyć histerycznej, skupionej tylko na sobie i swoim bólu żony, synów, którzy mimo całej miłości do matki muszą poświęcać czas pracy i swojej rodzinie. Jej depresja, jej anoreksja i powolna śmierć to wołanie o pomoc, krzyk rozpaczy kogoś, kto stracił wszystko albo tak się mu wydaje. Nie możemy jej potępiać, bo nie wiemy, co sami byśmy w jej przypadku uczynili. Możemy spróbować jej pomóc. Ale ona sama musi się na tę pomoc zgodzić, a jak na razie nic ani nikt nie jest jej w stanie zmusić, by podjęła leczenie w szpitalu, na oddziale specjalizującym się w przypadkach ostrej anoreksji. Julita rzeczywiście umiera. Gdy przy mnie straciła przytomność, wezwaliśmy z Leonem pogotowie i zawieźliśmy ją do szpitala. Psychiatrycznego. Prosto na oddział leczenia takich zaburzeń. Jak się domyślasz, obaj staliśmy się jej wrogami i nazajutrz wypisała się na własne żądanie – dokończył z nutą goryczy w głosie.

Kamila słuchała tego z rosnącym niedowierzaniem.

– Próbowała się zagłodzić na śmierć? Dlaczego?!

– Lekarz, który ze mną rozmawiał, mówił, że to złożony problem. Próba zwrócenia na siebie uwagi, niemożność radzenia sobie z problemem przewyższającym jej wytrzymałość, karanie się za zawinione lub niezawinione grzechy czy może próba przekupienia

Boga: „Weź mnie, ocal mojego syna"... Co do tego ostatniego może mieć trochę racji, bo doktor Stefański napomknął kiedyś niezbyt fortunnie, że uraz psychiczny, który spowodował ślepotę Łukasza, może się cofnąć tylko pod wpływem jeszcze większego szoku. A co dla niego może być potężniejszym wstrząsem niż śmierć matki? Może to właśnie zapamiętała i w ten sposób chce pomóc synowi? Płacąc życiem za jego zdrowie? No nic... Kiedyś się pewnie tego dowiemy. Ja uczyniłem wszystko, co w mojej mocy, by Julicie pomóc.

Kamila skinęła powoli głową.

– Jedno mnie jeszcze dziwi: dlaczego wcześniej nie zareagowała jej rodzina? Przecież nie jest sama. Ma męża, synów...

– Nie dzieje się w ich domu najlepiej – odparł wymijająco.

– A gdy Łukasz wróci, wszystko się odmieni? – w głosie Kamili zabrzmiało powątpiewanie.

– Wątpię. Ten zamek z piasku chwiał się, widać, w posadach od lat. Może ta cała bajka i miłość jak z obrazka były jedynie na pokaz? Ale nie rób teraz, błagam, zaocznej psychoanalizy tej rodzinie, bo nie mam na to siły. Następnym razem odpowiem na wszystkie pytania, przyrzekam.

– Rzeczywiście, wyglądasz na zmęczonego. – Kamila przekrzywiła głowę, przyglądając się mężczyźnie uważnie. – Może przenocujesz w pokoju na parterze?

– Dziękuję za propozycję, córeczko, ale muszę wracać do Wrocławia. – Pocałował ją swoim zwyczajem w czubek głowy. – Do twojej jednak wiadomości: już niedługo zawitam tu na stałe.

– Wprowadzasz się do Sasanki?! – wykrzyknęła, nie wiedząc, czy bardziej jest tą rewelacją ucieszona, czy przerażona.

– Ciepło... ciepło... – uśmiechnął się, ruszając do drzwi.

Kamila spojrzała na dom Małgosi, który jeszcze kilka miesięcy temu o tej porze stałby ponury i ciemny, a teraz w kilku oknach paliło się światło, co bardzo, ale to bardzo dziewczynę cieszyło, i aż przytknęła dłonie do ust, by nie krzyczeć z radości.

Gosia i Jakub!

Wszelkie obawy i wątpliwości, jakie jeszcze nie tak dawno żywiła, znikły w jednej chwili. Teraz była po prostu szczęśliwa ich szczęściem.

– Jakub! – zawołała jeszcze, gdy był już za bramą.

Odwrócił się, a ona podbiegła doń i w następnej chwili poczuła wyrzuty sumienia, że go zatrzymuje, bo wyglądał na naprawdę wyczerpanego.

– Powiedz mi jeszcze jedno – poprosiła, przytrzymując go za rękaw. – Łukasz wróci? Sam powiedziałeś, że jego matka sprawia wrażenie umierającej. Może nie zdążyć się z nią pożegnać!

Posłał dziewczynie odpychające spojrzenie i odrzekł:

– Nie martw się o Łukasza i jego matkę, moja dobra samarytanko. Martw się o to, co zrobisz, gdy ten, którego kochasz, już nigdy nie odzyska wzroku. Czy będziesz potrafiła z tym żyć, czy też opuścisz go pod byle pretekstem?

Rozdział XVII

Barwinek – tę niepozorną roślinkę można darzyć
wyjątkową sympatią. Rozrasta się szybko, pokrywając
zacienione miejsca, gdzie żadna inna roślina nie chce rosnąć,
gęstym dywanem ciemnozielonych, błyszczących liści,
którym zima nie jest straszna. A gdy zakwitnie uroczymi
błękitno-liliowymi kwiatkami, o kremowych brzegach
i maleńkim złocistym środku, po prostu topi serca...

*Ł*ukasz miał dość. Serdecznie dość. Wszystkiego.
Miał dosyć pewnych siebie lekarzy, którzy zapewniali go, że dokonają cudu, który jednak nie nastąpił. Dosyć dziesiątek czy setek badań, które nie przynosiły żadnej odpowiedzi, a czasem jedynie ból i trudne do powstrzymania łzy. Dosyć uprzedzająco, wręcz nienaturalnie grzecznych pielęgniarek, które nie tylko bez przerwy namolnie dopytywały się, czy niczego mu nie trzeba, zakłócając – tak pożądane przecież przez niego – chwile spokoju i samotności, nie tylko w podskokach biegły po wodę Evian, Cherry Coke, roladki z jagnięciny, pięćdziesięciocalowy telewizor czy lincolna z szoferem, ale też – gdyby tylko wyraził taką ochotę – wskoczyłyby mu do łóżka i zaspokoiły k a ż d ą jego potrzebę. Nawet ociemniały mógł się podobać kobietom, co nieraz dawały mu odczuć, a on miał to głęboko gdzieś, bo pragnął jedynie Kamili.

Wiedział, że buntując się przeciwko pobytowi tutaj, okazuje skrajną niewdzięczność, bo klinika należała do najdroższych na świecie, a płacił za nią Jakub – jak na razie (Łukasz przyrzekł sobie bowiem, że zwróci mu pieniądze co do złotówki czy raczej franka szwajcarskiego), ale i tak miał dosyć i pragnął wyrwać się stąd przy byle okazji.

Już wiedział, że fizycznie nic mu nie dolega, oprócz – bagatela – tego, że nie widzi. Co gorsza, skoro lekarze nie mogli wykonać operacji mózgu, która przywróciłaby Łukaszowi wzrok, ani przeszczepić mu czyichś oczu – bo nawet w tej ultranowoczesnej klinice takich zabiegów nie wykonywano – od ponad miesiąca dokonywali wiwisekcji na jego psychice, doszukując się przyczyn jego stanu w nieszczęśliwym dzieciństwie.

Ludzie! – chciał krzyczeć. – Byłem szczęśliwy przez trzydzieści dwa lata, do dnia, w którym straciłem wzrok!

Ale milczał.

Mówili mu: „To reakcja na szok, którego doznałeś podczas wypadku. Opowiedz nam o tym. Wyrzuć to z siebie. Przeżyj raz jeszcze, przepracuj od nowa, a może... może...". Nie chciał mówić. Nie chciał wracać do tego, co przeżył. Lekarze i terapeuci byli więc bezradni. A Łukasz niewidomy.

Do frustracji, spowodowanej faktem, że nie potrafił sam dotrzeć do ogrodu, zabijając się o wszystkie drzwi i ściany po drodze, dochodziła rozpaczliwa tęsknota za Kamilą i domem.

W dniu przyjęcia do kliniki podpisał cyrograf, że nie będzie próbował kontaktować się z nikim z zewnątrz – to było jedno z głównych założeń psychoterapii: kompletne odcięcie od rodziny, świata, codziennych kłopotów, a przede wszystkim przeszłości na całe dwa miesiące – ale po kilku tygodniach gotów był zabić za telefon i choćby jedno słowo do Kamili czy matki. Telefon jednak zabrali mu w dniu, w którym tu trafił. Mógł co najwyżej napisać pocztówkę, ale człowiekowi bez oczu trudno cokolwiek pisać, a i tak by tej pocztówki nie wysłali.

Wkurzało go to. Czuł się jak w pieprzonym więzieniu o zaostrzonym rygorze, gdzie nawet odwiedzin odmawiano. Przez pierwsze dwa tygodnie miał przynajmniej przy sobie Jakuba, który był jego oczami, oprowadzał go z nieskończoną cierpliwością po klinice, uczył, gdzie jest toaleta, gdzie wyjście na taras, jak trafić do pokoju pielęgniarek, a gdzie przyjmuje lekarz. Łukasz z tego wszystkiego zapamiętał, gdzie jest czerwony guzik – o tym, że jest czerwony, powiedział mu oczywiście Jakub – którym się wzywa pomocy, i z mściwą satysfakcją z tego guzika korzystał.

Jeżeli myślał, że wkurzy tym pielęgniarki i lekarzy, to się mylił. Siostrzyczki przybiegały natychmiast, słodko pytając, czym mogą mu służyć. Lekarz przychodził, gdy tylko Łukasz zażyczył sobie z nim rozmowy, i równie cierpliwie odpowiadał na stale te same pytania: „Kiedy to się skończy? Kiedy cokolwiek zrobicie, bym znów widział? Kiedy stąd wyjdę?". I wreszcie żądanie: „Oddajcie mi telefon, chcę zadzwonić do rodziny!".

– Cierpliwości, Mr Lukas – to była jedyna odpowiedź, bez względu na to, który z lekarzy jej udzielał. – Wszystko wymaga czasu.

I pieniędzy Jakuba! – chciał wykrzyczeć, ale czy cokolwiek by to dało?

Ucieczkę od tego koszmaru dawało mu jedno: gra na fortepianie, który stał... no właśnie, w jakiejś sali, do której Łukasz trafił pewnego dnia po omacku – uparł się nie używać białej laski, bo ona była dlań symbolem porażki, pogodzenia się z kalectwem – i trafiał tam, błądząc niejednokrotnie, każdego dnia. Odpędzał pragnące mu pomóc pielęgniarki: „Zaprowadzimy pana, gdziekolwiek pan zechce, dear Lukas", i sam, krok po kroku, trzymając się ścian, zdążał do sali ze starym, nieużywanym, ale na szczęście nastrojonym instrumentem. Siadał, kładł palce na klawiszach – a jego dłonie pamiętały, gdzie jest który – i zaczynał grać.

Z początku niepewnie... szkołę muzyczną skończył ładne kilkanaście lat temu... ale z każdym dniem coraz śmielej. Spod rąk, które grały same, nie potrzebując jego wzroku, płynęło lekko, subtelnie i z uczuciem *Marzenie* Schumanna, czasem przepiękna, pełna tęsknoty *Sonata księżycowa* Beethovena, ale któregoś dnia Łukasz porwał się na *Etiudę rewolucyjną* Chopina, oddając w niej cały swój gniew i bunt. Uderzał w klawisze z taką pasją, jakby walczył z niewidzialnym wrogiem, który odebrał mu wszystko: rodzinę, ukochaną i przyszłość...

Zebrał brawa od przygodnych słuchaczy, o których obecności nie miał pojęcia – przecież nie widział – na Boga! – i... poczuł na ramieniu czyjąś dłoń. Nie musiał pytać, kto to.

– Wracamy do domu, przyjacielu – usłyszał głos Jakuba i nieomal rozpłakał się z ulgi.

Podróż śmigłowcem z międzylądowaniem trwała siedem godzin. Szpital w Aninie ponownie użyczył lądowiska, a z Anina do Otwocka było bardzo blisko. Ponieważ huk silników i rotoru uniemożliwiał spokojną rozmowę, dopiero w samochodzie, który czekał na nich pod szpitalem, Jakub mógł uprzedzić Łukasza, co czeka go w domu czy raczej kto i w jakim stanie go oczekuje.

– Twoja matka jest chora – zaczął, uważnie dobierając słowa. – Ma poważną depresję.

Łukasz zwrócił ku przyjacielowi twarz, a Jakubowi nie po raz pierwszy ścisnęło się serce na widok tych jasnych, uważnych oczu, przed którymi był tylko mrok.

– Nie przyjmuje posiłków – mówił dalej, gdy znów mógł wydobyć głos ze zdławionej krtani. – Odmawia leczenia szpitalnego. Twój ojciec jest bezradny. Może ty wpłyniesz na matkę, by chociaż zaczęła jeść.

– Dlatego po mnie przyjechałeś? Nie był to koniec tej idiotycznej terapii, za którą cię tylko kasowali na grube pieniądze?

Jakub skinął głową, a potem dodał na głos, bo jego gestu Łukasz nie mógł przecież widzieć:

– Jeżeli Julita czegoś ze sobą nie zrobi, po prostu zagłodzi się na śmierć.

– Jest aż tak źle?

Dobrze, że nie możesz jej widzieć – odparł w myślach Kiliński.

Łukasz może nie widział, ale czuł. Czuł wręcz nieprawdopodobnie chude ciało matki, gdy ta, płacząc i śmiejąc się zarazem, rzuciła się mu na szyję.

– Mamo, mamusiu – powtarzał, głaszcząc ją po plecach, na których palce wyczuwały każde żebro.

Ujął twarz matki w dłonie, czując pod opuszkami wystające kości policzkowe i chorobliwie zimną skórę. Głaskał matkę po włosach, które zostawały mu w ręku, i wył, po prostu wył w środku, choć na zewnątrz miał dla niej tylko uśmiech. Czuły, kochający uśmiech syna, który wrócił do domu.

Przytulając kobietę tak kruchą i wychudzoną, że mógłby ją unieść jedną ręką, przypomniał sobie nagle słowa któregoś z lekarzy w szwajcarskiej klinice: „Uraz wywołany szokiem może cofnąć jeszcze większy szok". Śmierć matki byłaby właśnie takim szokiem. Czy o to im wszystkim chodziło?! W ten sposób – ukrywając przed nim do tej pory jej stan – chcieli go wyleczyć?! Targnął nim nagły

gniew. Wręcz nienawiść, którą poczuł jak dźgnięcie rozpalonym że-
lazem w pierś. Jeżeli mama umrze, nigdy ci tego, bydlaku, nie wybaczę – przyrzekł Jakubowi bez słów.

Julita zgodziła się na wszystko. Pójdzie do szpitala, pozwoli się
zamknąć na nie wiadomo jak długo, podda się każdej terapii, będzie łykała leki, zacznie jeść i nie będzie biegła zaraz po posiłku
do toalety, by to, co zjadła, zwrócić. Chętna i posłuszna, przyrzekła Łukaszowi wszystko, co chciał, byle tylko odwiedzał ją w za-
mknięciu choć raz na tydzień i... nie przestał jej kochać.

– Mamo, litości – jęknął, słysząc jej gorączkowe słowa – przecież nigdy nie przestanę! Jak mogłaś w ogóle o tym pomyśleć?

– Ty sam, jeszcze w Aninie, zapowiedziałeś, że wyprowadzisz się
z domu i zamieszkasz z Kamilą – przypomniała mu z wyrzutem.

Łukasz, który nadal trzymał matkę w ramionach, teraz wypuścił ją
i cofnął się o krok. Powinien ostro odpowiedzieć, że Julicie nie wolno
szantażem trzymać go przy sobie. Owszem, będzie matkę odwiedzał,
będzie o nią dbał tak, jak syn dbać powinien, ale nie wolno jej sta-
wać między nim a Kamilą. Jakub, który stał tuż za nim, położył mu
dłoń na ramieniu i uścisnął krótko, znacząco. Zgódź się na wszystko – mówił tym gestem. – W tej chwili Julita jest najważniejsza.

– Dobrze, mamo – odparł więc Łukasz, całując jej dłonie. –
Zostanę. Będę przy tobie...

Rozpłakała się jak małe dziecko, tuląc go i całując na przemian,
a to przeraziło Łukasza jeszcze bardziej niż jej wystające przez
skórę kości, bo jego matka, jego silna, wspaniała, zawsze spokojna i opanowana matka nigdy nie płakała.

Nie miał sumienia dokończyć: „Będę przy tobie dotąd, aż wy-
zdrowiejesz, a potem zawalczę o własne szczęście".

Do Milanówka jechał ze ściśniętym sercem.

Jakub opowiedział mu po drodze, jak Kamila próbowała sobie radzić, czy też raczej nie radzić, z prowadzeniem firmy, jak omal nie kupiła pałacu, na który ostrzyli sobie zęby spadkobiercy dawnych właścicieli, a na koniec, jak została na placu boju sama – no, z wierną Magdą – bo reszta podwładnych pewnego dnia odeszła, podbuntowana przez jednego z dyrektorów.

Łukasz śmiał się i kręcił głową, ale też w pewnej chwili rzekł:

– Nie masz dla niej litości. Dla swojej córki. Rzucać dziewczynę na tak głęboką wodę, pełną rekinów, to doprawdy okrutne.

– Przynajmniej dobrze się bawi – rzucił niefrasobliwie Kiliński. – Wczoraj dostałem informację, że praca w kamienicach mimo wszystko wre, dziewczyny przeprowadzają nową rekrutację, a ty wracasz, więc z powrotem przejmiesz stery.

– Nie mówisz poważnie. – Uśmiech znikł z twarzy Łukasza. – Ślepy sternik będzie kierował tonącą łajbą? Tylko w twojej głowie mógł powstać tak durny pomysł. W ramach inspekcji będę białą laską opukiwał mury. Idiota – mruknął na koniec.

– Łukasz, czymś musisz się zająć, bo oszalejesz, gapiąc się całymi dniami w telewizor – odpowiedział Kiliński. – Zwłaszcza że nic w tej telewizji nie zobaczysz. A umysł masz tak samo sprawny jak przed wypadkiem. Sorry, ale ja się nie rozdwoję i nie dam rady kierować jednocześnie moją firmą, która też obecnie jest na krawędzi katastrofy, i twoją.

Młody mężczyzna nic nie odpowiedział. Po tylu tygodniach odosobnienia, w miejscu, które już znał na pamięć, zetknięcie na powrót ze światem zewnętrznym przerażało. Zwłaszcza że nadal przed oczami miał nieprzeniknioną czerń.

– Świetnie, wprost genialnie – odezwał się, gdy samochód hamował na uliczce Leśnych Dzwonków. – Mam ratować chorą matkę, upadającą firmę i uczyć się życia bez oczu... ciekawe, jakie jeszcze niespodzianki dla mnie przez te kilka tygodni przygotowałeś.

Kamila nie mogła doczekać się przyjazdu Łukasza. Godzinę wcześniej dostała wiadomość, że są już z Jakubem w Otwocku i lada moment wyruszą do niej, do Milanówka. Przez tę godzinę zdążyła przymierzyć i odrzucić kilka sukienek, które mogły się Łukaszowi spodobać, rozpuściła włosy, a potem pospinała je spineczkami, tak jak lubił, wykonała makijaż, zmyła go, uznając, że jest zbyt mocny, umalowała się jeszcze raz i powtórzyła to wszystko parokrotnie, a czas nie chciał przyspieszyć. Z godziny zrobiło się półtorej, potem dwie, a mężczyzn jak nie było, tak nie było...

Julia wpadła jak zwykle, przynosząc tacę ze słodkościami – sama w pustym domu, nie mając specjalnie nic innego do roboty, założyła blog kulinarny i z upodobaniem oddawała się gotowaniu wymyślonych przez siebie potraw i pieczeniu istnych cudeniek. Tym razem specjalnie na tę okazję przyniosła coś, co nazwała karmelowo-czekoladową rozkoszą. Wyglądało to tak obłędnie, że miotająca się po domu Kamila zatrzymała się na chwilę, spojrzała na tacę i aż westchnęła z zachwytu.

– Jesteś mistrzynią – orzekła stanowczo, gdy Julia pozwoliła jej skosztować jednego. – To po prostu niesamowicie pyszne. Dziękuję...

– Co jest tak pyszne? – usłyszały głos Małgosi, wchodzącej jak zwykle przez uchylone drzwi tarasu. Odwróciły się ku niej obie i... po prostu mowę im odjęło.

Gosia, w białej, mieniącej się leciutko niczym wnętrze muszli bluzce i długiej, podkreślającej doskonałe kształty spódnicy koloru

Morza Śródziemnego, pasującej do barwy jej oczu, delikatnie podkreślonych makijażem i z rozpuszczonymi włosami, spływającymi w miękkich falach niemal do pasa, wyglądała... wyglądała tak pięknie, że Kamila poczułaby ukłucie zazdrości, gdyby nie fakt, że to dla Jakuba, a nie Łukasza Małgosia spędziła przed lustrem ładnych parę chwil.

– Jeżeli jeszcze tego nie uczynił, dzisiaj poprosi cię o rękę – rzekła stanowczo Julia, obracając przyjaciółkę dookoła. – Wyglądasz przepięknie, zjawiskowo i co tylko chcesz, a oczy błyszczą ci czystą, jasną miłością.

– Julia, no wiesz... – Gosia wyswobodziła się i zarumieniona, umknęła do kuchni, gdzie zawsze było coś do roboty.

Kuchnię jednego dnia odnowiły we trzy, zupełnie same, bo ekipa pana Wojtka zajęta była ratowaniem kamienic, a im do cna znudził się kurz w herbacie i na chlebie. Teraz można w niej było przygotować skromny posiłek, bo piekarnik nadal nie działał, a podać go we wspaniale odremontowanej jadalni, którą pan Wojtek zdążył się jeszcze zająć. Teraz, w tym najpiękniejszym z całego domu pokoju, stał duży mahoniowy stół, artystycznie nakryty przez Kamilę, która dla jego udekorowania poświęciła ostatnie jesienne róże, i... pozostało tylko czekać na miłych gości.

Wreszcie...

Wreszcie pod domem hamował czarny jaguar Kilińskiego, a Kamila mogła zbiec po schodach i niemal śpiewając: „Łukasz! Łukasz wrócił!" – rzucić się wytęsknionemu mężczyźnie na szyję.

Objął ją, uniósł ze śmiechem, a potem tulił tak długo, szepcząc słowa, o jakich marzyła, i słuchając takich samych wyznań, jakby już więcej miał ją z ramion nie wypuścić.

Jakub pokręcił głową, wziął torbę Łukasza i chciał wejść do domu, ale... stanął w połowie podjazdu oczarowany zjawiskiem, które na szczycie schodów czekało na niego. I tylko na niego. Odłożył bagaż na bok, natychmiast o nim zapominając, i ruszył ku Małgosi, wpatrzonej w Jakuba z nieśmiałym uśmiechem, rozjaśniającym błękitne niczym niezapominajki oczy.

– Jesteś – odezwała się cicho, gdy stanął tuż przed nią.

– Jestem – odrzekł, uniósł jej twarz ku sobie i pocałował w usta, o których marzył od tamtej, wspólnej nocy.

Julia, patrząc na obie zakochane pary, poczuła łzy pod powiekami. Kiedy ją ktoś tak całował? Kiedy na nią patrzono z tak nieskończoną miłością? Kiedy ona była tulona tak, jakby już nigdy miano jej nie wypuścić z objęć?

Wycofała się cichutko do domu, poprawiła łyżeczkę przy którymś z nakryć, potem filiżankę, a w końcu uznawszy, że wśród tego szczęścia i radości będzie zupełnie zbędna, wyszła przez tarasowe drzwi i zniknęła w swoim domu.

W domu, gdzie na stoliku przy drzwiach wejściowych czekała nieotwarta gruba koperta z czerwoną urzędową pieczęcią. Czekała tak od zeszłego tygodnia. Julia bała się ją otworzyć...

Kolacja, podczas której Kamila nie wypuszczała z dłoni ręki Łukasza, a Jakub chłonął wzrokiem piękno leciutko zawstydzonej Gosi, dobiegła końca.

– Julia pomaga mi odnawiać Zacisze – mówiła Gosia, delektując się parfait przyniesionym przez przyjaciółkę. Próbowały do niej dzwonić i zaciągnąć ją z powrotem na uroczystą kolację, ale Julia wymówiła się bólem głowy. – W salonie na parterze położyłyśmy nowe tapety, hol jest jak nowy po zdarciu boazerii, a moja sypialnia taka, jaką kiedyś, będąc nastolatką, miałam: w barwach delikatnego wrzosu i écru.

– Twoja sypialnia? – mruknął, jak gdyby nigdy nic Jakub, przesuwając na talerzyk kawałek czekoladowego płatka, po czym uniósł oczy i posłał Gosi spojrzenie tak pełne żaru i tęsknoty, że ta spłoniła się jak panna na wydaniu. – Miałem nocować w hotelu, biorąc pod uwagę, że Łukasz ma tutaj własny pokój, ale nim odjadę, chętnie zobaczę tę sypialnię w kolorach wrzosu i écru...

Kamila z Łukaszem próbowali ukryć uśmiech. Gosia, jakby nagle zebrała się na odwagę, wstała od stołu, podziękowała za kolację i po prostu wyciągnęła do Jakuba rękę. Kamila odprowadziła ich na taras, a potem patrzyła, jak idą objęci, zakochani, spragnieni swojej bliskości, ku domowi, który jeszcze nie tak dawno straszył pustką. Dzisiejszej nocy, a może nie tylko dziś, pustkę wypełni miłość dwojga przeznaczonych sobie ludzi, a ciszę – westchnienia, szelest pościeli i wypowiadane po wielokroć dwa najpiękniejsze słowa: „kocham cię".

Dziewczyna, leciutko uśmiechnięta, stała w drzwiach tarasu dotąd, aż furtka za nimi zamknęła się. Gdy na ramieniu poczuła dłoń Łukasza, odwróciła się ku niemu i pozwoliła przytulić.

– Czy ty również przygotowałaś dla nas sypialnię we wrzosach i écru? – wymruczał, zagłębiając twarz w pachnące różanym szamponem włosy dziewczyny.

– Na nas czeka ta sama, w której kochałeś mnie po raz pierwszy – odszepnęła zawstydzona.

– Jeśli mnie pamięć nie myli, zasnąłem, zamiast cię kochać – zaśmiał się cicho. – Ale dzisiaj nikt ani nic nam nie przeszkodzi. Kocham cię, Kamila, i zawsze o tym pamiętaj, cokolwiek by się stało.

Zmroziły ją te słowa.

– Nie zamierzasz chyba odejść? – Ze wszystkich sił starała się, by to pytanie zabrzmiało spokojnie, ale serce ściął jej strach.

– Nie dzisiejszej nocy – odparł, szukając w ciemności jej ust.

Ujęła jego dłoń i poprowadziła po schodach na górę, do pokoiku, w którym tyle razy płakała z tęsknoty za Łukaszem. W którym modliła się o jego powrót i próbowała sobie wyobrazić, jak wtedy będzie, co mu powie, co zrobi, gdy będzie miała ukochanego tak blisko jak nigdy nikogo przed nim. Obok siebie, na sobie, wreszcie wewnątrz, głęboko, do końca, jakby stanowili jedność...

Idąc po schodach, w ciemność, bo nie zapalała po drodze świateł, próbowała sobie to wszystko przypomnieć: słowa, jakie chciała wyznać, pieszczoty, jakimi pragnęła okazać mu swoje uczucia, ale... umysł miała zupełnie pusty i oprócz przepełniającej ją miłości i pożądania czuła tylko strach.

Zatrzymał ją na szczycie schodów spragniony jej ciała i ust tak jak ona jego.

Całował długo, do utraty tchu, aż oboje musieli wesprzeć się o ścianę, bo lada moment razem osunęliby się na podłogę i kochali tutaj, na korytarzu.

Podtrzymał ją, odczekał, gładząc po plecach i całując delikatnie w usta, aż ustoi o własnych siłach, i pozwolił poprowadzić się dalej, do sypialni, w której świeża, wyprasowana, pachnąca pościel już na nich czekała.

Stanął obok łóżka, przeklinając w duchu swoje kalectwo. Tak bardzo pragnął widzieć ukochaną dziewczynę nagą i piękną, złożyć ją w tej miękkiej, chłodnej pościeli i pieścić każdy centymetr jej ciała, chłonąc jednocześnie widok piersi, które unoszą się ku jego dłoniom, ud, gładkich i szczupłych, jak rozchylają się pod jego dotykiem zapraszająco, ukazując tajemnicę skrywaną tylko dla niego.

Przed nim nie miała przecież innego mężczyzny. To był jej pierwszy raz.

Zaczął ją pieścić, delikatnie, z czułością...

Pragnął, by zapamiętała go pięknie... wspaniale do końca życia...

Zapamięta – podły, drwiący głos rozległ się w jego umyśle. – Na pewno zapamięta utratę dziewictwa ze ślepcem.

Oderwał się od niej.

Usiadł gwałtownie.

Wpił palce we włosy i siedział, na wpół zgięty, walcząc ze łzami.

– Łukasz, co się stało? Łukasz? – wyszeptała, nic nie rozumiejąc, i usiadła przy nim, obejmując jego drżące plecy. – Jeżeli... jeżeli nie... Ja poczekam, aż... Kocham cię, Łukasz – ostatnie słowa wypowiedziała głosem drżącym od łez.

Nie chciał jej! – Tylko to przychodziło Kamili do głowy. – Może tam, w Szwajcarii, poznał inną, a jej już nie chciał.

Jak ciężko, jak nieskończenie ciężko zrobiło się Kamili na sercu... Odsunęła się. Skuliła na pięknie pachnącej pościeli, którą tak pieczołowicie przygotowała na tę pierwszą noc...

– Zdajesz sobie sprawę, że już nigdy nie będę widział? – odezwał się nieswoim głosem. Głosem człowieka obcego. Złamanego nieszczęściem.

– Tak – odrzekła krótko.

– I mimo to chcesz się ze mną związać?

– Chcę.

Zwrócił ku niej niewidzące oczy. A ona z trudem powstrzymała się, by nie wybuchnąć płaczem.

– Jesteś tym samym dobrym, mądrym, opiekuńczym człowiekiem, którego pokochałam, i nic tego nie zmieni – powiedziała to, co czuła przez cały ten czas.

– Och, Kamila... – westchnął z głębi serca. – Sam nie wiem, kim jestem. Kim się stałem.

Objęła go na powrót, wtuliła twarz w zagłębienie na jego karku i wyszeptała:

– Dziś w nocy bądź tym, który przyniósł mi kiedyś czekoladki i jedwabną koszulkę. Mam ją na sobie, czujesz?

Pociągnęła go ku sobie, nakrył jej ciało własnym, całując jej usta, szyję, płatek ucha, a potem schodząc ustami coraz niżej. Pieścił językiem brodawkę piersi, co wyrwało z gardła dziewczyny przeciągły jęk. Wpiła palce w jego umięśnione, sprężyste plecy i przyciągnęła do siebie mocno, z całych sił, oddając swoje ciało w jego posiadanie.

Kochał ją.

Kochał całym sercem i całą duszą.

Jej oddanie, ufność, z jaką otwierała się na niego, wzruszały niemal do łez. I doprowadzały krew do wrzenia. Był gotów wziąć ją. Posiąść szybko, mocno, głęboko, ale... powstrzymywał własną żądzę, wiedząc, że jej potrzeba więcej czasu, że nie jest jeszcze gotowa.

Ale ona była gotowa.

Od pierwszej chwili gdy poczuła jego usta na swoich ustach, jego dłonie splecione ze swymi dłońmi, była gotowa.

– Weź mnie. Teraz – wyszeptała, otwierając się na niego.

Wszedł w nią jednym silnym pchnięciem, poczekał, aż minie ból pierwszego razu, a potem kochał długo i pięknie, tak jak oboje to sobie wymarzyli...

Rozdział XVIII

Stokrotka – któż nie lubi stokrotek? Skromnych kwiatuszków
o stu białych, a czasem różowych płatkach? Złote oczka zdają się
uśmiechać do wszystkich: i do nas, i do traw, wśród których rosną,
i do słońca, ale przede wszystkim do życia, bo stokrotki kochają
życie, i dlatego bukiecik słodkich, subtelnych kwiatków
to coś, co zachwyci każdą zakochaną...

*J*ulia, jak co rano od dnia gdy wspólne sąsiedzkie śniadania
weszły mieszkankom uliczki Leśnych Dzwonków w zwyczaj,
chciała z pełną tacą smakołyków wpaść do domu obok, ale... Kamila spędziła noc z Łukaszem i z nim pewnie zasiada teraz do stołu,
a może karmią się z dzióbka do dzióbka w łóżku?

Myliła się nieco, bo Kamila z Łukaszem w tej właśnie chwili kochali się, jakby cała noc spędzona razem była jeszcze za krótka. Naprawdę nie mieli apetytu na nic więcej poza sobą. A gdy w końcu, syci
miłości, zeszli do jadalni, czekał na nich zastawiony stół, Jakub, nale-
wający do filiżanek pachnącą kawę, i Gosia, promieniejąca tak, że roz-
świetlała uśmiechem cały pokój. Tylko Kamila wydawała się jeszcze
szczęśliwsza. Spojrzały na siebie, spojrzały na swoich mężczyzn i już
wiedziały, że tego właśnie pragną: budzić się co rano u boku ukochanego. Nigdy więcej samotnych nocy. Nigdy więcej przebudzeń w pustym łóżku. Nigdy więcej śniadań w towarzystwie duchów przeszłości.

Sielanka nie trwała zbyt długo, bo Jakub miał swoje obowiązki, a o Łukasza upomniała się jego matka, ale i tak śniadanie mijało w cudownej atmosferze. Małgosia, rozgadana zupełnie jak nie ona, opowiadała o nowym zleceniu: ilustracjach do książki dla dzieci, Kamila przyrzekała sobie i każdemu, kto chciał słuchać, że tym razem zatrudni odpowiedzialnych ludzi i Łukasz wróci do wspaniale prosperującej firmy. Jakub zastanawiał się na głos, ile czasu zabierze mu przeprowadzka do Warszawy – on sam mógł się spakować w jedną walizkę, ale już przeniesienie siedziby potężnej firmy nie było takie proste, zaś Łukasz... on mógł jedynie słuchać w milczeniu, bo planów nie miał żadnych.

Szwajcarscy lekarze sugerowali, by pogodził się z niepełnosprawnością i próbował przystosować się do życia jak inni niewidomi, ale dla niego pogodzenie się z kalectwem równało się porażce. Dopóki żywił nadzieję na to, że będzie widział, mógł jakoś żyć... miał na co czekać.

Śniadanie dobiegło końca.

Gosia pożegnała się i pobiegła do domu, by razem z nieocenioną Julią skrobać ściany tym razem na piętrze – jakoś wyleciało szczęśliwej Małgosi z głowy, że zwykle z Kamilą i Julią właśnie we trzy zasiadały do śniadania, i biedna sąsiadka mogła się poczuć odrzucona.

– Wracam do Wrocławia – odezwał się Jakub, gdy odprowadził Małgosię pod same drzwi, pożegnał długim, gorącym pocałunkiem i wrócił do Sasanki.

Kamila uśmiechnęła się do ojca. On, mimo nieprzespanej nocy, też wyglądał na szczęśliwego. Pokręcił głową, widząc jej porozumiewawczy uśmiech, ale po chwili odpowiedział tym samym.

– Łukasz, zbieraj się, chłopie – ponaglił przyjaciela, którego miał odwieźć do Otwocka, ale jeden telefon zmienił ich plany.

Julita bowiem oczekiwała syna nie w otwockiej willi, ale w Instytucie Psychiatrii i Neurologii na Sobieskiego. Została tam przywieziona przez Leona, zaraz po tym jak z wycieńczenia straciła przytomność. Wezwane pogotowie podało kobiecie parę wzmacniających zastrzyków i zasugerowało mężowi pacjentki, że jeśli ona natychmiast nie znajdzie się na oddziale leczenia zaburzeń odżywiania, on straci żonę. Leon nie zastanawiał się tym razem ani chwili, nie zważał też na protesty Julity i jej zapewnienia, że już zaraz zacznie jeść, o, właśnie bierze do ust kanapkę, zaciągnął ją do samochodu i zawiózł do szpitala.

– Mamo, przecież obiecałaś... – to były pierwsze słowa, jakimi przywitał matkę Łukasz.

Pragnął spędzić ten poranek w Sasance u boku Kamili, która tak rozkosznie całowała go na pożegnanie, zamiast siedzieć przy szpitalnym łóżku i słuchać jękliwych zapewnień matki, że ta czuje się całkiem dobrze i zupełnie nie wie, dlaczego ten wstrętny ojciec ją tu przywiózł.

– Bo jesteś chora – odparł, tracąc cierpliwość. – I dopóki lekarze nie stwierdzą, że możesz wyjść, tutaj zostaniesz.

– Ale będziesz mnie odwiedzał?

– Będę. Codziennie. Tak jak obiecałem.

Jednak ani on, ani nikt inny nie zdawał sobie sprawy, jak poważny jest stan Julity i jakie spustoszenia choroba poczyniła w jej organizmie...

Październikowe dni mijały jeden po drugim. Życie, mimo wszystkich niespodzianek, jakie miało w zanadrzu, niosło też ze sobą pewną stałość. Łukasz zamieszkał w Sasance. Poznał rozkład pomieszczeń i nie tylko potrafił trafić do sypialni, którą przenieśli na parter, do łazienki czy jadalni, ale umiał przygotować sobie śniadanie, nastawić wodę na herbatę, przejść do ogrodu i do bramy. Oswoił otoczenie i czuł się w nim coraz pewniej.

Odnalazł również pasję, która nie tylko pozwalała zabić nudę, ale zaczęła przynosić pewne dochody, co temu dumnemu mężczyźnie, który od najmłodszych lat sam zarabiał na własne wydatki, dodało pewności siebie: okazał się bowiem zdolnym kompozytorem. Od Kamili dostał na urodziny porządny syntezator i teraz Sasanka całymi dniami, a czasem i nocami, rozbrzmiewała dźwiękami komponowanych utworów. Dziewczyna owe dni spędzała w firmie, nie szukając na razie nowych inwestycji, bo późna jesień nie nastrajała na romantyczne wycieczki po polskich dróżkach, lecz zajęła się ukończeniem tych, które rozpoczął Łukasz, jako prezes Armiki. Dwie kamienice były gotowe na sprzedaż albo wynajem. Kamila musiała dołożyć starań, by po miesiącach pożerania ogromnych funduszy wreszcie przyniosły zysk.

Julia zaszyła się w domu i rzadko wpadała do Sasanki – wiedząc, że zastanie w niej nie sąsiadkę, lecz jej narzeczonego, a i do Gosi przestało ją ciągnąć od czasu, gdy w Zaciszu zamieszkał Jakub i to on zajął się remontem starej willi.

Zamieszkał to za dużo powiedziane, bo Kiliński, jak to Kiliński, w ciągłym ruchu, ciągle zajęty załatwianiem miliona spraw związanych z Farmicą i jej zagranicznymi oddziałami, częściej spędzał czas w samochodzie czy samolotach, kursując między Milanówkiem, Warszawą, Wrocławiem czy wreszcie Kanadą albo Stanami, ale Gosia i tak była szczęśliwa, mogąc na niego czekać i wiedzieć, że do niej wróci.

Codziennie odbywała sesje z terapeutą, które przynosiły jakieś tam efekty, jednak, po którejś nocy gdy Jakub kochał ją niemal do rana, aż oboje padli wyczerpani i wtuleni w siebie, zdobyła się na wyznanie:

– Niepotrzebny mi żaden terapeuta, tylko ty. Za tobą pójdę wszędzie. Wystarczy, że będziesz mnie trzymał za rękę, a...

– Sprawdzimy? – zapytał na wpół żartem, na wpół serio.

– Sprawdzimy – odparła bez namysłu.

– Jeżeli dojdziesz do końca ulicy, będę cię kochał tak, aż zaczniesz krzyczeć z rozkoszy – obiecał.

– Tak kochasz mnie za każdym razem – zauważyła, całując go w usta.

– To będzie coś szczególnego. Wstawaj.

Chichocząc jak dwoje nastolatków, narzucili na nagie ciała płaszcze i wyszli w zimną październikową noc. Otwierana brama skrzypnęła cicho. Gosia uczepiła się ręki Jakuba tak silnie, że poczuł wbijające się w skórę paznokcie, ale ten ból sprawił mu przyjemność, bo świadczył o zaufaniu.

Jeszcze nie dowierzając, że to się dzieje naprawdę, przekroczyła próg bramy, a potem krok za krokiem, podtrzymywana przez Jakuba, ruszyła w głąb uliczki, która chociaż krótka, Gosi wydała się nieskończenie długa.

Dotarła do końca, niemal płacząc ze strachu, ale i szczęścia. Jakub pochwycił ją na ręce, obrócił ze śmiechem dookoła i ucałował. Stali naprzeciw siebie pośrodku uśpionej ulicy. Objął ją, tak że czuła całym ciałem jego nagie ciało, i oboje otulił płaszczem. Było w tym coś nieprzyzwoitego, ale i absolutnie uroczego.

– Jesteś najmilszą, najcudowniejszą i najodważniejszą istotą, jaką znam – rzekł z powagą.

– Nie żartuj sobie ze mnie – odparła zawstydzona.

– Mówię zupełnie serio. Na tydzień muszę wyjechać i miałem zrobić to, co zaraz zrobię, po powrocie, ale ta noc jest tak romantyczna...

– I zimna...

Zaśmiał się, jak coraz częściej miał to w zwyczaju: cicho i ciepło, po czym sięgnął do kieszeni płaszcza i wyciągnął niewielkie pudełeczko z granatowego aksamitu. Otworzył je, nie wypuszczając Małgosi z objęć. Pierścionek z różowego złota błysnął w świetle latarni brylantowym oczkiem.

Gosia wstrzymała oddech. Przez chwilę patrzyła to na klejnocik, to na Jakuba, a wreszcie pokręciła głową i chciała uciec, ale po pierwsze, była owinięta jego płaszczem, a po drugie, trzymał ją mocno.

– Chcę cię prosić, byś została moją żoną – rzekł cicho i poważnie. – Marzę o tym od chwili, gdy cię ujrzałem.

– Jakub... spójrz na mnie – zaczęła, czując pod powiekami łzy zarówno wzruszenia, jak i żalu. – Jestem okaleczoną fizycznie i psychicznie życiową sierotą. Nigdy nie będę taką żoną, na jaką zasługujesz. To, co dla mnie robisz... Zobacz, dzięki tobie stoję na ulicy, nie wrzeszcząc, nie uciekając, nie mdlejąc z przerażenia, i jestem ci za to nieskończenie wdzięczna, ale czy moja wdzięczność ci wystarczy?

– Nie kochasz mnie? – W jego głosie zabrzmiał ból.

– Kocham. Z całego serca – odparła z żarem. – Ale...

– Nie mów więc nic więcej. – Zamknął jej usta pocałunkiem i całował dotąd, aż ugięły się pod nią nogi. – Muszę wyjechać na tydzień, może trochę dłużej. Dasz mi odpowiedź, gdy wrócę, dobrze?

Kiwnęła głową niezdolna jeszcze wykrztusić ani słowa, a on wziął ją na ręce, przytulił mocno, a potem zaniósł, drżącą całą, do domu, po schodach na górę, do sypialni, gdzie kochał ją tak, jak obiecał: aż krzyczała z rozkoszy jego imię...

Gdy opadli w końcu, wyczerpani do cna, na pachnącą miłością pościel, Gosia leżała długie chwile z głową przytuloną do jego piersi wpatrzona w kochaną twarz mężczyzny, który raz na zawsze skradł jej serce i duszę, zawładnął jej myślami, a wreszcie na koniec posiadł ciało, nie zważając na jego ułomność. Chciała wyznać Jakubowi coś jeszcze, ale... bała się.

Jak zareaguje na jej słowa? Co zrobi, gdy usłyszy to wyznanie? Zostanie czy narzuci na ramiona koszulę i marynarkę i wyjdzie bez słowa?

– Jakub – szepnęła, czując, że albo teraz się odważy, albo... potem prawda i tak wyjdzie na jaw.

– Tak, kochana? – uniósł ciężkie powieki.

– Jestem w ciąży. To nasze dziecko. Moje i... twoje. Stało się. Powiedziała to.

On usiadł gwałtownie, chwycił jej dłonie i uścisnął z całych sił.

– Powtórz – powiedział powoli.

– Będziemy mieli dziecko – wyszeptała, ledwo łapiąc oddech z przerażenia. – Przepraszam, myślałam, że już nigdy nie będę mogła...

Przerwał jej pocałunkiem tak żarliwym, że znów odebrało jej oddech. Tym razem ze szczęścia. A potem tulił i kołysał w ramionach zupełnie tak, jakby już to maleństwo mu urodziła.

– Gosiu, ze wszystkich kobiet na świecie jesteś jedyną, z którą pragnę żyć, mieszkać, ożenić się, zestarzeć, a po drodze mieć dzieci. Dużo dzieci...

Zaśmiała się. Po policzkach popłynęły jej łzy. Ale ponownie tej nocy były to łzy szczęścia. Czym sobie zasłużyła na taką łaskawość losu? No, czym? Jakub, trzymając w objęciach ukochaną kobietę, myślał dokładnie o tym samym. Widać wszystkie dawne grzechy zostały mu wybaczone, skoro Bóg wynagrodził go najukochańszą istotą na świecie...

– O, Iza! Gdzie byłaś, gdy ciebie nie było?! – wykrzyknęła Julia na widok z dawna niewidzianej przyjaciółki.

– Tu i tam... – Lekarka machnęła ręką w mało konkretnym kierunku. – Jest u siebie Kamila? Nie mogłam się do niej dobić.

– Kamila pracuje. Od rana do wieczora przesiaduje w Warszawie, w tej swojej ukochanej firmie. W domu powinien być Łukasz, bo niedawno wrócił ze Szwajcarii, ale on nie otwiera drzwi. Wiesz, nadal nie odzyskał wzroku...

Iza kiwnęła głową, niby zainteresowana sprawozdaniem, ale widać było, że myślami błądzi zupełnie gdzie indziej.

– Gosia, o, u niej dopiero się pozmieniało!, przygarnęła pod swój dach Jakuba, ojca Kamili, i wygląda na to, że zostanie on w Milanówku na dłużej. A co ty porabiałaś przez te wszystkie tygodnie od czasu pamiętnej burzy? Szukałyśmy cię, wiesz? Doktor Staśko też cię szukał.

– Wysłałam mu wiadomość. Niejedną – odmruknęła kobieta.

Julia umilkła. Znała Izę Zadrożną bardzo krótko i nie miała pojęcia, o czym z nią rozmawiać.

– Krążyły plotki, że od niego odeszłaś – zaczęła ostrożnie. Iza wzruszyła ramionami.

– Zrobiłam sobie wakacje od małżeństwa, ale nie zamierzam Tadka opuszczać. Jakie jeszcze słyszałaś plotki? Znalazł sobie kogoś?

– Doktor Staśko?! – Julia uniosła brwi ze zdumienia. – On kocha tylko jedną kobietę. Ciebie. I jeżeli rzeczywiście postanowiłaś wrócić, to leć do niego, bo biedak marnieje z każdym dniem. Nawet szpital przestał mu wystarczać! – Tego Julia nie mogła wiedzieć, bo była zdrowa jak rydz, ale szóstym zmysłem domyślała się, że to właśnie Iza chciała usłyszeć. – I otwórz na powrót lecznicę, bo ludzie rzewnymi łzami płaczą, gdy muszą jechać gdzie indziej. A i Kulce przyda się zaprzyjaźniona pani doktor tutaj, na miejscu.

Paplała tak, byle coś mówić, bo od kiedy utraciła na rzecz mężczyzn obie przyjaciółki, jej piękny dom stał się tak pusty jak kiedyś ponure domiszcze Małgosi. Tutaj, w Milanówku, Julia z nikim nie potrafiła się jakoś zaprzyjaźnić. O powrocie do Warszawy zaś nie mogło być mowy. Wiedziała o tym od chwili, w której dostała opatrzoną czerwonymi pieczęciami kopertę. Gdyby Iza była skupiona na kim innym niż na sobie i swoim małżeństwie, może zauważyłaby ból w zielonych oczach przyjaciółki, ale ona pożegnała się i wyszła.

Łukasz, gdy siadał do fortepianu, pianina czy syntezatora, zapominał o całym świecie. Brak jednego ze zmysłów – wzroku – powodował, że inne się wyostrzyły. Każdy dźwięk, który wydobywał się spod jego palców, brzmiał inaczej: pełniej, głębiej, piękniej. Potrafił tak zapamiętać się w muzyce, którą tworzył, że trudno było go przywrócić do rzeczywistości. Tak było i tym razem. Dopiero gdy poczuł dotknięcie dłoni na ramieniu, delikatne, pieszczotliwe niemal, przerwał, nakrył tę dłoń swoją, a potem pochylił się, aby ją ucałować, gdy... znieruchomiał.

– Kto to? – zapytał z wrogością, czując zapach obcych perfum.

– Ja, Iza. Przepraszam, jeśli cię przestraszyłam.

Zmrużył lekko oczy, odzyskując panowanie nad sobą.

– Nie lubię, gdy dotyka mnie ktoś obcy.

Odwrócił się na krześle i patrzył na nią tak intensywnie i z taką wrogością, że lekarka przez chwilę wątpiła, czy on aby na pewno nie widzi.

– Zawsze wchodzisz bez uprzedzenia do czyichś domów? – zapytał z ironią.

– Dzwoniłam do bramy, pukałam do drzwi, ale nie słyszałeś.

– Postanowiłaś więc, ot tak, wejść i sobie ślepca podotykać?

– Przepraszam, Łukasz, nie miałam takiego zamiaru...

– Owszem, miałaś. Od samego początku miałaś. – Przypomniał jej czasy, gdy jeszcze widział, a ona leczyła potrąconą przez samochód Kulkę. – Czego chcesz? – zapytał już całkiem nieprzyjaznym tonem.

Żeby widziano mnie, jak bywam tutaj pod nieobecność Kamili – odparła w myślach, a na głos rzekła:

– Wpadłam pogadać z Kamilą, ale skoro jej nie ma...

– Będzie wieczorem. I z nią się umawiaj następnym razem.

Izie nie pozostało nic innego, niż pożegnać się i odejść. To był błąd, że w ogóle tutaj przyszła. Obiecała przecież sobie, że nie zrobi już nic podłego, a wizyta w Sasance i próba wmanewrowania Łukasza w swoje plany taka właśnie była: po prostu podła.

Wsiadła do samochodu i wściekła na samą siebie, pognała uliczkami Milanówka. Czekała ją dużo trudniejsza rozmowa niż krótkie spięcie ze wściekłym Łukaszem Hardym...

Iza Zadrożna weszła do swojego domu, stojącego tuż przy zamkniętej od wielu tygodni na cztery spusty lecznicy, cicho, na palcach, niczym złodziej. Bo tak właśnie się czuła: jakby okradła domowników – siebie i męża – z najcenniejszej rzeczy, jaką posiadali, spokoju ducha.

Zwykle o tej porze, o ile w ogóle był w domu, a nie w szpitalu, Tadek spał snem człowieka nie tyle sprawiedliwego, ile skonanego do granic ludzkiej wytrzymałości. Tym razem, słysząc zgrzyt klucza w zamku, a potem ciche kroki na schodach, znieruchomiał, wstrzymał oddech, serce niemal przestało mu bić w oczekiwaniu... Nie bał się złodziei, bo co niby mogli mu ukraść? Wraz z odejściem Izy stracił wszystko, co najcenniejsze, bał się... że to nie ona.

Gdy stanęła w drzwiach pokoju, patrząc na męża niepewnie, album, który oglądał całymi dniami, wypadł mu z ręki, a on... rozpłakał się. Tak po prostu. Po policzkach starego mężczyzny, człowieka,

który trząsł całym oddziałem intensywnej terapii, zaczęły bezgłoś-
nie płynąć łzy. Przypadła do niego, uklękła, wzięła jego drżące ręce
w swoje i zaczęła przepraszać i błagać o wybaczenie.

– Tadziu, Tadziuniu, nie płacz, bo mi serce pęknie – mówiła, sama ocierając łzy. – Przepraszam, przepraszam za wszystko,
jestem podłą, wredną żoną i wcale się nie zdziwię, jak zażądasz
rozwodu, ale nie płacz, na Boga.

– To z radości – odparł wreszcie, gdy mógł powiedzieć choć
słowo przez ściśnięte boleśnie gardło. – Myślałem, że już nigdy
nie wrócisz, że cię nie zobaczę. Bałem się, że porwali cię i wy-
wieźli do Niemiec czy Włoch, a te wiadomości, które przysyłasz,
pisze kto inny.

Ukląkł naprzeciw niej i tulił żonę w ramionach, niczym naj-
cenniejszy skarb, szepcząc słowa miłości. Nagle odsunął ją na wy-
ciągnięcie ramion i zapytał nieswoim głosem:

– Wróciłaś po swoje rzeczy? Odchodzisz? Masz innego?

Iza pokręciła głową, nie patrząc mu w oczy.

– Ludzie mówili, że ty i...

– Nie wierz w to, co mówią ludzie – przerwała mu gniewnie –
bo z nudów strzępią języki, a prawda może być zupełnie inna.

– Gdzie więc byłaś przez dwa miesiące?

Uniosła wzrok, badając twarz mężczyzny, którego mimo wszystko kochała. Czy zniesie to, co ma mu do powiedzenia? Czy może
jednak zażąda rozwodu? I jak mu to, na Boga!, wyznać?

Nagle zebrała się na odwagę.

– W Czechach, a właściwie w czeskiej klinice, gdzie poddałam
się zabiegowi in vitro. Jestem w ciąży.

W doktora Staśko jakby piorun strzelił. Gdyby wypaliła, że
w Czechach, a właściwie w czeskiej klinice, poddała się zabiegowi
zmiany płci, chyba mniej by go zszokowała.

– Przecież... mówiłaś, że nie chcesz dzieci... że nie lubisz... – wyjąkał.

– Bo ty nie mogłeś mieć – odparła krótko. – Gdybym puściła się z pierwszym lepszym i wpadła choćby z sąsiadem, nie mogłabym ci potem w oczy spojrzeć, więc... Zdecydowałam się na niepokalane poczęcie. Wybacz, że nie zapytałam cię o zgodę, przepraszam, że stawiam cię przed faktem dokonanym – to małe – położyła dłoń na płaskim brzuchu – ma już ładnych parę milimetrów i bijące serduszko, wiem, bo sama widziałam – mówiła to głosem tak niezwykle miękkim, a jej twarz tak nagle złagodniała, że jeśli doktor do tej pory nie wierzył w jej słowa, teraz musiał wyzbyć się wszelkich wątpliwości. Tak mówią o swoich dzieciach jedynie szczęśliwe matki.

– I... nie będę ci miała za złe, jeśli zażądasz rozwodu – dokończyła już zupełnie innym tonem.

– Mam się z tobą rozwieść? – Uniósł brwi w niebotycznym zdumieniu. – Teraz, gdy będziemy mieli dziecko?

Chwycił ją w ramiona i przytulił, znów czując wilgoć pod powiekami.

– Nie gniewasz się? – upewniała się raz po raz, czując, jak strach, z którym tu przyszła, ustępuje miejsca coraz większej radości, radości, która zatyka dech w piersiach i każe kochać cały świat. – Uznasz to dziecko?

– Już uważam je za nasze wspólne – odparł szczerze. – Przyznam, że bałem się tego przez całe lata, od kiedy stwierdzono, że to z mojej winy nie możemy mieć dzieci. Bałem się, że któregoś dnia odejdziesz do faceta, który ci to dziecko da. Chyba bym tego nie przeżył. Bardzo cię kocham – głos znów mu się załamał.

A ona pomyślała: Izka, ty cholerna szczęściaro, nie zepsuj tego...

Wieczorem pobiegła na uliczkę Leśnych Dzwonków pod numer 5. Chciała się z dziewczynami spotkać sam na sam, w babskim gronie, bez snujących się po domu Łukaszy czy innych Jakubów, choć ten pierwszy był akurat u matki w szpitalu, a ten drugi wyjechał na tydzień do Wrocławia, ale tego przecież Iza wiedzieć nie mogła.

Nie zdradzając ani słowa z niespodzianki, jaką dla nich wszystkich miała, zadzwoniła do Kamili i Gosi, rozgościła się na skórzanych kanapach należących niegdyś do Janki Krasowskiej, i pozwoliła się Julii, w oczekiwaniu na pozostałe dziewczyny, ugościć herbatą i kruchymi ciasteczkami.

Gdy wreszcie wszystkie cztery zasiadły w kuchni – najprzytulniejszym pomieszczeniu w tym domu – Iza bez wstępów, bo doprawdy nie były potrzebne, wypaliła:

– Jestem w ciąży!

Dziewczyny zamarły, z ciastkami niesionymi do ust, a potem wybuchło pandemonium. Jedna przez drugą gratulowały przyszłej mamie i każda z osobna chciała się dowiedzieć, jak, na Boga, Izka tego dokonała. Przecież doktor Staśko w domu prawie nie bywał, ona sama zarzekała się, że nie chce mieć dzieci, z innymi facetami jakoś jej ostatnio nie widywano...

– Czy to ważne jak? – wzruszyła w końcu ramionami. – Ważne, że małe będzie wyczekiwane i kochane. Ale żeby uciąć plotki, wyjeżdżamy z Tadziem na długie wakacje, i to z nich wrócę przy nadziei – dokończyła zadowolona z siebie. – Powiem ci, Kamila – jak już wyznawać prawdę, to całą – że chciałam wrobić w to twojego Łukasza, oczywiście, nie zaciągając go do łóżka – zastrzegła szybko, widząc minę dziewczyny – po prostu miałam do niego wpadać na tyle często, by ludzie zaczęli snuć domysły, ale...

– To byłoby naprawdę podłe – dokończyła cicho Kamila, po prostu nie wierząc, że Iza byłaby do czegoś takiego zdolna. W tej chwili pragnęła wyjść i nigdy więcej nie oglądać tej zadowolonej z siebie kobiety. – Wiesz, mogłaś wykorzystać to, że jest niewidomy i nie zauważy różnicy, czy kocha się ze mną, czy z tobą, i rzeczywiście wpaść z nim. Tak więc jestem ci wdzięczna, że nam tego oszczędziłaś...

– Kamila, co cię ugryzło? – zdziwiła się Iza, ale dziewczyna wstała gotowa do wyjścia.

Miała dość towarzystwa tej pozbawionej skrupułów czy zwykłej ludzkiej przyzwoitości pani doktor.

Gosia i Julia, którym również plan Izy Zadrożnej, choć niewprowadzony w życie, wcale się nie podobał, stanęły po obu stronach Kamili.

– Myślałam, że się ucieszycie – jęknęła Iza.

– Z czego? Z tego, że planowałaś wrobić w dziecko faceta przyjaciółki? – warknęła Kamila.

– I żałuję, że tego nie zrobiłam! – wypaliła kobieta. – Łukasz ma dobre geny, a ty korzystaj z nich, póki możesz, bo gdy w końcu przejrzy na oczy, znajdzie sobie lepszą laskę – dodała jeszcze i wyszła, trzasnąwszy drzwiami.

One trzy stały chwilę w milczeniu, po czym Gosia wzruszyła ramionami.

– Hormony – powiedziała, ale bez przekonania.

– Podły charakter – sprostowała Kamila.

– Taka po prostu jest – dodała Julia. – Ale czasami staje na wysokości zadania. Same byśmy sobie z Wielickim nie poradziły, gdyby nie Iza. Porwałby Gosię, zamknął w Tworkach i tyle byśmy ciebie, kochana, widziały.

Gosia przytaknęła, będąc myślami zupełnie gdzie indziej.

– Ja też mam dla was nowinę i trochę boję się, jak ją przyjmiecie. Jak ty, Kamila, ją przyjmiesz.

– Jesteś w ciąży z Jakubem – wypaliła dziewczyna i... roześmiała się, widząc minę Małgosi. – Jesteś!

– Chyba jestem – wyszeptała Gosia, patrząc na Kamilę wielkimi, niedowierzającymi oczami. – Zrobiłam sobie wczoraj test, bo... coś czułam i... tak. Chyba jestem.

– W ciąży nie można być „chyba"! Można być „na pewno"! – Kamila objęła przyjaciółkę z całych sił i ucałowała, ciesząc się, jakby to jej na teście ukazały się dwie kreski.

– Teraz jeszcze ty walnij, że również spodziewasz się dziecka, i populacja Milanówka gwałtownie wzrośnie – rzekła do Kamili Julia, również ściskając Gosię, przyszłą matkę, serdecznie.

– Ja... dziękuję wam, dziewczyny, za tę radość, ale... – Gosia spojrzała w dół. – Przecież nie mam nogi! Jak sobie poradzę...

– Do rodzenia dzieci potrzebna jest macica, nie noga – uświadomiła ją Julia. – A gdy już urodzisz, na pewno nie zostawimy cię samej sobie. Masz dwie ciocie do pomocy jak w banku.

– Powiedziałaś już Jakubowi? Może być trochę zaskoczony... Ma już przecież jedno dziecko. – Kamila wskazała na siebie.

Gosia w odpowiedzi uniosła dłoń, na serdecznym palcu błysnął pierścionek.

– Oświadczył mi się dziś w nocy – powiedziała, rumieniąc się na samo wspomnienie okoliczności, w jakich to nastąpiło.

– A ty zgodziłaś się! Powiedz, że się zgodziłaś! – wykrzyknęła Julia, tak szczęśliwa, jakby to jej oświadczył się ten cholernie przystojny Kiliński.

– Nie powiedziałam „tak", nie powiedziałam „nie". Wróci za tydzień i wtedy dam mu odpowiedź.

– Gośka, nie mów, że wahasz się przed poślubieniem mojego ojca – zaczęła żartobliwie Kamila. – Przecież on świata poza tobą nie widzi. Jeśli odmówisz, będziesz go miała na sumieniu, zobaczysz, a ja nie odezwę się do ciebie do końca życia.

– Skoro tak stawiasz sprawę, mała, podła szantażystko... – zaśmiała się Małgosia.

– Będziesz moją macochą! – wykrzyknęła Kamila całkiem zaskoczona. – O kurczę, a ja będę miała siostrę albo brata. W wieku dwudziestu pięciu lat!

Wybuchnęły śmiechem.

– Mi tam potrzeba do szczęścia jeszcze jednej rewelacji – odezwała się Julia, przynosząc z barku butelkę szampana. – Że ty, Kamila, również spodziewasz się dzidziusia.

– Nie omieszkam wam o tym donieść w pierwszej kolejności! Otwieraj tego szampana – rzekła do Julii, zabierając przy tym jeden z trzech przyniesionych przez nią kieliszków. – Kobiety w ciąży nie piją!

W zupełnie innym nastroju niż po wyjściu Izy zasiadły do herbaty i ciasteczek, a los, ten przewrotny los, patrząc na uszczęśliwione twarze trzech młodych kobiet, już zacierał ręce...

Rozdział XIX

Sasanka – prześliczny, choć rzadko spotykany kwiatek,
którego ciemnofioletowy kielich ukrywa złocistą tajemnicę.
Łodyżka i listki pokryte są gęstymi srebrzystymi włoskami,
co jeszcze dodaje tej roślince uroku. Jeżeli chcesz cieszyć się
urokiem liliowej sasanki czy jej owocem, wyglądającym
jak mała puchata kulka, zasadź ją w ogródku lub na balkonie,
a wdzięcznie rozwinie się w kwiatek wraz z pierwszymi
promieniami wiosennego słońca.

Łukasz czuł, że trwa w zawieszeniu. Na coś czeka. Tylko na co? Odpowiedź zdawała się prosta: na odzyskanie wzroku, bo nie mógł i nie chciał się pogodzić z faktem, że utracił go na zawsze. Próby przystosowania się do życia w mroku traktował jako coś tymczasowego. Dopóki znów nie będzie widział, musi sobie jakoś radzić. Ale nauczyć się żyć jak każdy ociemniały? Poruszać się do końca życia z białą laską, czytać brajlem, chodzić uczepionym czyjegoś rękawa i dostać z pośredniaka pracę dla inwalidów?

O nie, nie, po prostu się na to nie godził. Buntował się przeciwko temu całym jestestwem. Nie było takiej opcji, by on, Łukasz Hardy, pozostał ślepy do końca życia.

Czekał więc.

Na szok większy od tego, który przeżył.

Na wydarzenie, które zdaniem lekarzy wstrząśnie nim tak, że odzyska wzrok. I powoli domyślał się, co to może być. Powtórna śmierć...

Nigdy nie przyznałby się do tych myśli – bo na razie były to domysły, a nie plany – ani Kamili, ani Jakubowi, ani tym bardziej rodzinie, ale... brał tę możliwość pod uwagę. Tylko jak to przeprowadzić? Gdyby nie cholerna ślepota, już wertowałby strony internetowe, na których niedoszli samobójcy wymieniali się doświadczeniami. Jak miał poprosić o pomoc Kamilę? „Znajdź mi, kochana, jakiś sposób, bym umarł na parę minut, najlepiej w karetce reanimacyjnej, a jak mnie odratują, to znów będę zdrowy i wesoły"?

Takie myśli krążyły po głowie temu rozsądnemu przecież do niedawna mężczyźnie, dla którego nie było w tym przypadku kompromisów: albo będzie widział, albo ze sobą skończy. I nie było w jego planach miejsca dla przyjaciół i rodziny. Nie dopuszczał do świadomości, jak będą cierpieć i rozpaczać po jego śmierci. Co będzie przeżywać Kamila, która każdego dnia, każdej nocy dawała mu dowody miłości, znosząc jego humory, wybuchy frustracji i nienawiści do samego siebie.

Z nieskończoną cierpliwością łagodziła, przeczekiwała, zapewniała, że go kocha takiego, jaki jest. To doprowadzało Łukasza czasem do łez, a czasem po prostu do szału.

Musiał coś zrobić.

Musiał to zakończyć.

Raz na zawsze.

Tej nocy był kochający i czuły, jak tylko on potrafił. Gdy nasycili się swoją bliskością i Kamila leżała wtulona w pierś mężczyzny, odezwała się cicho:

– Jakub oświadczył się Małgosi, a ona jest w ciąży. To cudownie, prawda? – dodała, gdy odpowiedziało jej milczenie. – Kto jak kto, ale Gosia, po tylu latach cierpienia, zasłużyła na wszystko, co najlepsze.

Ja też – dodała w duchu, a Łukasz znał ją zbyt dobrze, by się tego nie domyślić. Brnęła więc dalej, nie zważając już na własną dumę:

– Kocham cię, Łukasz. Kocham całym sercem, ale ty... ty wciąż trzymasz mnie na dystans. Mieszkasz ze mną, sypiasz w moim łóżku, kochamy się i jest to najpiękniejszy seks na świecie, ale... ciągle mam wrażenie, że ta bajka zaraz się skończy. Że któregoś dnia obudzę się, a ciebie obok nie będzie.

Czekała, aż zaprzeczy. Aż zacznie gorąco zapewniać, że nigdy jej nie opuści, ale on milczał.

– Powiedz coś – poprosiła. – Cokolwiek.

Poczuła pod policzkiem, jak jego mięśnie tężeją, zupełnie jakby zbierał się w sobie do walki.

– Wyznam ci coś, czego nie mówiłem do tej pory nikomu.

Kamila odszukała w ciemności jego rękę i zacisnęła na niej palce.

– Może ci się to wydać absurdalne albo niewiarygodne... – ciągnął z wyraźnym wahaniem – ale ufam ci. Wierzę, że wysłuchasz do końca i mnie nie wyśmiejesz.

Wtuliła usta we wnętrze jego dłoni i to wystarczyło za odpowiedź i wyznanie miłości.

– Zawsze starałem się żyć dobrze. Uważny na innych – zaczął. – Mama wychowała mnie według staroświeckich, niemodnych zasad, za co jestem jej wdzięczny: Bóg, honor i ojczyzna. „Pomagaj potrzebującym. Dziel się z innymi. Nie krzywdź" – to wpajała mi od dziecka i tak właśnie starałem się postępować. Nie zawsze mi się udawało, bo jestem, na miłość boską, tylko człowiekiem, a nie świętym, ale do pewnego dnia myślałem o sobie: „Jesteś okej, Łukasz, fajny z ciebie facet". A potem miałem ten wypadek... Zatrzymanie akcji serca, reanimacja... Znalazłem się na granicy życia i śmierci, ale nic z tamtych chwil nie pamiętam. Odzyskałem przytomność w szpitalu. Rodzice, bracia, ty... Wszystko było na swoim miejscu, a ja znów gotów ruszać na podbój świata, gdy tylko odłączą mnie od aparatury. Dopiero za drugim razem, w Aninie, stało się coś, co... zmieniło wszystko.

Umilkł.

Ona czekała cierpliwie, aż odzyska odwagę, by opowiedzieć do końca o swoich przeżyciach. Głaskała tylko jego pierś, teraz unoszoną szybkim, urywanym oddechem, mając nadzieję, że jej obecność pomoże mu jeszcze raz przejść przez tamte straszne chwile.

– Gdy moje serce zatrzymało się po raz drugi, stanęło mi przed oczami całe moje życie, zupełnie tak, jak możesz przeczytać w różnych tych *Życiach po życiu*, w które do tej pory nie wierzyłem. Ale... No właśnie, było jedno jedyne ale... Coś, czy raczej Ktoś, uświadomił mi, że moje dobre uczynki, te z których byłem taki dumny, których byłem taki pewien: hojna darowizna na hospicjum, jeden procent podatku dla fundacji charytatywnej, nawet uratowanie życia Jakubowi, to wszystko się nie liczy w ogólnym rozrachunku, bo robiłem to dla siebie, nie dla innych. Ten Ktoś pokazał mi drugą stronę mojej natury, tę mniej przyjemną...

Znów umilkł, nie zdając sobie sprawy, że tak silnie zaciska palce na ręce Kamili, aż sprawia jej tym ból. Ona zresztą nie zważała na to wsłuchana w jego słowa. Całą sobą czuła, że oboje zbliżają się do prawdy...

– Nagle znalazłem się w hipermarkecie, w którym kiedyś zapewne byłem, ale zupełnie wyleciało mi to z pamięci. Gdzieś w przejściu, mijane obojętnie przez tłum kupujących, płakało dziecko. Kilkuletni chłopczyk. Wiedziałem, że się zgubił, że gdzieś tam szuka go matka, ale... przecież wokół było tylu ludzi! Ktoś na pewno pomoże temu dzieciakowi, prawda? Dlaczego to mam być ja? Nie zwolniłem kroku, spiesząc się nie wiem już dokąd ani po co. Po prostu minąłem płaczące dziecko, jakby było dekoracją czy plastikowym krasnalem, i wyrzuciłem je z pamięci. Ale ten Ktoś, kto ważył moje uczynki, przypomniał mi o płaczącym dziecku. Widziałem każdy szczegół jego ubranka, jasne włoski, czerwoną bluzeczkę z autkiem. Zapłakane niebieskie oczy. A przede wszystkim ludzi mijających chłopczyka obojętnie. I siebie samego również.

Kamila słuchała tej spowiedzi z sercem ściśniętym tak boleśnie, że chciało jej się krzyczeć.

– Przecież mijały tego chłopczyka tłumy. Każdy mógł mu pomóc – wyszeptała.

Spojrzał na nią swymi niewidzącymi oczami, teraz wilgotnymi od łez, i powiedział powoli:

– Kamila, nie ma znaczenia, ilu ludzi mija obojętnie czyjeś nieszczęście, ważne, czy ty się zatrzymasz. Tylko to się liczy po tamtej stronie.

Te słowa zapadły dziewczynie głęboko w serce: „Nie ma znaczenia, ilu przejdzie obojętnie obok czyjegoś nieszczęścia, ważne, czy ty się zatrzymasz". Poczuła dreszcz przebiegający wzdłuż kręgosłupa...

– Potem przewinęły mi się przed oczami jeszcze inne zdarzenia, w których mogłem pomóc, ale pozostałem obojętny. Bezdomny, leżący na mrozie obok ławki w parku, który być może zamarzł na śmierć, bo minąłem go, odwracając wzrok, zamiast zadzwonić na pogotowie... Pies, przywiązany do budy na krótkiej lince, który w upalny dzień powoli umierał z gorąca i odwodnienia... Staruszka, niosąca ciężkie zakupy w strugach deszczu, którą mogłem podwieźć, bo co to dla mnie i mojej sportowej hondy, ale ta starowinka i jej siatki mogły mi przecież ubłocić siedzenie... – Parsknął w tym momencie krótkim, pełnym pogardy śmiechem. Pogardy dla samego siebie. Kamila nagle straciła pewność, czy chce wiedzieć, co było dalej. Ale Łukasz, raz zebrawszy się na odwagę, musiał wyznać wszystko. Do końca.

– Gdy już napatrzyłem się na wszystkie swoje podłe uczynki, gdy ujrzałem siebie, Łukasza Hardego, jakim jest zarozumiałym, egoistycznym palantem, usłyszałem głos tego Kogoś, może to był Bóg, a może moje własne sumienie: „Ślepy żyłeś, więc ślepy umrzesz". I tak właśnie się stało. Gdy mnie odratowali, gdy otworzyłem oczy, otaczała mnie ciemność.

Kamili odebrało oddech. Po prostu oniemiała.

– Powiedz mi, co mam zrobić, jak zasłużyć na to, by znów widzieć? – pytał, głosem nabrzmiałym rozpaczą. – Przecież nie odnajdę tamtego dziecka, by znaleźć jego mamę! Nie uratuję zamarzającego na śmierć bezdomnego, staruszki z siatami ani psa na łańcuchu! Jak mam odpokutować za tamtą obojętność? Za brak współczucia? Jak zadośćuczynić im wszystkim?

– Przestań! – krzyknęła nagle, nie mogąc dłużej tego słuchać. – To absurd! Jeżeli ciebie Bóg karze utratą wzroku za coś takiego, to co powinien odebrać mordercom, gwałcicielom, pedofilom i choćby takiemu Wielickiemu, który znęcał się nad bezbronną Gosią?! Głowę im urwać i nadziać na pal?! To zagubione dziecko nie ma nic wspólnego z twoją ślepotą! Stres, szok, wstrząs powypadkowy, śmierć kliniczna – to tak! W to uwierzę! Ale kara za grzechy?! Łukasz, ty chyba sam nie wierzysz w to, co mówisz! Jesteś najwspanialszym, najlepszym człowiekiem, jakiego znam, i ciebie miałby ten Ktoś ukarać?! Lekarze mieli rację: problem tkwi w psychice, a nie we wspomnieniach sprzed lat, które dziś już nie mają żadnego znaczenia! Gdybyś chciał... Gdybyś spróbował...

– Tak, jakież to proste spróbować, gdybym tylko chciał... – przerwał jej jadowitym tonem rozczarowany do granic, że jednak go nie zrozumiała, że nie uwierzyła w to, co przeżył, będąc po tamtej stronie. – Na własne życzenie straciłem wzrok i gdy tylko zechcę – pstryk! – go odzyskam.

– Właśnie tak! To tkwi w twojej duszy, a nie w mózgu! Gdybyś mnie kochał...

Zacisnął szczęki, a potem rzekł powoli:

– Wiesz... Miłość jest ślepa. Jeżeli jednak uważasz, że oślepiła mnie twoja uroda, to pochlebiasz sobie...

Kamila cofnęła się, jakby dał jej w twarz, tak bolesne były te słowa. Siedziała na łóżku, drżąc na całym ciele. On leżał obok, zasłoniwszy oczy przedramieniem, a Kamila nagle uspokoiła się.

– Łukasz, kocham cię mimo tego, jak bardzo potrafisz ranić. Obyś nie żałował, że nie możesz cofnąć czasu. Odwrócić tych słów. Tak jak dziś żałujesz, że nie pomogłeś płaczącemu dziecku. Czasem na wszystko jest za późno. Coś o tym wiem i ty też powinieneś wiedzieć.

Wstała, otuliła się szlafrokiem, czując śmiertelny chłód, i wyszła.

Odnalazł ją w salonie, jak siedziała zwinięta w kłębek w jednym z foteli. Ukląkł przed nią, zamknął jej zimne dłonie w swoich i poprosił cicho:

– Wybacz mi.

Pochyliła się ku niemu, objęła go z całych sił i tak trwali w ciszy i ciemności, wierząc w tej jednej jedynej chwili, że cały świat może się skończyć, a oni przetrwają to i będą razem.

Długo nie mogła zasnąć tej nocy, mimo że była wyczerpana po przeżyciach dnia i zwierzeniach Łukasza. Te ostatnie wstrząsnęły nią do głębi, bo jeżeli Łukasz rzeczywiście widział to, co widział, i czuł to, co czuł, gdy jego serce przestało bić, a mózg umierał pozbawiony tlenu... Jeśli naprawdę w chwili śmierci stajemy przed najsurowszym sędzią: Bogiem, albo przed własnym sumieniem, jeżeli w Boga nie wierzymy, to ona, Kamila, miałaby się z czego spowiadać. Za kilka grzechów też poniosłaby dotkliwą karę. Ona również żyła skupiona na własnym ja, odwracając głowę od cierpiących i potrzebujących. Ona też czasem podle i bezmyślnie zadawała ból. Nie wspominając o chwilach, gdy raniła z rozmysłem, celowo, tak żeby zabolało...

Gdyby dziś umarła, trafiłaby prosto do piekła. No, może do czyśćca, jeśli Pan Bóg okazałby jej łaskę. Chociaż... co powiedziała ojcu, gdy ten po prostu odmówił spełnienia jej kaprysu? „Rzygam na twój widok" – czyż nie tak się wyraziła? Już kiedyś żałowała słów wykrzyczanych w gniewie. Już raz odebrano jej możliwość poproszenia o wybaczenie, przytulenia się do mamy i wyznania z głębi serca: „kocham cię".

Mimo późnej godziny chwyciła za telefon i pospiesznie wystukała esemesa:

„Kocham Cię, tato. Przepraszam za wszystko. Twoja nieznośna córka Kamila".

Wysłała wiadomość i bez namysłu zaczęła pisać następne: do Julii, jak dobrą i niezawodną jest przyjaciółką; do Gosi – jak jest jej bliska i kochana i gdyby nie ona, Kamila w Sasance nie wytrzymałaby ani chwili; do Janki, której telefon wyprosiła u Jakuba, jak bardzo za nią tęskni, za jej uśmiechem, uroczym *take it easy* i tym, że w najgorszą noc można na nią liczyć; do Izy Zadrożnej z podziękowaniem za uratowanie Kuleczki, odwagę i pomoc przy wyrwaniu Gosi z łap Wielickiego. A gdy już wysłała te wszystkie pełne dobrych słów wiadomości, usiadła przy biurku i zaczęła pisać z głębi serca długi list do cioci Łucji. Bo ona zasłużyła na dużo więcej niż kilka słów przez telefon...

Jakub, jadący pustą autostradą do Wrocławia, rzucił okiem na wyświetlacz komórki. Wiadomość od Kamili.

Nie zwalniając wziął, telefon do ręki, przeczytał „Kocham Cię, tato... Twoja nieznośna córka Kamila", i uśmiechnął się do siebie. Nie pamiętał, po prostu nie pamiętał, by w którymkolwiek momencie swojego życia czuł się tak szczęśliwy i spełniony.

Odzyskanie Kamili – jako córki – jej miłości i wybaczenia już było małym cudem, ale Gosia... którą przecież dzięki Kamili odnalazł...

Serce tego twardego, czasem bezwzględnego mężczyzny zalała fala uczuć, do których chyba nikomu by się nie przyznał. Nie wiedział nawet, że potrafi tak kochać. Tęsknić zaraz po rozstaniu. Myśleć o Małgosi, nawet gdy była w pokoju obok, pracując nad swymi małymi arcydziełami. Być z nią myślą i duszą...

Gosia była cudowną osobą. Łagodną i delikatną, wzbudzającą uczucia opiekuńcze, czułość i tkliwość, ale gdzieś wewnątrz niej drzemała potężna siła kobiety, która zniosła każdy cios losu, nawet ten najgorszy: utratę rodziców i dziecka. Jednak przeżyła, podniosła się i choć czasem na kolanach, to szła dalej. Jakub podziwiał ją z całego serca, bo on by tylu ciosów nie wytrzymał.

Miłość do niej była tak prosta jak oddychanie, przyszła sama z siebie i zagościła w duszy tego mężczyzny. Z Gosią równie dobrze mu się rozmawiało – a była uważną słuchaczką i chyba pierwszy raz w życiu Jakub czuł się zrozumiany – jak milczało. Nie narzucała się mu ze swoją obecnością, nawet po tylu latach samotnego mieszkania w pustym, smutnym domu, nie uwiesiła się na nim. Gdy on pracował, ona to szanowała. Gdy z kolei Gosia miała pilne zlecenie, prosiła spojrzeniem o chwilę spokoju. Była cudowną towarzyszką życia – Jakub nie miał co do tego wątpliwości, a już tajemnica, którą wyszeptała wczoraj wieczorem... Aż musiał przełknąć, bo gardło zacisnęło mu wzruszenie.

Do tej pory myślał – i nie była to przyjemna świadomość – że Bóg stworzył go do robienia pieniędzy. Owszem, przez wszystkie te lata miał kilka kobiet i niektóre z nich na swój sposób kochał. Aniela Jadwisińska była fascynacją nastolatka, próbą wypełnienia pustki, jaką powinna wypełniać matka. Kamila była tak młodziutka, niewinna i urocza... Jak można się było w niej nie zakochać? Janka... mądra i silna, szczera do bólu i wiedząca, czego chce. Tak, Jakub lubił jej towarzystwo, ale jedynie lubił...

Gosia była objawieniem. Nagle odkrył, że potrafi bezgranicznie kochać, i... piękne to było uczucie. Gdy tylko dojedzie na miejsce, zadzwoni do niej i raz jeszcze wyzna jej swoją miłość. A potem będzie dzwonił do niej codziennie, przez cały tydzień, by po powrocie usłyszeć upragnione „tak"...

– Kamila, mam pomysł! – wykrzyknęła na widok dziewczyny Magda, gdy pani prezes przekroczyła próg dwuosobowej firmy Armika Co. Dwuosobowej, bo mimo starań asystentki nie znalazły na miejsce dezerterów nikogo innego. Żaden facet w tym dziwnym, szowinistycznym mieście nie życzył sobie pracować w firmie zarządzanej przez kobietę. Młodą kobietę. Córkę właściciela na dodatek.

– Dawaj – mruknęła dziewczyna, rozwieszając przemoczoną kurtkę na kaloryferze.

– Skoro nie możemy znaleźć tych wszystkich dyrektorów, księgowych, kierowników budowy, poszukajmy dyrektorek, księgowych kobiet i kierowniczek! Kto powiedział, że kobiety na tych stanowiskach będą gorsze?

– A dostałaś jakieś zgłoszenia od babek podczas pierwszej rekrutacji?

– No pewnie! Ale zostały odrzucone w pierwszej kolejności.

– Bo były kobietami?

– Bo były kobietami. Kadrowiec, gdy na jedno stanowisko ma do wyboru faceta i kobietę o tych samych dokonaniach, podobnym doświadczeniu, wykształceniu i CV, zawsze, ale to zawsze, wybierze faceta. Chyba że jakaś wielka korporacja chce poprawić swój wizerunek, wtedy zatrudnia na odczepnego kilka babek, tworzy im żłobki i pokoje karmienia niemowląt, takie tam, mydlenie oczu. My zawsze będziemy na straconej pozycji, bo w każdej chwili możemy zajść w ciążę, a facet nie.

Kamila wysłuchała Magdy w milczeniu.

– I to jest twój pomysł? Zajść w ciążę? – zapytała.

– Nie! Zatrudnić same kobiety! Zaproponujemy im takie pensje, jakie otrzymywały nasze orły, i damy wszystkie przywileje, jakie tamtym się należały, samochody służbowe, gadżety, etaty i całą resztę, a choćby i ten żłobek dla młodych mam, zobaczysz, Kamila, że będziesz prezeską najlepiej prosperującej firmy we wszechświecie. Dopóki sama nie zajdziesz w ciążę albo Łukasz nie wróci.

Roześmiały się serdecznie i przybiły piątkę. Kamila nagle jednak spoważniała.

– Podoba mi się twój pomysł bardzo, Magdaleno Sawicka, i jestem za, pod jednym wszakże warunkiem... – zawiesiła głos, a Magda nagle straciła pewność siebie. Chyba jej Kamila zaraz nie wyrzuci? – Że ty, moja kochana, zostaniesz wiceprezesem. To jest wiceprezeską. Muszę mieć prawą rękę, która to wszystko ogarnie, a nikogo lepszego od ciebie sobie nie wyobrażam. Co powiesz na dobrą pensję, samochód służbowy, gadżety i żłobek, gdy zajdziesz w ciążę?

Magda, która słuchała jej słów z rosnącym niedowierzaniem, myślała na początku, że Kamila z niej kpi.

– Przecież... jestem tylko asystentką – wyszeptała, gdy dotarło do niej, że mówi poważnie. – Skończyłam zarządzanie, ale nie mam żadnego doświadczenia...

– To tak jak ja. A skoro ja jestem prezesem, to nie wiem, czemu ty nie mogłabyś być wice.

Znów zaczęły się śmiać, a potem obie, zgodnie, ramię w ramię, przysiadły nad pokaźną stertą zgłoszeń i – odrzucając wszystkich facetów – zaczęły dzwonić do potencjalnych dyrektorek, kierowniczek i księgowych. I bardzo, ale to bardzo się to wszystkim zainteresowanym podobało.

Łukaszowi nieco mniej.

– Zatrudniłaś w mojej firmie same kobiety? – zapytał z niedowierzaniem, gdy wieczorem Kamila relacjonowała mu wydarzenia minionego dnia.

– Oprócz ekip remontowych, tak. Same kobiety – odparła lekko wyzywającym tonem. – Gdy wrócisz, będziesz mógł je powyrzucać i przyjąć z powrotem obrażonych panów. – Poklepała go pocieszająco po ręce.

– Jesteś szalona – pokręcił głową. – Zadziobiecie się w tym kurniku.

– Nie będziemy miały czasu, bo pracy jest po uszy. Zwłaszcza że ostrzę sobie zęby na nowe inwestycje. Tutaj, w Warszawie, w Gdańsku i w Krakowie. Mam też na oku kilka pięknych pałacyków, które aż piszczą: kup nas, wyremontuj!

Była taka szczęśliwa, gdy o tym opowiadała, że poczuł wściekłą zazdrość. On już nigdy nie znajdzie żadnej nieruchomości, nie przeprowadzi udanych negocjacji, nie poda ręki nowym współpracownikom, nie przejrzy i nie zaakceptuje kosztorysów, nie będzie patrzył, jak pod jego nadzorem ruina zmienia się w pałac. Już nigdy... Jemu pozostało brzdąkanie na pianinie, za co może, ale tylko może, zdoła się utrzymać.

Kiedy ta prawda dotrze do Kamili?

Kiedy dziewczyna, która teraz go kocha, odkryje, jak stał się słaby i zbędny?

Kiedy odczuje, że jej ukochany jest jedynie ciężarem?

Kiedy... odejdzie?

Poczuł, że nie zniesie czekania na tę chwilę, nie zniesie jej narastającego rozczarowania. Kiedyś, jeszcze nie teraz, bo sprawiłoby to i jemu, i jej straszny ból, on wykona ten krok. Weźmie na siebie odpowiedzialność i powie: żegnaj. Ale jeszcze nie dziś ani nie jutro. Jeszcze pozwoli i sobie, i Kamili na miłość.

Tak właśnie myślał Łukasz Hardy, słuchając radosnych słów dziewczyny. Nie wiedział, na swoje szczęście, że ktoś już za chwilę postanowi za niego...

Czy ktokolwiek zdaje sobie na co dzień sprawę z kruchości istnienia? Czy zdrowy, szczęśliwy facet, którego ukochana przyjęła oświadczyny, pomyśli choć przez chwilę, że już nigdy jej nie ujrzy? Czy młoda mama, nosząca pod sercem upragnione dziecko, może przypuszczać, że za moment będzie umierać razem z nim? Czy nastolatce, która wybiegła z domu wściekła na matkę, bo ta czepiła się za krótkiej sukienki, choć przez myśl przemknęło, że wróci do pustego domu i już nigdy nie powie mamie „kocham cię", i nigdy od niej tego „kocham" nie usłyszy?

Niełatwo jest cieszyć się każdą chwilą szczęścia i spokoju. Doceniamy je dopiero, gdy szczęście pryska, a spokój zmienia się w rozpacz. Jeżeli los jest dla nas łaskawy, dostajemy drugą szansę i na to szczęście, i na ten spokój. Ale los często bywa okrutny i wtedy tracimy wszystko, co kochamy, raz na zawsze...

Kamila z Gosią słuchały w milczeniu Julii, która w końcu odważyła się otworzyć opieczętowaną na czerwono kopertę, przeczytała jej zawartość, a potem, oślepiona łzami, pobiegła do sąsiadek po odrobinę pocieszenia.

– Rozwodzi się ze mną! – łkała, trzymając w drżących rękach nieszczęsne pismo. – I nie odważył się powiedzieć mi tego prosto w twarz. Po szesnastu latach skakania dookoła niego, jego gości, którzy rzygali w moje kwiaty, jego matki, dla której byłam zwykłą wiejską dziewuchą, co chwyciła Pana Boga za nogi; po latach uśmiechania się do kamer i fotografów, by pan prezes miał nieskazitelny wizerunek; po latach bycia kucharką, pokojówką i bezpłatną dziwką on nawet nie śmie powiedzieć mi w twarz, że ma mnie dosyć i chce rozwodu. Rozumiecie to?!

Kamila spuściła głowę.

Gosia przytuliła Julię z całych sił.

Obie znały gorycz porzucenia. Obie gotowe były z jednej strony wesprzeć Julię we wszystkim, co ona postanowi, pomóc przebrnąć przez piekło, jakie ją czeka, pocieszać i przybiegać do niej o każdej porze dnia i nocy, gdy tylko będzie ich potrzebować, z drugiej zaś strony wydrapać panu Tymkowi Sternowi te podłe, zakłamane oczka, które widać wypatrzyły inną, pewnie dwudziestoletnią, dupcię i postanowiły odmłodzić nią sobie ten bezcenny wizerunek.

Ani Kamila, ani Gosia nie powiedziały słowa, bo wszelkie „wszystko się ułoży", „dasz sobie radę" w takiej chwili były głupie i podłe. Pogrążonej w rozpaczy kobiecie, która nagle została wyrzucona na margines, nie pomogą zdawkowe pocieszenia. Ona musi wypłakać cały ból i żal i dopiero potem, gdy odzyska zdolność rozumowania, można zastanawiać się, co dalej.

Na razie potrzebowała przytulenia i wysłuchania.

I to właśnie mogły jej dać. I dawały z całego współczującego serca.

Przerwał im Łukasz.

Stanął w drzwiach sypialni Kamili, jak zwykle przytrzymując się ręką ściany. Gdy patrzył w ich kierunku, mogło się wydawać, że jest normalnym, zdrowym, niezwykle przystojnym, wręcz fascynującym mężczyzną. Ale on nadal miał przed oczami jedynie ciemność. I nadal uważał się za namiastkę, nędzną karykaturę człowieka. Oddałby pół życia, by znów widzieć...

– Moja matka pilnie mnie wzywa – odezwał się. – Czy mogłabyś... – Urwał, bo jak zwykle prośba, by Kamila odwiozła go do szpitala, zresztą jakakolwiek prośba, nie tylko ta, była dla dumnego mężczyzny trudna do wyrażenia. – Przepraszam, że tak nie w porę... i przykro mi, Julia, że ciebie to spotkało... – zaczął się tłumaczyć, ale Julia wstała, otarła dzielnie oczy i wychodząc z pokoju, cmoknęła Łukasza w policzek, miłym, przyjacielskim gestem, a potem szepnęła tak, że tylko on słyszał:

– Ja dam sobie radę, ale nie skrzywdź w podobny sposób Kamili.

Wyciągnął rękę, żeby uścisnąć chociaż ramię zdruzgotanej kobiety, ale jego dłoń trafiła w pustkę.

– Co z twoją mamą? – zapytała łagodnie Kamila, podchodząc doń i obejmując go wpół.

– Nie wiem. Mówiła bardzo cicho i niewyraźnie. Prawdę mówiąc, przeraziło mnie to bardziej, niż gdyby krzyczała.

We troje zeszli na parter.

– Zajrzysz do Julii? – poprosiła Gosię Kamila, choć było to zrozumiałe samo przez się. Miała złe przeczucia i nie wiedziała, co jest ich powodem. Czuła całą sobą, że musi kogoś pilnować, nad kimś szczególnie czuwać, bo zbliża się nieszczęście, ale nad kim, na Boga? – Uważaj na siebie – poprosiła błagalnie Małgosię. – I na maleństwo też. – Dotknęła delikatnie płaskiego jeszcze brzucha kobiety.

A może to nie o Gosię chodziło?

Może to Łucja?

Dzwoniła wczoraj do cioci i wydawało się, że Łucja jest całkiem zadowolona z życia. Opowiadała z przejęciem o nowych znajomych z kółka brydżowego. Mówiła nic nierozumiejącej siostrzenicy o jakichś lewach, blotkach i „gra w piki daje wyniki", cokolwiek miało to znaczyć. Ale przecież mogła coś przed Kamilą ukrywać. Choćby słabe serce, na które od czasu do czasu się skarżyła.

Co więc wzbudzało w dziewczynie narastający niepokój, niemal panikę?

Uścisnęła z całych sił dłoń Łukasza, który stał obok, czekając, aż obie z Gosią włożą kurtki i będą mogli ruszyć do samochodu, i w tym momencie...

Jakub wracał do Warszawy, prowadząc swego czarnego jaguara szybko, ale ostrożnie. Kiedyś może próbowałby ścigać się z każdym naiwnym na śliskiej od deszczu drodze, ale nie dzisiaj.

Nie teraz, gdy w willi Zacisze, którą już zaczął nazywać swoim domem, czekała nań miłość jego życia. Nie dziś, gdy kobieta, którą pokochał, nosiła pod sercem jego dziecko. Uśmiechnął się na samo wspomnienie oczu Małgosi, gdy mu to wyznawała...

Kątem oka ujrzał, jak jakiś szaleniec zaczyna wyprzedzać dwa tiry i jego, Jakuba, między nimi, na podwójnej ciągłej, na zakręcie.

Tir przed nim zahamował.

Jakub też nacisnął na hamulec.

Nie wiadomo, czy kierowca tira, jadącego za nim, stracił panowanie nad ciężarówką na śliskiej nawierzchni, czy zagadał się przez telefon – Jakub nigdy już się tego nie dowie. Tir z impetem wpadł na jego samochód i wręcz wprasował czarnego jaguara pod ciężarówkę przed nim.

... w tym momencie rozległ się dzwonek do drzwi.

Kamila poczuła, że serce staje jej w pół uderzenia. Wiedziała, czuła każdą komórką krzyczącego z przerażenia ciała, że stało się to, przed czym ostrzegało ją przeczucie.

Gosia spojrzała na dziewczynę szeroko otwartymi oczami, jakby i jej udzieliło się przerażenie.

– Otworzyć? – wyszeptała pobladłymi ustami.

Dziewczyna zdobyła się jedynie na skinięcie głową. Dłoń na ręce Łukasza zaciskała tak silnie, aż pobielały jej palce.

W drzwiach stało dwóch policjantów.

– Pani Kamila Nowodworska? – zapytał jeden z nich.

Gosia pokręciła głową.

Kamila, czując, że za chwilę zemdleje, zrobiła krok w przód, nadal rozpaczliwie ściskając dłoń Łukasza.

– Przykro mi, że przynoszę takie wieści... – zaczął policjant. – Pani ojciec, Jakub Kiliński, miał wypadek. Zginął na miejscu.

* * *

Łukasz stał w potokach deszczu, podtrzymując uczepioną jego ramienia Kamilę, którą ten cios, kolejny, jaki musiała znieść w swoim krótkim życiu, po prostu złamał. Już nawet nie płakała, nie krzyczała i nie pytała: „Dlaczego?! Dlaczego Jakub?! Za co znów mnie karzesz, okrutny Boże?! Czy jestem aż tak złym człowiekiem, że postanowiłeś zabrać mi i matkę, i ojca?!". Już nie miała siły zadawać tych pytań. Po prostu wczepiła się palcami w ramię Łukasza i szeroko otwartymi oczami, nadal nie wierząc, że to nie koszmar senny, ale koszmarna jawa, patrzyła na grób, w którym za chwilę spocznie Jakub. Jej ojciec.

Z gardła dziewczyny wyrwał się jęk. Łukasz mógł ją tylko przytulić. Małgosia stała obok i trzymała się prosto, ale to o nią bardziej się martwił. Od chwili, w której dowiedziała się o śmierci Jakuba, aż do teraz, gdy stali nad jego trumną, nie odezwała się ani słowem. Zastygła w cierpieniu i trwała z minuty na minutę, z godziny na godzinę, tylko dlatego że musiała przecież trwać. Cicho. Bez słowa skargi. Bez najmniejszego krzyku. Ale przecież w którymś momencie ból okaże się nie do zniesienia, rozpacz przerwie tamy i co wtedy z kruchą, delikatną, po raz kolejny złamaną przez okrutny los, Małgosią Bielską? Łukasz uścisnął jej dłoń, silnie, tak by spojrzała na niego, próbując tym gestem przekazać Gosi, że nie jest sama. Ani w tej rozpaczy, ani na świecie. Że nie zostawią jej na pastwę losu. Że on z Kamilą przy niej będą. Posłała mu spojrzenie sarny, śmiertelnie rannej, która błaga już tylko o łagodną śmierć.

Za nimi stała Łucja Jadwisińska i patrząc na rozpacz siostrzenicy, zaciskała pięści z bezsilnej wściekłości – nie, nie na los, na siebie. Bo jakiś czas temu postanowiła, że spróbuje polubić Jakuba, widząc, jaki stał się opiekuńczy w stosunku do Kamili i jak bardzo dziewczynie zależy na jej, Łucji, akceptacji tego mężczyzny. Postanowiła więc... go polubić. Nie zdąży. Nie zdąży usiąść z nim kiedyś przy stole, nad filiżanką herbaty albo kawy, nie zdąży uśmiechnąć się do niego bez grymasu niechęci czy wręcz nienawiści, jak do tej pory, i powiedzieć Jakubowi: „Jesteś w porządku. Dziękuję, że opiekujesz się Kamilą". Nie. Już nie zdąży...

Obok pobladłej Łucji stali Leon z Julitą. Z tą samą Julitą, która jeszcze kilka dni temu, zdawało się, że umiera, a dziś patrzyła, jak na trumnę z ciałem czterdziestoletniego mężczyzny, jej przyjaciela, który należał właściwie do rodziny, sypią się grudy ziemi... Ona żyła, mimo że próbowała zagłodzić się na śmierć, a Jakub, który pragnął żyć... Jak mogła być tak egoistyczna?! Tak bezmyślna? To ona powinna tam leżeć, a nie Jakub, jedyny, który zauważył jej rozpaczliwe wołanie o pomoc, o zmiłowanie, jedyny, który podszedł, przytrzymał ją za rękę i zapytał tak po prostu, po ludzku: „Co się dzieje? Martwię się o panią...". A ona... Dobrze, że padał deszcz. Dobrze, że zmywał łzy z twarzy. Łzy nie tylko żalu, ale i wstydu. Dotknęła przepraszającym gestem ramienia syna.

Łukasz obejrzał się przez ramię. W oczach miał pustkę.

Widział. O tak. Szok spowodowany śmiercią najdroższego przyjaciela, przyjaciela, który powinien – do cholery! – żyć, przed którym dopiero niedawno otworzyła się szansa na spełnienie i szczęście u boku ukochanej kobiety, był tym bodźcem, o którym mówili lekarze: Łukasz odzyskał wzrok. Ale jakim kosztem...

Gdybym wiedział, gdybym mógł przypuszczać, że cena za to będzie taka wysoka... – jęknął w duchu. – Gdybym wiedział... Jakub, przyjacielu...

Zwiesił głowę, nie próbując ukryć łez, przytulił Kamilę jeszcze mocniej, a drugą ręką przygarnął do siebie Gosię. We troje żegnali Jakuba modlitwą płynącą prosto ze zrozpaczonych serc.

Ale kiedyś żal minie – musi minąć, prawda? Nie za tydzień, nie za miesiąc, ale może za rok ból stanie się mniej dotkliwy, łzy nie tak palące, a Jakub powróci we wspomnieniach. Swoich przyjaciół... Swojej córki, która miała go tak krótko, a już zdążyła pokochać...

Wreszcie... Gosi, która patrząc w błękitne oczęta maleńkiego synka, Kubusia, oprócz żalu i tęsknoty poczuje wszechogarniającą miłość i wdzięczność. I do tego maleństwa, i do mężczyzny, który przywrócił jej sens i radość życia.

Spieszmy się kochać ludzi...

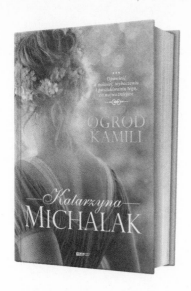

KATARZYNA MICHALAK

OGRÓD KAMILI

PIERWSZA POWIEŚĆ
Z „KWIATOWEJ SERII"

*Opowieść o miłości, wybaczeniu i poszukiwaniu tego,
co w życiu najważniejsze*

Kamila marzy o prawdziwej miłości, własnym domu i różanym ogrodzie.

Jednak los nie jest dla niej łaskawy. Ukochany mężczyzna niespodziewanie znika, zostawiając za sobą pustkę, ból i tajemnicę, zamiast domu jest małe mieszkanko, a ogród kwitnie tylko w wyobraźni. Przed pogrążeniem się w rozpaczy ratują Kamilę ukochana ciocia i wiara w to, że marzenia się spełniają.

Kamila, bliska utraty nadziei, że kiedyś i dla niej zaświeci słońce, otrzymuje niespodziewany dar od losu. Przedwojenna willa z uliczki Leśnych Dzwonków jest miejscem, o jakim marzyła. Zupełnie jakby ktoś czytał jej w myślach…

„Znów dałam się całkowicie porwać książce, znów zapomniałam
o bożym świecie, znów czytałam, marząc, by lektura nie miała końca".
lubimyczytac.pl

E-booki dostępne na

woblink.com